NIVEAU B1+
SICHER!

DEUTSCH ALS FREMDSPRACHE
LEHRERHANDBUCH

Claudia Böschel

Hueber Verlag

Quellenverzeichnis

Seite 123: „Gefällt mir" © Text: Klaas Klasing, Christian Büttner

Seite 131: © Studio Filmbilder

Seite 150: Spielgeld © panthermedia/Bogdan Ionescu

Seite 159/160: Gefällt mir © Text: Klaas Klasing, Christian Büttner

Seite 172/173: Texte: „Oktoberfest": Bernhard Schulz, München

Seite 174: Text: „Kein Platz für Gerold", Buch & Regie: Daniel Nocke – Mit freundlicher Genehmigung der Studio FILM BILDER GmbH

Seite 175/176: Text: „Probier dich aus": Mit freundlicher Genehmigung der Commerzbank AG

Seite 176: Text: „SO LALA" - Blumentopf: Mit freundlicher Genehmigung der EMI Music Germany GmbH

Seite 177: Text: „Mit dir chill'n" – Revolverheld: Mit freundlicher Genehmigung von Sony Music Entertainment Germany GmbH

Seite 177/178: Text: „Kleingeld" ; Regie: Marc-Andreas Bochert – Mit freundlicher Genehmigung der Hochschule für Film und Fernsehen (HFF) „Konrad Wolf", Potsdam Babelsberg 1999

Seite 178: „Ich liebe dich, Sprachenlernen an der VHS"; Mit freundlicher Genehmigung von „Deutscher Volkshochschulverband"

| 3. 2. 1. | Die letzten Ziffern |
| 2017 16 15 14 13 | bezeichnen Zahl und Jahr des Druckes. |

Alle Drucke dieser Auflage können, da unverändert,
nebeneinander benutzt werden.
1. Auflage
© 2013 Hueber Verlag GmbH & Co. KG, 85737 Ismaning, Deutschland
Umschlaggestaltung, Layout und Satz: Sieveking, München
Konzept: Michaela Perlmann-Balme
Phonetik: Vertiefungen und Tipps z. T. von Veronika Rafelt
Tests: Susanne Wagner
Zeichnungen: Jörg Saupe, Düsseldorf
Redaktion: Isabel Krämer-Kienle; Juliane Wolpert, Ismaning
Druck und Bindung: Auer Buch & Medien GmbH, Donauwörth
Printed in Germany
ISBN 978–3–19–051206–5

INHALT

DAS LEHRERHANDBUCH – ÜBERBLICK

Konzeption des Lehrwerks Sicher! B1+

Sicher! B1+ basiert auf den Grundsätzen des Gemeinsamen Europäischen Referenzrahmens, wiederholt, festigt und erweitert den Stoff der Niveaustufe B1 und bereitet auf die Prüfungen der Stufe B1 vor. Die konzeptionellen Rahmenbedingungen werden zunächst kurz erläutert. Anschließend wird der methodisch-didaktische Ansatz des Lehrwerks und seiner Komponenten vorgestellt und beschrieben.

Methodisch-didaktische Hinweise

Ab Seite 14 finden Sie konkrete Vorschläge zum Vorgehen im Unterricht sowie methodisch-didaktische Tipps zu den Aufgaben im Kursbuch und den Übungen im Arbeitsbuch. In diesem Lehrerhandbuch finden Sie verschiedene Rubriken, die Ihnen Vorschläge für einen abwechslungsreichen und variantenreichen Unterricht unterbreiten. So finden Sie *Vertiefungen,* die als zusätzliche Aufgabenstellungen angeboten werden. Diese Aufgaben eignen sich insbesondere zur leistungsorientierten und lerntypenspezifischen Binnendifferenzierung. Die *Tipps* können sich auf didaktische, aber auch auf rein unterrichtspraktische Inhalte beziehen. In *Fokus Grammatik/Fokus Phonetik* und *Landeskunde* wird Hintergrundwissen in den Bereichen Grammatik, Phonetik, Politik und Kultur angeboten und erklärt. Die Rubrik *Interkulturelles* wirft mögliche weiterführende interkulturelle Fragestellungen auf, die den Unterricht dahingehend bereichern können. Auf den Aussprache-Seiten finden Sie Vorschläge für weiterführende Übungen und Hinweise auf besondere Schwierigkeiten verschiedener Lerner. Um die Lernenden langfristig zu autonomen Lernern zu machen, finden Sie zu den Lernwortschatzseiten *Lernstrategie-Tipps,* die sich jeweils an den Inhalten der Lektion orientieren.

Kopiervorlagen

Interaktionsaufgaben, Brettspielvorlagen, erweiternde grammatische und kommunikative Übungen und Sprachspiele auf den Kopiervorlagen ab Seite 123 bieten zusätzlich Abwechslung und Vertiefung im Unterricht.

Tests

Zu jeder Lektion gibt es ab Seite 138 einen Test, mit dem Sie sich einen Überblick über den Spracherwerbsstand der Lernenden verschaffen können. Die Kategorien Wortschatz, Grammatik und Kommunikation (Redemittel) fragen gezielt das Gelernte der jeweiligen Lektion ab.

Das Methodenglossar

In den methodisch-didaktischen Hinweisen finden Sie immer wieder Anregungen, Ihren Unterricht mithilfe verschiedener *Methoden* interessant und lerntypenspezifisch durchzuführen. Ab Seite 154 sind alle vorgeschlagenen Methoden alphabetisch zusammengefasst und noch einmal genau beschrieben. In den Lektionen erhalten Sie nur beim ersten Vorstellen einer Methode eine genaue Anleitung, ansonsten erfolgt der Verweis auf das Glossar (Glossar → S. 154–158).

Anhang

Hier finden Sie die Transkriptionen der Hörtexte des Kursbuches und der DVD sowie die Lösungen zu den Tests.

> Die Lösungen zu den Übungen im Arbeitsbuch sowie die Transkripte der Hörtexte des Arbeitsbuches finden Sie und Ihre Lernenden weiterhin im Internetservice unter www.hueber.de/sicher/lernen.

KONZEPTION DES LEHRWERKS Sicher! B1+

1 Rahmenbedingungen

Das Lehrwerk *Sicher!* richtet sich an Lernende weltweit. Es ist speziell konzipiert für fortgeschrittene Lernende, die mit auf ihre Bedürfnisse abgestimmten Materialien arbeiten möchten, um ihre persönlichen oder beruflichen Ziele zu erreichen. *Sicher!* eignet sich für Teilnehmende in Kursen, die

- Anschluss auf dem Arbeitsmarkt in Deutschland, Österreich oder der Schweiz suchen.
- sich auf eine Tätigkeit in einer deutschsprachigen Firma im Heimatland vorbereiten.
- ein Studium oder eine Weiterbildung mit unterschiedlicher fachlicher Ausrichtung anstreben.
- aus Freude oder als Freizeitbeschäftigung Deutsch lernen.

Sprachniveau des Kurses

Sicher! B1+ ist der erste Band eines umfassenden dreibändigen Unterrichtsprogramms für Fortgeschrittene in den Kursstufen B1+, B2 und C1. Es eignet sich als kurstragendes Lehrwerk für unterschiedlich strukturierte Kurse, d.h. für Intensivkurse, Semi-Intensivkurse und Extensivkurse.

Nach erfolgreichem Durcharbeiten des Bandes *Sicher! B1+* erwerben Teilnehmende die Fähigkeit, die Sprache selbstständig zu verwenden. In deutschsprachiger Umgebung können sie sich dann ohne Sprachmittler oder Dolmetscher bewegen.

Sicher! B1+ stellt Material für mindestens 80 und maximal 120 Unterrichtseinheiten bereit. Damit lassen sich 10 bis 15 Unterrichtseinheiten (zu 45 Minuten) pro Lektion durchführen. Die konzeptionelle Grundlage liefert der *Gemeinsame Europäische Referenzrahmen für Sprachen (GER)* sowie das *Europäische Sprachenportfolio*. Außerdem wurde bei der Planung des Grammatik- und Wortschatzprogramms das Curriculum für die Deutschkurse des *Goethe-Instituts* in Deutschland zugrunde gelegt.

Sicher!-Bände und Gemeinsamer Europäischer Referenzrahmen

Sicher!	Einstiegsvoraussetzung	Ziel	Zertifikate
B1+	Vorkenntnisse auf Niveau B1.1; Besonders geeignet für Lernende, a) die erstmals in einen Kurs einsteigen, oder b) die Wiederholungsbedarf haben.	Abschluss des B1-Niveaus Einstieg ins B2-Niveau	*Goethe-Zertifikat B1* *ÖSD-Zertifikat B1* *Zertifikat Deutsch*
B2	Vorkenntnis auf Niveau B1; Besonders geeignet für Lernende, die sich auf ein Studium in Deutschland vorbereiten.	Abschluss des B2-Niveaus Einstieg ins C1-Niveau	*Goethe-Zertifikat B2* *ÖSD-Mittelstufe* *TESTDAF TDN 4* *telc Deutsch B2*
C1	Vorkenntnisse auf Niveau B2; Besonders geeignet für Lernende, die sich auf ein Studium in Deutschland vorbereiten.	Abschluss des C1-Niveaus Einstieg ins C2-Niveau	*Goethe-Zertifikat C1* *ÖSD-Oberstufe* *TESTDAF TDN 5* *telc Deutsch C1*

Kursleitung

Sicher! eignet sich auch für Lehrkräfte, die erste Erfahrungen im Fortgeschrittenenunterricht sammeln. Eine hilfreiche Orientierung für Kursleitende ist der auf jeder Seite vorgegebene Stundenaufbau. Zusammen mit den Hinweisen zu passenden Übungen im Arbeitsbuch ist jede Unterrichtseinheit bereits vorstrukturiert. Mit relativ wenig Vorbereitungsaufwand wird so eine hohe Effizienz für die Teilnehmenden erzielt. Die positive Folge dieser Vorstrukturierung: Die Kursleitenden können sich im Unterricht verstärkt den Lernenden zuwenden und werden so zu Lernberatern. Der Schwerpunkt ihrer Arbeit liegt in der Unterstützung des Lernprozesses durch Steuerung des Unterrichtsgeschehens.

Kursplanung

Sicher! B1+ ist ein flexibles Lehrwerk im Baukastensystem. Es ermöglicht Kursleitenden, gemeinsam mit den Teilnehmenden ein individuell auf ihre Bedürfnisse abgestimmtes Lernprogramm zusammenzustellen. Dabei können Schwerpunkte gesetzt und einzelne Seiten auch weggelassen werden. Kurs- und Arbeitsbuch können aber selbstverständlich auch Seite für Seite durchgearbeitet werden.

Nach einer Lernzielanalyse für die Kursteilnehmenden am ersten Kurstag nimmt die/der Kursleitende eine Grobplanung für das Programm dieses speziellen Kurses vor. Zur Bewusstmachung des jeweils zweckmäßigen Lernprogramms dient die Inhaltsübersicht über das Kursprogramm am Anfang des Buches, S. 4f. Die Auswahl der Lerninhalte geschieht im Normalfall im Hinblick auf die angebotenen Fertigkeiten. Im Verlauf des Kurses erfolgt eine Feinplanung in Form von Wochen- bzw. Semesterplänen. Wenn die/der Kursleitende diese Pläne im Klassenraum aufhängt oder den Teilnehmenden austeilt, führt dies zu mehr Transparenz der Unterrichtsinhalte und hilft bei der Reflexion des Lernfortschritts.

2 Methodisch-didaktischer Ansatz

Das Lehrwerk greift fünf Grundgedanken auf:
- Lernerautonomie
- Soziales Lernen und Binnendifferenzierung
- Zyklisches Lernen
- Handlungsorientierung
- Textsorten mit Realitätsbezug

Lernerautonomie

Das Lehrwerk ist lernerzentriert. Das bedeutet, die Aktivität im Unterrichtsgeschehen wird soweit wie möglich auf die Lernenden selbst verlagert. Die Teilnehmenden werden schrittweise dahin geführt, die Verantwortung für ihr eigenes Lernen zu übernehmen. Sie werden angeleitet, eigene Lernziele zu formulieren (vgl. *Sicher! B1+*, Kursbuch, S. 17) und zu erreichen.
Vor allem die Übungen des Arbeitsbuchs sind auf eigenständiges Arbeiten der Teilnehmenden angelegt. Aber auch im Kursbuch ermöglichen es die Übungen, sich den Lernstoff induktiv zu erarbeiten und aktiv am Unterrichtsgeschehen mitzuwirken. Das Abwechseln verschiedener Übungstypen trägt dazu bei, den verschiedenen Begabungen und Interessen der Teilnehmenden eines Kurses Rechnung zu tragen. So findet der visuelle Lernertyp alle wichtigen sprachlichen Strukturen in Übersichten visualisiert, der kognitive Lernertyp grammatische Regeln in Sätzen ausformuliert. Für kreative Lernende gibt es vor allem im Arbeitsbuch Spiele. Haptische Lernertypen dürfen Plakate und Poster basteln oder Rollenspiele machen, kommunikative Lerner können mit Lernpartnern zusammenarbeiten.

Soziales Lernen und Binnendifferenzierung

Das Lernen voneinander hat einen hohen Stellenwert. Daher spielen Partner- und Gruppenarbeit als Sozialformen des Unterrichts eine zentrale Rolle. Das Angebot an Unterrichtsprojekten sowie Diskussions- und Sprechanlässe sollen einen authentischen Erfahrungsaustausch zwischen den Teilnehmenden anregen und vertiefen. Besonders in multikulturell zusammengesetzten Klassen ermöglichen Aufgaben zum Vorwissen der Lernenden einen Erfahrungsaustausch, der über das Lernen von sprachlichen Strukturen hinausgeht. Die Aufgaben im Kursbuch sind in der Regel so angelegt, dass die Teilnehmenden ihr Vorwissen aus unterschiedlichen biographischen wie auch kulturellen Hintergründen einbringen können. Kooperative Lernformen, in denen die Teilnehmenden als Kursgemeinschaft aktiv werden, ermöglichen Erfolgserlebnisse, die sich positiv auf die Motivation auswirken. Unterrichtsprojekte und Spiele sorgen auch für Lebendigkeit des Unterrichts und eine positive Gruppendynamik. Ein Beispiel dafür ist das Projekt Schatzsuche in Lektion 3 (*Sicher! B1+*, Kursbuch S. 38). Die Projekte sind so ausgewählt, dass sie sowohl an einem Kursort in einem deutschsprachigen Land als auch im Heimatland durchführbar sind.

Der häufige Einsatz von Partner- und Gruppenarbeit wirkt auch binnendifferenzierend. Jede soziale Einheit arbeitet in eigenem Tempo und auf eigenem Niveau. Damit wird es möglich, die Über- oder Unterforderung einzelner Teilnehmender zu reduzieren. In derselben Weise wirkt binnendifferenzierend, in welchem Umfang die Arbeitsbuchaufgaben hinzugezogen werden. Ein weiteres Element der Binnendifferenzierung sind die interaktiven Übungen im Internet, auf die im Arbeitsbuch jeweils hingewiesen wird. Sie ermöglichen individuell unterschiedlich intensive Übungs- und Vertiefungsphasen. Sie finden die Übungen unter www.hueber.de/sicher/lernen, vgl. Punkt 3.2.

Zyklisches Lernen

Da viele Strukturen bei den Fortgeschrittenen bereits ansatzweise bekannt sind, geht es darum, bei der Verwendung dieser Strukturen mehr Sicherheit zu bekommen und weitere Einzelheiten dazu kennenzulernen. Zyklisches Lernen ist daher für das Grammatikprogramm kennzeichnend. Es verbindet Bekanntes mit Neuem, sodass Lernende ihre Kenntnisse systematisch auf- und ausbauen können. Ein Beispiel dafür ist die Adjektivdeklination in Lektion 1, die zwar den Teilnehmenden bereits bekannt, in der praktischen Anwendung aber weiterhin schwierig ist. Die Regeln zur Deklination werden mit dem aktuellen Stoff und dem für das B1+ Niveau angemessenen Wortschatz wiederholt und für den Einsatz im realen Leben trainiert.

Handlungsorientierung

Unterrichtsgegenstand ist in der Regel eine Zielaktivität, die im realen Leben gebraucht wird wie zum Beispiel „jemanden höflich begrüßen" oder „sich entschuldigen". Das Training aller Fertigkeiten ist grundsätzlich eingebettet in realistische Situationen und Anlässe. Das Grammatikprogramm (z.B. Konjunktiv II) orientiert sich daran, welche Phänomene in welcher Realsituation gebraucht werden (z.B. höfliche Bitte).

Textsorten mit Realitätsbezug

Das Lehrwerk bietet eine große Zahl von verschiedenen Textsorten an. Auswahlprinzip war einerseits die Relevanz, d.h. es werden solche Textsorten angeboten, die für die Teilnehmenden eine Rolle in ihrem eigenen Leben spielen oder spielen werden. Ein weiteres Auswahlkriterium war ihr Schwierigkeitsgrad im Verhältnis zum sprachlichen Können der Lernenden auf der Stufe B1+. Charakteristisch für die Themenauswahl sind Aktualität und Authentizität. Vor allem die moderne Medienwelt ist in der Auswahl an Sprech-und Schreibanlässen sowie Lese- und Hörtexten vertreten. In dem breiten Spektrum an Textsorten kommen daher Blogs, Einträge in sozialen Netzwerken, SMS und Ähnliches vor. Zentrales Lernziel ist der bewusste Umgang mit diesen Textsorten und deren spezifischen Merkmalen, vgl. *Sicher! B1+*, Kursbuch, S. 10.

3 Komponenten des Lehrwerks

Das Lehrwerk *Sicher!* bietet ein umfangreiches Angebot an Materialien und Medien für Teilnehmende und für Lehrkräfte. Zu den Basisbestandteilen gehören:
- das **Kursbuch**
- das **Arbeitsbuch** mit integrierter Audio-CD zu den vertiefenden und weiterführenden Übungen, insbesondere zum Aussprachetraining
- das **Medienpaket** mit zwei Audio-CDs und einer Film-DVD: Hier finden sich die Hörtexte und Filme des Kursbuchs, die im Unterricht bearbeitet werden.

Über diese Materialien hinaus finden Sie unter 3.3 zahlreiche ergänzende Produkte für einen abwechslungsreichen Unterricht und das selbstständige Weiterlernen zu Hause.

3.1 Kursbuch

Das Kursbuch *B1+* ist in acht Lektionen unterteilt. Die einzelnen Lektionen haben einen thematischen Rahmen und jede Lektion richtet den Fokus hauptsächlich auf einen der Bereiche Alltag, Beruf, Studium und Ausbildung.

a) Aufbau der Kursbuchlektionen

Das Programm einer Lektion ist so gegliedert, dass ein inhaltlich kohärenter, vom Schwierigkeitsgrad ansteigender Ablauf entsteht. Der chronologische Lektionsaufbau ist im Inhaltsverzeichnis auf Seite 3 nachvollziehbar. Der Aufbau einer Lektion variiert, um im Kursverlauf genügend Spannung und Abwechslung aufrecht zu erhalten. Mal beginnt eine Lektion mit Lesen (Lektion 8), mal mit Wortschatz (Lektion 4) meistens jedoch mit Hören (Lektion 1, 2, 3, 6). Lektion 5 beginnt mit Hören und Sehen. Sind mehrere Texte zum Lesen oder Hören bzw. mehrere Schreib- und Sprechanlässe vorhanden, sind diese durchnummeriert (z.B. Lesen 1).

b) Bausteine

Jede Lektion setzt sich aus denselben Bausteinen zusammen: Einstiegsseite, Hören, Lesen, Sprechen, Schreiben, Wortschatz, Sehen und Hören sowie Grammatik-Übersichtsseite. Jeder Baustein umfasst eine oder mehrere komplette Seiten. Diese sind durch Signalfarben erkennbar. Jeweils die Kopfzeile zeigt an, um welche Fertigkeit es geht. Das erleichtert einen flexiblen Einsatz. Wer beispielsweise in Lektion 1 gerne Lesen 1 durcharbeiten möchte, muss nicht unbedingt vorher die Bausteine Hören und Sprechen bearbeiten. Man kann das Buch Seite für Seite durcharbeiten, doch lässt sich auch mit einem selektiven Vorgehen ein individuelles Kursprogramm gestalten.

Einstieg und Übersichtsseite

Jede Lektion beginnt mit einem Foto als Sprech- oder Schreibanlass. Dabei ergeben sich meist verschiedene Deutungen des Bildes (z.B. *Sicher! B1+* Kursbuch, S. 19, 29, 41). Diese Vieldeutigkeit ist gewollt, denn auf diese Weise entstehen interessante und immer wieder aktuelle Sprechanlässe. Zugleich ermöglichen die Einstiegsseiten eine Aktivierung des bei den Lernenden vorhandenen Vorwissens. Lernziele und Aufgaben der Einstiegsseiten wechseln je nach Thema. Auf der letzten Seite jeder Lektion ist der gesamte Grammatikstoff, der auf den vorangegangenen Lektionsseiten induktiv entwickelt wurde, in Übersichtsform zusammengefasst. Diese Seiten geben den Teilnehmenden die Möglichkeit, sich zu jeder Zeit noch einmal einen Überblick über gelernte Strukturen zu verschaffen. Er hilft, Zusammenhänge zu begreifen und zu behalten.

Seiten zu den Fertigkeiten

Der Hauptteil jeder Lektion ist dem Training der rezeptiven und produktiven Fertigkeiten gewidmet. Spezifische Merkmale der Rezeption sind Gegenstand von Aufgaben und Übungen, in denen zum Beispiel die jeweils vorliegende Textsorte (z.B. Zeitungsmeldung) reflektiert wird. Diese Textsortenorientierung wird zum Dreh- und Angelpunkt des Strategielernens, denn Textsorten legen oft bestimmte Rezeptionsstile nahe. So lesen wir in der Realität manche Texte Wort für Wort, andere dagegen überfliegen wir. Rezeptionsstile und -strategien werden ausführlich geübt.

Auf den Seiten Lesen trainieren die Teilnehmenden verschiedene Lesestile. Geübt wird neben dem traditionellen „totalen" Lesen auch das suchende und das orientierende oder überfliegende Lesen. Die Teilnehmenden lernen, eine Unterscheidung zwischen Wesentlichem und Unwesentlichem, zwischen Information und Meinung vorzunehmen. Außerdem lernen sie, unbekannten Wortschatz aus dem Kontext oder aus bereits bekannten Wörtern zu erschließen. Sie lernen außerdem, einfache Signale wie z.B. Überschrift, Layout und begleitendes Bildmaterial als Lesehilfe einzusetzen.

Ähnliches gilt für die Seiten Hören. Die Präsentation der Hörtexte im Unterricht erfolgt in der Regel in Abschnitten. Das bedeutet, der Text wird langsam „enthüllt". Durch diese Parzellierung reduziert sich die Textmenge auf eine für die Lernenden verarbeitbare Menge. Ein Nebeneffekt dieses Vorgehens ist, dass die Aufmerksamkeit der Zuhörer bis zum Textende erhalten bleibt. Die Hörtexte werden im Kurs in der Regel mindestens zweimal gehört. Wird ein Hörtext beim ersten Hören im Ganzen präsentiert, dann geht es dabei zunächst um eine erste Orientierung. Eine behutsame Vorentlastung ist besonders wichtig. Die Aufgaben vor dem Hören dienen dazu, die Aufmerksamkeit auf den kommenden Text zu richten und bereits vorhandenes Vorwissen zu aktivieren. Die Aufgaben nach dem Hören dienen dazu, den Teilnehmenden Transfermöglichkeiten anzubieten. So werden sie zum Beispiel gebeten, die angesprochene Thematik auf den eigenen Kontext zu übertragen oder Stellung zu dem Gehörten zu nehmen.

Der Baustein Hör-Seh-Verstehen erweitert das Angebot an authentischen Hörmaterialien. Das Lernziel der Unterrichtseinheit liegt meistens weniger beim Hörverstehen als beim Sprechen in Form eines Spekulierens über den Film. Da es sich um authentisches Material handelt, ist die Anforderung an die Hörleistung jeweils relativ hoch.

Sicher! B1+ reserviert mindestens zwei Kursbuchseiten pro Lektion für das Training von Schreiben und Sprechen. Lediglich die knappe Einstiegslektion kommt ohne Schreiben aus. Schreib- und Sprechtraining sind handlungsorientiert und alltagsbezogen. Im Schreibtraining werden die aktuellen Formen der elektronischen Kommunikation geübt. Der soziokulturellen Kompetenz kommt dabei besondere Bedeutung zu. Dabei geht es um Register und Formen der Höflichkeit: Welche Anrede ist bei welchem Adressaten adäquat, welche Stilmerkmale kennzeichnen eine formelle Mitteilung? Realitätsnahe Schreibanlässe sind:
- Hotelunterkünfte im Internet bewerten (*Sicher! B1+*, Kursbuch, S. 37)
- an einen Wohnungstauschpartner schreiben (*Sicher! B1+*, Kursbuch, S. 45)
- Diskussionsbeiträge im Internet formulieren (*Sicher! B1+*, Kursbuch, S. 84 und S. 94)

Zunächst wird die weniger anspruchsvolle informelle, danach die formelle Nachricht bearbeitet, erst zum Schluss folgt als Textsorte der Diskussionsbeitrag. Wie bei den rezeptiven Fertigkeiten ist die Vorgehensweise auch beim Schreibtraining dreischrittig. Vor dem eigentlichen Schreiben entlasten Aufgaben diesen Prozess thematisch. Die Aufgabentypen zum Schreiben unterscheiden sich durch verschiedene Grade der Steuerung. Dabei gilt: Je freier die Aufgabe, umso größer die von den Teilnehmenden verlangte Leistung im Hinblick auf Planung und Textaufbau. Nach dem Schreiben werden die Teilnehmenden angeleitet, ihre eigenen Texte kritisch zu prüfen und selber mithilfe von Check-Listen auf Fehlersuche zu gehen (vgl. *Sicher! B1+*, Kursbuch, S. 94).

Im Mittelpunkt des Sprechtrainings steht der Erwerb von Redemitteln. Mit der Vorgabe von typischen Redemitteln wird die Verbesserung der Sprechfertigkeit gesteuert. Auf diese Weise lernen die Teilnehmenden portionsweise neue, sprechübliche Ausdrucksweisen kennen. Redemittel werden in der Regel als Auswahl angeboten. Die immer noch beachtliche Leistung der Teilnehmenden besteht darin, diese für die jeweilige Intention auszuwählen und für eigene Ziele anzuwenden. Am Ende des Kursbuches werden alle Redemittel von *Sicher! B1+* noch einmal zusammen aufgelistet (S. 100–104). Zur Verbesserung der Sprechfertigkeit gehört auch das Aussprachetraining im Arbeitsbuch (siehe unten).

Filmseite
Diese besonders motivierende Ergänzung des Fertigkeitstrainings steht in der Regel am Ende der Lektion. Trainiert wird das Hör-Seh-Verstehen. Als Material dienen kurze Filme verschiedener Genres sowie Foto-Reportagen. Bei der Foto-Reportage handelt es sich um eine Serie von durchlaufenden Bildern mit dazugehörigem Text. Ähnlich wie die Unterrichtsprojekte und Spiele soll die Arbeit mit den Filmen die Lernmotivation stärken. Aufgrund der Kürze der Filme, sie sind bis auf eine Ausnahme (*Kleingeld*, Lektion 7) maximal fünf Minuten lang, lassen sich diese Filme gut in einer Unterrichtseinheit bearbeiten. Die Filme finden sich auf einer DVD, die Teil des Medienpakets ist.

Wortschatzseite
Bei fortgeschrittenen Teilnehmenden liegt der passive Wortschatz meist weit über dem aktiven. Der Ausbau der aktiven Ausdrucksfähigkeit ist deshalb auf der Stufe B1+ ein wichtiges Lernziel.

Ausgangspunkt für das Wortschatztraining ist die Frage: Welche Wörter brauchen Teilnehmende für eine bestimmte Sprachhandlung, wenn zum Beispiel gemeinsam mit Freunden eine Party organisiert werden soll (vgl. *Sicher! B1+*, Kursbuch, S. 25). Im Mittelpunkt steht die Erarbeitung von Wortfamilien und -feldern und von Variationsmöglichkeiten im Ausdruck. Methodisch geht es bei fortgeschrittenen Lernenden immer um das Reaktivieren und das gezielte Erweitern bekannten Wortschatzes. Nur so ist es möglich, das unterschiedliche Wissen, das die Teilnehmenden mitbringen, auf eine gemeinsame Ebene zu heben. Erlernt werden thematisch relevante Wörter und Wortfelder, z.B. zum Thema Ausbildung und Beruf (*Sicher! B1+*, Kursbuch, S. 56), Musik (S. 65) aber auch Wortbildungsregeln, z.B. der Verben (S. 31) werden noch einmal unabhängig von den spezifischen Rezeptionstexten erarbeitet und vertieft.

Das Grammatiktraining ist integriert in die Seiten zum Lesen, Hören, Sprechen, Schreiben, Wortschatz. Es ist gekoppelt an den Ausbau der kommunikativen Kompetenz. Es wurden hochfrequente Grammatikthemen, die im Alltag eine zentrale Rolle spielen, ins Lernprogramm von *Sicher! B1+* aufgenommen. Dazu gehören z.B. Modalpartikeln (Lektion 2). Meist sind die Phänomene bereits bekannt, müssen jedoch für einen sicheren Umgang wiederholt und vertieft werden, wie z.B. Relativsatz (Lektion 3) oder Passiv (Lektion 7). Die zu erlernende Struktur wird aus dem Sprachmaterial des Textes oder des Redemittels gewonnen, als Struktur erkannt, hinsichtlich Bildungsregeln oder Position im Satz systematisiert und anschließend anhand weiterer Beispiele angewendet. Wo immer möglich formulieren die Lernenden selbst die Regeln. Das selbstständige Finden und Formulieren von Regeln vertieft das Verständnis. Aufgabe der Kursleitenden ist es, die Regelfindung zu begleiten und gegebenenfalls zu korrigieren. Aufgegriffen und systematisch ausgebaut werden Wortbildungsregeln, z.B. der zusammengesetzten Nomen (Lektion 3) und der Nomen mit Nachsilben (Lektion 7). Eine Vertrautheit mit der Derivation (= Ableitung) und Komposition (= Zusammensetzung) von neuen Wörtern aus bekannten Teilen trägt entscheidend zum selbstständigen Umgang mit unbekanntem Wortschatz in Texten bei.

c) Aufbau der Lektionsseite
In geringfügiger Variation hat jede Seite folgende Struktur:
- Vorentlastung
- Präsentation des Textes, der Situation oder des Schreibanlasses
- Aufgaben zu Textverstehen, Textproduktion, Wortschatz etc.
- Aufgaben zur Grammatik
- Ausblick bzw. Transfer
- Lernziele

Lerntipps
Zur systematischen Verbesserung der Lerntechniken gibt es auf den Kursbuchseiten bei den Fertigkeiten die Rubrik Lerntipps. Sie sind durch ein Symbol gekennzeichnet. Bei den Lesetexten geht es dabei beispielsweise um die adäquate Herangehensweise an verschiedene Textsorten. Dieses Trainingsprogramm zur Organisation des Lernens versetzt die Teilnehmenden in die Lage, sich bestimmte Techniken zur Bearbeitung von Aufgaben bewusst zu machen.

Landeskunde
Landeskundliche Informationen über die deutschsprachigen Länder, also Deutschland, Österreich, Schweiz und Liechtenstein, sind unter *Wussten Sie schon?* eingestreut.

Lernziel
Die Lernziele jeder Seite sind jeweils am Ende als *Ich kann jetzt* ...-Aussage aufgeführt und damit für Kursleitende und Teilnehmende transparent. Durch Ankreuzen können die Lernenden bestimmen, ob sie diese Ziele für sich als erreicht einstufen. Durch diese systematische Reflexion wird Seite für Seite die Lernerautonomie gefördert.

d) Anhang

Am Ende des Kursbuchs finden die Teilnehmenden drei nützliche Listen.

Zunächst gibt es eine Zusammenstellung aller in den Lektionen gelernten Redemittel. Wie die Grammatikübersichten am Ende jeder Lektion und die Lernwortschatzlisten im Arbeitsbuch hilft diese Liste, sich gezielt noch einmal eine Übersicht zu verschaffen, welche Redemittel man in welcher Situation verwenden kann. Als Nachschlageseiten stehen zudem Listen zu den unregelmäßigen Verben sowie zu den Verben mit Präpositionen, die auf der Stufe B1 gekonnt werden sollten, zur Verfügung.

3.2 Arbeitsbuch

Das Arbeitsbuch *Sicher B1+* enthält zu jeder der acht Lektionen des Kursbuchs circa 25 Übungen, die im Unterricht oder als Selbstlernmaterial im Anschluss an den Unterricht zu bearbeiten sind. Bis auf wenige Ausnahmen lassen sich die Übungen ohne Moderation durch die Kursleitung lösen. Die Lektionen haben jeweils denselben thematischen Rahmen wie das Kursbuch, greifen bestimmte landeskundliche Aspekte auf und vertiefen sie. Als Erweiterung des Kursbuchangebotes enthält das Arbeitsbuch pro Lektion ein Set von Ausspracheübungen.

a) Aufbau der Arbeitsbuchlektionen

Die Übungen im Arbeitsbuch spiegeln weitgehend den Aufbau der Kursbuchlektion. Eine Wortschatz-Wiederholungsübung eröffnet die Lektion, zwei Lernwortschatzseiten und ein Lektionstest beschließen sie.

Im Haupt- bzw. Mittelteil der Arbeitsbuchlektionen bereiten die Übungen den Stoff des Kursbuches nach, festigen und vertiefen ihn.

b) Bausteine

Jede Lektion setzt sich aus den folgenden Bausteinen zusammen: Wiederholung Wortschatz, Lesen, Hören, Schreiben, Wortschatz, Kommunikation (Redemittel), Wiederholung Grammatik, Grammatik entdecken, Grammatik, Landeskunde, Spiel, Filmtipp, Mein Dossier, Aussprachetraining, Lernwortschatz, Lektionstest. Manche Bausteine kommen auch kombiniert vor, z.B. Filmtipp/Lesen.

Die rechtsgestellten Angaben neben den Aufgabentiteln (Grammatik, Wortschatz, Lesen etc.) erläutern das Lernziel der Aufgabe und erleichtern die Auswahl. Zur effizienten Navigation sind alle Übungen im Arbeitsbuch außerdem mit einem farbigen Verweis versehen, zu welcher Stelle im Kursbuch sie passen: z.B. zu Sprechen S. 11, Ü2. Im Kursbuch findet sich ein entsprechender Hinweis, dass es im Arbeitsbuch eine Übung dazu gibt: AB 10/Ü8–9.

Seiten zu den Fertigkeiten, Landeskunde

Aufgaben zu den Lesestrategien, zu Transkriptauszügen der Hörtexte, zusätzliche Hörtexte zum Lektionsthema, Aufgaben zu den Redemitteln (gekennzeichnet durch „Kommunikation") und zum Ausbau der Schreibfertigkeit bilden die Basis für das Fertigkeitstraining. Zusätzliche Lese- und Hörtexte erweitern das Angebot an aktueller Landeskunde. Auf der eingelegten Arbeitsbuch-CD finden sich die zusätzlichen Hörtexte. Im Buch sind sie jeweils mit einem CD-Symbol gekennzeichnet.

Grammatik, Wortschatz

Das Grammatiktraining im Arbeitsbuch lässt sich zur Vertiefung und Erweiterung einzelner Aspekte einsetzen. Grammatikthemen, die im Kursbuch präsentiert wurden, werden hier kleinschrittig geübt. Die Bausteine Grammatik wiederholen und Grammatik entdecken strukturieren dabei den Lernprozess. Das eingebaute Wiederholungsprogramm greift schon Bekanntes aus der A-Stufe auf und baut den neuen Stoff der Stufe B1 darauf auf. Besonders in heterogen zusammengesetzten Klassen ermöglicht das didaktische Element einer Wiederholung, Teilnehmende dort „abzuholen", wo sie stehen. Der Übungstyp Grammatik entdecken aktiviert das selbstentdeckende Lernen bei den Teilnehmenden.

Das Wiederholungsprinzip, Neues in Bekanntes einzubauen, gilt auch für die Wortschatzübungen und Wiederholungen. Authentische bzw. semi-authentische Texte dienen als Basis für Lückentexte und Einsetzübungen.

Interaktive Übungen zum Arbeitsbuch im Internet

Fester Bestandteil des Arbeitsbuchs sind die Verweise auf zusätzliche Übungen, die Teilnehmende online im Internet machen können. Dort finden sich unter www.hueber.de/sicher/lernen zahlreiche interaktive Übungen, in denen der neu gelernte Wortschatz oder die Grammatik geübt und eingeschliffen werden. Lernende bekommen bei diesen Übungen automatisch Rückmeldung, ob sie die Aufgabe richtig gelöst haben.

Filmtipp, Spiele

Da an zahlreichen Kursorten die Möglichkeit besteht, Filme in einer Mediothek auszuleihen oder im Rahmenprogramm des Kurses zu zeigen, weist das Arbeitsbuch in separaten Filmtipps auf zum Lektionsthema passende deutschsprachige Spielfilme hin. Diese Filmtipps sind als Leseverstehensaufgaben aufbereitet. Für kreative Lernende gibt es außerdem Spiele (z.B. *Sicher! B1+* Arbeitsbuch, S.57)

Mein Dossier

Diese Arbeitsbuchaufgabe geht vom Konzept eines Dossiers im Sprachenportfolio aus. Hier haben Teilnehmende einen Ort für kreative Aufgaben, die eine lernerbezogene Textproduktion anregen. Stellenweise werden eigene Fotos oder Texte in die Aufgabe integriert, sodass die Lebens- und Erfahrungswelt der Teilnehmenden berücksichtigt wird.

Aussprachetraining

Am Ende jeder Arbeitsbuchlektion finden sich Übungen zur Verbesserung der Aussprache. Dabei geht es um den Bereich der Aussprache und Intonation, die für Lernende aus allen Ausgangssprachen schwierig sind: einzelne Laute wie *-e* und *-er*, schwierige Vokale wie *u – ü – i*, kurze und lange Vokale, die Konsonanten *tz – z* und *s – ss – ß, pr – tr – kr – spr – str, ch – sch*, Wortakzent, Satzakzent und Satzmelodie.

Lernwortschatz der Lektion

Eine Doppelseite mit Lernwortschatz rundet jede Lektion ab. Darauf findet sich eine Auswahl derjenigen Wörter aus der Lektion, die für die Spracherwerbsstufe B1+ relevant sind und die die Teilnehmenden in jedem Falle passiv, möglichst sogar aktiv beherrschen sollten. Diese Vorgabe des relevanten Wortschatzes jeder Lektion macht das Lernpensum transparent. Die Entscheidung, welche Wörter zu diesem Niveau gehören, wurde auf der Basis des Wortschatzes der Stufe B1 getroffen. Bei der Auswahl wurde darauf geachtet, dass die Anzahl der Einträge im Bereich des Lern- bzw. Behaltbaren bleibt. Die Wörter sind den Seiten im Kursbuch zugeordnet. Der hier aufgeführte Wortschatz ist Grundlage für die Wortschatz- und Grammatikübungen im Arbeitsbuch.

Lektionstest

Auf der letzten Arbeitsbuchseite in den Lektionen gibt es einen Lektionstest. Er bietet den Lernenden die Möglichkeit zu überprüfen, ob sie das Pensum der Lektion bewältigt haben. Dieses Element hilft den eigenen Lernprozess einzuschätzen und den individuellen Lernfortschritt zu überprüfen. Die Kategorien Wortschatz, Grammatik und Kommunikation (Redemittel) helfen, über die Lektionen hinweg die einzelnen Bereiche sprachlichen Könnens und Wissens zu beobachten. Die Aufgaben haben immer eine eindeutige Lösung und unterstreichen mit der Möglichkeit der eigenen Auswertung (*Sicher! B1+*, Arbeitsbuch, S. 134f.) die Autonomie der Lernenden.

c) Anhang

Am Ende des Arbeitsbuchs finden die Lernenden die Lösungen zu den Lektionstests. Die Lösungen zu den Arbeitsbuchlektionen können unter www.hueber.de/sicher/lernen abgerufen werden.

3.3 Weitere Unterrichtsmaterialien zu *Sicher! B1+*

Zur Unterstützung Ihres Unterrichts, für medienaffine Lehrer und Lerner sowie für das selbstständige Weiterlernen der Lernenden gibt es ein breites, fakultatives Zusatzangebot zu *Sicher! B1+*:

Das Interaktive Kursbuch
Auf einer CD-ROM finden Sie das komplett digitalisierte Kursbuch, das Sie über ein Whiteboard oder einen Beamer zur Präsentation von Inhalten nutzen können. Audiodateien sind dort direkt abrufbar. Einzelne Übungen wurden digitalisiert.

Das Digitale Unterrichtspaket
Diese Anwendung bietet Ihnen Materialien zur Unterrichtsvorbereitung und enthält das komplett digitalisierte Kursbuch zur Nutzung am interaktiven Whiteboard. Eine umfangreiche Medienbibliothek ist enthalten.

Der Lehrwerkservice im Internet
Der Lehrwerkservice im Internet ist kostenfrei. Die Seiten dort sind gegliedert in solche für Lehrende und für Lernende:
- Lernende finden unter www.hueber.de/sicher/lernen zusätzliche vertiefende Interaktive Übungen sowie den Lösungsschlüssel zum Arbeitsbuch.
- Kursleitende finden unter www.hueber.de/sicher/lehren didaktisierte Kopiervorlagen zu berufsbezogenen Themen (Sicher! im Beruf), aktuellen Lesetexten (Sicher! – Ihr @ktueller Unterrichtsservice) und Internetrecherchen. Diese werden im Lauf der Zeit immer wieder aktualisiert und ergänzt.

Der Moodle-Kursraum
Zu *Sicher! B1+* gibt es einen Moodle-Kursraum, den Sie unter www.hueber.de/moodle kostenfrei herunterladen können. Moodle ist eine weltweit verfügbare kostenlose Lernplattform, auf der Kursmaterialien und Lernaktivitäten für Lernende zur Verfügung gestellt werden können.
Der Moodle-Kursraum zu *Sicher! B1+* bietet lehrwerkbegleitendes Material, passgenau zu *Sicher! B1+*. Das Material ist ergänzend zu Kurs- und Arbeitsbuch einsetzbar. Durch die Flexibilität von Moodle kann die Kursleitung die Inhalte leicht an die Erfordernisse des Kurses anpassen. Die Lernmaterialien sind mediendidaktisch sinnvoll aufbereitet und eignen sich für Online-Lernphasen und zur Vor- und Nachbereitung von Präsenzphasen.
Die Lernmaterialien bieten sowohl kursübergreifende Aktivitäten (z.B. Kursforum, Kurswörterbuch, Sprechstunde im Chat) als auch lektionsbezogene Aktivitäten. Letztere sind größtenteils kooperative Arbeitsformen für den Kurs, z.B. über Foren, Chats, Einsendeaufgaben, Glossare und Wikis. Es gibt aber auch Impulse zum eigenständigen Lernen, z.B. Videos, Lesetexte, Einsendeaufgaben
Der Kursleitende ist bei der Nutzung des Moodle-Kursraums absolut flexibel. Neben der Auswahlmöglichkeit aus einem breiten Materialangebot können auch eigene Materialien und Aktivitäten ergänzt werden.
Für die Nutzung ist ein Zugang zu einer Moodle-Lernplattform (Version 2.0) notwendig. Unter www.hueber.de/moodle können die Inhalte des Sicher!-Kursraums bequem per zip-Datei in den eigenen Moodle-Kursraum importiert werden. Sie sind sofort benutzbar.

EINSTIEG

Vor dem Öffnen des Buches

SOZIALFORM	ABLAUF	MATERIAL	ZEIT
Plenum	Schreiben Sie auf drei DIN-A4-Kartons „Ich heiße …" / „Ich bin hier, weil …" / „Was ich besonders gut kann, ist …" Die TN kommen einzeln (freiwillige Reihenfolge) nach vorn, stellen sich hinter die Schilder und berichten von sich selbst. Die anderen schreiben den Namen auf und finden nach der Vorstellung so viele spontane Assoziationen wie möglich zu den Buchstaben des Namens. Dabei muss nicht zu jedem Buchstaben eine Assoziation gefunden werden. Beispiel: *Aktiv* *LeseN* *ÜbuNgen machen* *TAngo tanzen* Sie können im Unterricht noch einmal auf die „Namenskärtchen" eingehen und diese ggf. auch im Kursraum aufhängen.	3 DIN-A4-Kartons	

1 Drei mal drei!

SOZIALFORM	ABLAUF	MATERIAL	ZEIT
Einzelarbeit	a) Notieren Sie an der Tafel oder an der Flipchart die drei Bereiche *(Familie/zu Hause; Beruf/Studium/Ausbildung; Interessen/Wünsche)*. Die TN schreiben dazu in Stichworten etwas über sich auf. Weisen Sie sie darauf hin, dass sie wirklich nur einzelne Wörter aufschreiben sollen, damit sie nicht zu viel von sich verraten.		
Gruppenarbeit	b) Teilen Sie den Kurs in Dreiergruppen auf. Dazu könnten Sie zum Beispiel jeweils eine Postkarte in vier Teile zerschneiden und die einzelnen Teile austeilen. Jede/r muss nun versuchen, die anderen Teile der Postkarte zu finden. Haben die TN sich gefunden, steht die Gruppe, die zusammenarbeitet, fest. Spielen Sie die Aufgabe einmal im Plenum durch, indem Sie zu den Bereichen Stichworte zu Ihrem Leben an die Tafel schreiben. Ein TN aus dem Kurs soll Ihnen Fragen stellen, die Sie wie in der Aufgabenstellung beantworten. Dann lösen die TN die Aufgabe in ihrer Gruppe. Gehen Sie herum und helfen Sie bei Schwierigkeiten.	Postkarten	
Gruppenarbeit	c) **AKTIVIERUNG:** Die TN laufen in ihren Dreiergruppen durch den Raum. Machen Sie eine schnellere Musik an und stoppen Sie sie mit dem Auftrag, sich jeweils mit einer anderen Dreiergruppe zusammenzufinden. Die TN der einen Gruppe stellen der anderen Gruppe jeweils eine Person vor. Dann läuft wieder die Musik bis zum nächsten Stopp und eine andere Person aus der Gruppe wird vorgestellt etc.	Musik	
Einzelarbeit	AB 7/Ü3 Brief an sich selbst: Abrufen des momentanen Kenntnisstandes und Reflexion über die Erwartungen an den Kurs. Wenn die TN diesen Brief zu einem späteren Zeitpunkt noch einmal zur Hand nehmen, erkennen sie ihre Lernfortschritte. Auch als Hausaufgabe geeignet.		
Einzelarbeit	AB 7/Ü1–2 Wortschatzwiederholung: Unterrichtssprache; auch als Hausaufgabe geeignet.		

HÖREN

Vor dem Öffnen des Buches

SOZIALFORM	ABLAUF	MATERIAL	ZEIT
Plenum	Sammeln Sie an der Tafel moderne Kommunikationsmedien: linke Seite Nomen: *Internet, Facebook* etc., auf der rechten Seite Verben: *mailen, chatten* etc. Danach können Sie zum Beispiel mit der **Ballmethode (Glossar → S. 154)** einzelne TN auffordern, darüber zu sprechen, wie oft sie bestimmte Kommunikationsformen benutzen. Werfen Sie dazu den Ball zu einer/einem TN und fragen Sie: *Chatten Sie oft mit Freunden?* Die/Der TN antwortet und wirft den Ball mit einer neuen Frage zu einer/einem anderen TN. Üben Sie auch die Artikel und geben Sie den Hinweis, dass viele Medien-Wörter sich gerade erst etablieren und manche noch nicht in den Wörterbüchern auftauchen. **VERTIEFUNG:** An den Verben *mailen, chatten* etc. kann man sehr schön erklären, wann ein Wort in den deutschen Wortschatz integriert wird: Erklären Sie den TN, dass man an der typisch deutschen Verbendung *-en* erkennen kann, ob ein ausländisches Verb schon in den deutschen Wortschatz aufgenommen wurde oder noch nicht.	Ball	
Einzelarbeit	AB 9/Ü6 Wortschatzübung, die sich gut als Vorentlastung für die folgenden Aufgaben eignet.		

1 Lesen Sie die Aussagen von Nuriye und Joshua. Ergänzen Sie.

SOZIALFORM	ABLAUF	MATERIAL	ZEIT
Einzelarbeit Plenum	Die TN ergänzen selbstständig die fehlenden Wörter. Kontrolle im Plenum. *Lösung:* Nuriye: *Internet;* Joshua: *E-Mails, online, Handy*		

2 Hören Sie jetzt die Interviews.

SOZIALFORM	ABLAUF	MATERIAL	ZEIT
Einzelarbeit Plenum	Die TN hören und markieren, ob sie die Informationen gehört haben. Kontrolle im Plenum. *Lösung:* Nuriye: *Ja: 1,2,4; Nein: 3, 5;* Joshua: *Ja: 6, 7, 8; Nein: 9*	CD 1/2–3	

3 Temporaladverbien

SOZIALFORM	ABLAUF	MATERIAL	ZEIT
Einzelarbeit Plenum	a) Die TN unterstreichen die Temporaladverbien. Kontrolle im Plenum. *Lösung: 3 nie, 4 selten, 5 manchmal, 6 manchmal, 7 meistens, 8 immer, 9 häufig*		

Plenum	b) Die TN entscheiden, wo sie die Adverbien einordnen sollen. Malen Sie einen Zahlenstrahl an die Tafel und lassen Sie die TN die Temporaladverbien darauf eintragen. Als Orientierung können Sie wie im Kursbuch angeben, dass *nie* 0% entspricht, *immer* 100 % , und dass die anderen Temporaladverbien prozentual nicht erfasst werden können, sondern nur ungefähr auf dem Zahlenstrahl angegeben werden können. *Lösung: nie, selten, manchmal, oft / häufig, meistens, immer* Weisen Sie die TN auch auf die Grammatikübersicht im Kursbuch (→ S. 18/1) hin. Kontrolle im Plenum. **FOKUS GRAMMATIK:** Zwischen *häufig* und *oft* gibt es keinen inhaltlichen, aber einen strukturellen Unterschied. *Häufig* kann man sowohl als Adjektiv, als auch als Adverb benutzen, *oft* jedoch ausschließlich als Adverb. Beispiel: *Häufiges Telefonieren mit dem Handy ist teuer.* ⟷ *Ich telefoniere häufig/oft mit dem Handy.*		
Einzelarbeit	c) Die TN schreiben wie im Beispiel Sätze über sich.		
Partnerarbeit	d) Die TN sprechen dann mit der Lernpartnerin / dem Lernpartner über Gemeinsamkeiten. **TIPP:** Sie haben Zeit, die Texte während des Schreibens und des Sprechens zu kontrollieren. Sammeln Sie die Satzfehler für einen späteren Zeitpunkt und schreiben Sie sie dann anonym an die Tafel oder nutzen Sie sie als Kopiervorlage, in der die TN selbst die Fehler finden müssen.		
Einzelarbeit	**AB 8/Ü4–c** Wiederholungsübung zu bekannten Temporaladverbien der zeitlichen Reihenfolge und der Wiederholung. Weisen Sie die TN auch auf die Grammatikübersicht im Kursbuch (→ S. 18/1) hin.		
Einzelarbeit	**AB 8/Ü5** Einsetzübung zu den neu gelernten Temporaladverbien der Häufigkeit; auch als Hausaufgabe geeignet.		
Einzelarbeit	**AB 9/Ü7** Übung zum globalen Leseverstehen zum Thema „Neue und alte Medien"; als Hausaufgabe geeignet oder auch als Sprechanlass im Plenum.		

Ich kann jetzt ...*

SOZIALFORM	ABLAUF	MATERIAL	ZEIT
Einzelarbeit	Die TN markieren, was auf sie zutrifft.		
Einzelarbeit	**VERTIEFUNG:** Ampelkarten (Glossar → S. 154): Alle TN erhalten am Anfang des Kurses je ein Set mit einem grünen, einem gelben und einem roten Kärtchen, das sie immer mitbringen. Am Ende eines Bausteins fragen Sie nach den Lernzielen, und die TN zeigen die entsprechende Karte. (Grün: Es kann weitergehen. / Gelb: Ich habe noch Fragen. / Rot: Ich habe es noch nicht gut verstanden.) So haben Sie als KL sehr schnell einen Überblick, ob die Mehrheit noch einmal Hilfe braucht oder nur einzelne TN, denen Sie dann bei Gelegenheit individuelle Hilfe anbieten können.	grünes, gelbes und rotes Papier, in DIN-A5-zugeschnitten	

*Hinweis:

In den *Ich kann jetzt*-Spalten finden Sie neben der eigentlichen Selbstreflexion der TN häufig zusätzliche Tipps für eine Vertiefung. Diese Aktivitäten sollen die Selbstreflexion der TN jedoch nicht ersetzen, sondern nur ergänzen.

SPRECHEN

1 Lied

SOZIALFORM	ABLAUF	MATERIAL	ZEIT
Partnerarbeit	a) Die Bücher bleiben geschlossen. Spielen Sie nur die ersten Takte an bis zum ersten „gefällt mir" und lassen Sie die TN dazu murmeln, also leise miteinander sprechen, was ihnen bei der Musik in den Sinn kommt. Das Besondere der **Murmelgruppe (Glossar → S. 156)** ist, dass keine weitere Zusammenfassung im Plenum notwendig ist, die Kommunikation erfolgt ganz natürlich.	CD 1/4	
Einzelarbeit Plenum	b) Die TN schlagen nun die Bücher auf und lesen den Refrain. Fragen Sie die TN, worum es im Refrain geht und wovon das Lied handeln könnte. Sammeln Sie die Vermutungen an der Tafel.		
Gruppenarbeit	c) Da das Lied sehr schnell ist, ist es sinnvoll, vor der inhaltlichen Überarbeitung ein **Liedtextpflücken (Glossar → S. 156)** mit Gruppen à vier Personen vorzuschalten. Kopieren Sie dazu die Kopiervorlage Lektion 1/1 so oft, dass Sie für jede Gruppe eine Kopie haben. Schneiden Sie den Liedtext (ohne Refrain) in kleine Zeilenschnipsel und legen Sie die Streifen für jede Gruppe auf einen Stuhl. Jede Gruppe stellt sich um je einen Stuhl herum auf und überfliegt kurz, was auf den Textstreifen steht. Weisen Sie darauf hin, dass es keine Textstreifen für den Refrain gibt. Starten Sie das Lied. Die TN gehen um „ihren" Stuhl herum und immer, wenn sie den Text auf einem der Streifen hören, versuchen sie, den Streifen zu nehmen. Wer am Ende die meisten Streifen hat, hat gewonnen. Danach bringen die TN die Zeilen wieder in die richtige Reihenfolge und kontrollieren mit der Musik.	Kopiervorlage Lektion 1/1 CD 1/5	
Plenum	Lassen Sie erst danach die Informationen im Plenum gemeinsam sammeln und notieren Sie die Lösung an der Tafel. *Lösung: Sabine: sieht fern; Jan wünscht Ina süße Träume und Ina hat Jan furchtbar gern; Nina: hat Migräne und liegt im Bett; Bernd: hat mit dem Chef Probleme und ist mit Nina im Chat; Roman: hat eine offene Wunde; Gabis Ehe ist zu Ende; Inge: postet jede Stunde, dass sie noch viel schaffen muss.*		
Plenum	d) Fragen Sie die TN, wie der Sänger soziale Netzwerke findet.		
Plenum Gruppenarbeit	e) Sammeln Sie im Plenum Argumente für und gegen soziale Netzwerke. Dann bilden die TN drei Gruppen: eine für, eine gegen soziale Netzwerke und eine neutrale Gruppe. Die Befürworter und Gegner versuchen nun, mit Argumenten und Gegenargumenten die Teilnehmer aus der dritten Gruppe zu überzeugen. **TIPP:** Da das Thema sehr aktuell ist, eignet es sich gut als Diskussion im Kurs. Sammeln Sie dafür vorher gemeinsam Fakten zu Facebook.		

2 Mit Freunden in Kontakt

SOZIALFORM	ABLAUF	MATERIAL	ZEIT
Einzelarbeit Plenum	a) Die TN schreiben die Namen von fünf Freunden auf, mit denen sie in letzter Zeit Kontakt hatten. In welcher Form lief der Kontakt ab? Die TN machen Notizen und vergleichen.		

| Gruppenarbeit | b) Als Gruppenfindungsmethode eignet sich an dieser Stelle, in den **Vier Ecken (Glossar → S. 158)** des Kursraumes Zettel aufzuhängen mit den Begriffen: *E-Mail*, *Handy*, *SMS* und *Telefon*. Die TN wählen die Ecke mit dem von ihnen am meisten genutzten Medium. Dann wählen sie jeweils einen Lernpartner aus „ihrer Ecke" für das Interview aus und führen es durch. Natürlich können auch weitere eigene Fragen hinzugefügt werden. Wenn die Verteilung in den Ecken sehr ungleich ist, kann man auch nach dem Medium fragen, das an zweiter/letzter Stelle käme. | Zettel | |

3 Präsentation der Ergebnisse

SOZIALFORM	ABLAUF	MATERIAL	ZEIT
Gruppenarbeit Plenum	a) Die TN stellen ihre Interviewpartnerin / ihren Interviewpartner in der jeweiligen Gruppe vor. b) Die TN schreiben innerhalb der Gruppe die Rekorde heraus und vergleichen diese im Plenum mit den anderen Gruppen. **TIPP**: Schreiben Sie die richtigen Superlativformen zur Visualisierung an die Tafel: *am wenigsten, am seltensten, am häufigsten, am meisten.*		
Einzelarbeit	**AB 10/Ü8** Hörübung; als Hausaufgabe geeignet.		
Einzelarbeit	**AB 10/Ü9** Leseübung zum Filmtipp „Shoppen"; auch als Hausaufgabe geeignet.		
Plenum	**AB 11/Ü10** Spiel; wenn Sie sich dafür entscheiden, das Spiel im Kurs durchzuführen, sollten Sie **AB/Ü9** im Plenum besprechen. Wie auch im Film „Shoppen" sollen die TN bei dem Spiel „Speed-Dating" in kurzer Zeit mittels interessanter Fragen versuchen, ihre Lernpartner besser kennenzulernen.		

Ich kann jetzt …

SOZIALFORM	ABLAUF	MATERIAL	ZEIT
Einzelarbeit	Die TN markieren, was auf sie zutrifft.		
Plenum Gruppenarbeit	**VERTIEFUNG:** Erarbeiten Sie gemeinsam eine Checkliste, um den TN das Verstehen von Liedern zu erleichtern: 1 Den Titel des Liedes ansehen und Vermutungen zur Bedeutung äußern. 2 Auf die Melodie achten, um herauszufinden, welche Stimmung das Lied transportieren will. 3 Den Refrain mehrmals hören und Hypothesen aufstellen, worum es im Lied geht. 4 **Verstehensinseln (Glossar → S. 157)** bilden: Die TN arbeiten in Gruppen. Sie hören einen Text mehrmals. Bei jedem Hören schreibt jede/r TN so viele Wörter wie möglich auf, die sie/er verstanden hat. Nach drei bis vier Mal tauschen jeweils zwei Personen die Blätter, hören und ergänzen erneut. Zum Schluss versucht die gesamte Gruppe den Text gemeinsam zu rekonstruieren. 5 Über die Aussage des Textes (mögliche Ironie) nachdenken.		

LESEN

1 Sprachen im Kurs

SOZIALFORM	ABLAUF	MATERIAL	ZEIT
Plenum	a)–c) Sammeln Sie mit den TN die Sprachen, die die TN im Kurs sprechen, ihre Lieblingsfremdsprachen und die Sprachen, die die TN noch lernen möchten. Halten Sie die Ergebnisse auf einem Flipchartbogen in einer Tabelle fest. Machen Sie eine Kursstatistik.	Flipchartbogen große Plakate	
Gruppenarbeit	**VERTIEFUNG:** Zeichnen Sie auf große Plakate einen Körperumriss und lassen Sie die TN in Gruppen, ggf. auch in sprachhomogenen Gruppen, darauf eintragen, wo jede gelernte Sprache für sie sitzt. Die Muttersprache ist wahrscheinlich bei jeder/m im Herzen, aber die Fremdsprachen können ganz unterschiedliche Körperassoziationen hervorrufen, zum Beispiel in den Füßen oder Händen, weil man viel damit arbeiten muss, im Kopf, weil man eine gerade lernt, im Ohr, weil sie wie Musik klingt etc. Die TN sollen ihre Entscheidung begründen. **INTERKULTURELLES:** Wenn Sie einen Kurs mit sprachheterogenen TN haben, fragen Sie die TN, ob in ihrem Heimatland mehrere Sprachen gesprochen werden und wenn ja, welche bei den TN zu Hause gesprochen wird bzw. welche die offizielle Landessprache ist? Können die TN alle Sprachen gleich gut? Wie viele und welche Sprachen sollte man im jeweiligen Land unbedingt beherrschen?		

2 Machen Sie den Test: *Wie lernen Sie am liebsten?*

SOZIALFORM	ABLAUF	MATERIAL	ZEIT
Einzelarbeit	Die TN lesen den Text und markieren ihre Antworten. Für schnelle TN bietet sich die Übung AB 11/Ü11, ein landeskundliches Sprachenquiz im Arbeitsbuch zu *Wussten Sie schon?*, an. **TIPP:** Weisen Sie die TN darauf hin, dass sie sich für eine Antwort entscheiden müssen.		

3 Welcher Lerntyp sind Sie?

SOZIALFORM	ABLAUF	MATERIAL	ZEIT
Einzelarbeit Plenum	Die TN übertragen ihre Ergebnisse und lesen die Auswertung. Klären Sie bei Bedarf unbekannte Wörter. Die TN fassen im Plenum die Texte zusammen und berichten von ihren Ergebnissen.		

4 Das Testergebnis

SOZIALFORM	ABLAUF	MATERIAL	ZEIT
Plenum	a) Fragen Sie die TN, ob das Testergebnis zu ihrer eigenen Einschätzung passt.		
Gruppenarbeit	b) Die TN gehen je nach Testergebnis in Gruppen zusammen.		

Gruppenarbeit	c) Sie sprechen in den Gruppen über weitere Gemeinsamkeiten in der Art des Fremdsprachenlernens.		
	TIPP: Weisen Sie die TN nach dem Lesen von *Wussten Sie schon?* auf Folgendes hin: Schreiben ist zwar das Medium, das man normalerweise am wenigsten benötigt, welches aber für den Spracherwerb eine wichtige Mittlerfunktion hat: Schreiben verlangsamt den Denkprozess und verringert so die Fehlerquote. Was man zu Papier bringt, sieht man vor sich, man spürt gleichzeitig Nähe und Distanz zu den eigenen Gedanken und kann diese so weiterentwickeln.		
Einzelarbeit	**AB 11/Ü11** Als Hausaufgabe für die TN, die diese Übung noch nicht gemacht haben.		

5 Adjektive

SOZIALFORM	ABLAUF	MATERIAL	ZEIT
Einzelarbeit Plenum	a)+b) Die TN ergänzen die Tabelle und markieren die Endungen. Kontrolle im Plenum. *Lösung:*		

	mit definitem Artikel	mit indefinitem Artikel	ohne Artikel
Singular	*dem ganzen Körper, der beste Weg*	*ein kommunikativer Mensch, ein gutes Gefühl, eine gute Schulbildung*	*schneller Erfolg, aktuelles Deutsch,*
Plural	*den deutschen Artikeln, die neuen Wörter*	*lange Textpassagen, ausländische Filme, lustige Geschichten*	

SOZIALFORM	ABLAUF	MATERIAL	ZEIT
Gruppenarbeit	Die TN versuchen dann, mithilfe der Tabelle und auch der Grammatikübersicht im Kursbuch (→ S. 18/2) selbstständig die Endungen zu lernen. Weisen Sie die TN darauf hin, dass sie dabei mit Bildern, Tabellen, Merksätzen etc. arbeiten können. Ein Beispiel gibt die Zeichnung in c). **VERTIEFUNG:** Die TN gehen in Vierergruppen zusammen. Kopieren Sie die Kopiervorlage Lektion 1/2 so oft, dass jede Gruppe mit einer Kopie arbeiten kann. Die TN üben die Adjektivdeklination wie in den Spielregeln vorgeschlagen. **TIPP:** Sie können die Kopiervorlage Lektion 1/2 immer wieder zwischendurch als Wiederholung einsetzen und auch die Kopiervorlage verändern, indem Sie die Adjektive oder Nomen dem momentanen Lernwortschatz entsprechend anpassen.	Kopiervorlage Lektion 1/2, Spielfiguren, Würfel	
Gruppenarbeit Plenum	c) Die TN sprechen über die Lernformen, die sie angewendet haben, und sammeln die besten Ideen auf einem Flipchartbogen.	Flipchart	
Einzelarbeit	**AB 12/Ü12** Übung zur Adjektivdeklination mit indefinitem Artikel; auch als Hausaufgabe geeignet.		
Plenum	**AB 12/Ü13** Spiel; Übung zur Adjektivdeklination mit indefinitem Artikel; gut geeignet in einer der nächsten Stunden zum Beginn oder zur Auflockerung zwischendurch.		
Einzelarbeit	**AB 12–13/Ü14–15** Übungen zur Adjektivdeklination mit definitem Artikel; auch als Hausaufgabe geeignet.		
Einzelarbeit	**AB 13/Ü16** Übung zur Adjektivdeklination; auch als Hausaufgabe geeignet.	AB-CD 1/4	

Einzelarbeit	**AB 14/Ü17** Übung zur Adjektivdeklination mit indefinitem und definitem Artikel; auch als Hausaufgabe geeignet.		
Einzelarbeit	**AB 14/Ü18–19** Grammatik entdecken und Übung zur Adjektivdeklination ohne Artikel; auch als Hausaufgabe geeignet.		
Einzelarbeit Plenum	**AB 15/Ü20** Gemischte Übung zur Adjektivdeklination; diese Übung enthält viele praktische Lerntipps. Fordern Sie die TN auf, den für sie schönsten Tipp zu nennen.		
Plenum	Weisen Sie auch auf den Lerntipp „Ausdrücke mit Adjektiven" zur Aufgabe 5c hin. Legen Sie die Bedeutung und die Häufigkeit dieser Ausdrücke dar und animieren Sie Ihre TN dazu, den dort gegebenen Tipp auszuführen.		
Einzelarbeit	**AB 16/Ü21** Nomen-Verb-Verbindungen; auch als Hausaufgabe geeignet.		

Ich kann jetzt …

SOZIALFORM	ABLAUF	MATERIAL	ZEIT
Einzelarbeit	Die TN markieren, was auf sie zutrifft.		
Gruppenarbeit	**VERTIEFUNG:** Die TN finden sich je nach Wahl des schönsten Lerntipps, siehe Arbeitsbuch (→ S. 15/Ü20), in Gruppen zusammen, schreiben ihren Tipp mit einem Beispiel auf ein großes Plakat und hängen dieses im Raum auf. So haben die TN die Lerntipps vor Augen und können immer wieder darauf zurückgreifen.	Plakat	

WORTSCHATZ

1 Ein Wörterbuch benutzen

SOZIALFORM	ABLAUF	MATERIAL	ZEIT
Plenum	Die TN markieren ihre Antwort. Stellen Sie weitere Fragen: *Welche Möglichkeiten gibt es noch, ein unbekanntes Wort zu verstehen oder genauer kennenzulernen? Was für ein Wörterbuch benutzen Sie? Wie wichtig ist ein Wörterbuch für Sie?* etc. Geben Sie den TN an dieser Stelle auch den Tipp, nicht alle unbekannten Wörter sofort nachzuschlagen, sondern immer erst zu versuchen, diese aus dem Kontext abzuleiten.		

2 Sehen Sie die Einträge aus zwei Wörterbüchern an.

SOZIALFORM	ABLAUF	MATERIAL	ZEIT
Einzelarbeit Plenum	a) Die TN schauen sich die Einträge kurz an und entscheiden, wo sie Unterschiede sehen. Sie können die Ergebnisse entweder gleich im Plenum besprechen oder die TN zuerst auffordern, dazu Stichpunkte zu machen.		

Plenum	b) Die TN überlegen, welche Vorteile das Wörterbuch links hat, und nennen sie im Kurs. *Lösung: Das einsprachige Wörterbuch stellt die Bedeutung eines Wortes nur im Zusammenhang vor; so lernen die TN sofort, wie das Wort in der Sprache benutzt wird. Viele Beispielsätze ermöglichen eine differenzierte Bedeutungsunterscheidung.* **TIPP:** Erklären Sie den TN, dass einsprachige Wörterbücher besonders ab der Niveaustufe B1 sinnvoll sind, um nicht immer zwischen Mutter- und Fremdsprache zu wechseln. Da das Gehirn für jede Information eine „Straße" anlegt, muss es bei diesem Wechsel immer erst beide „abfahren", ehe die Information weitergeleitet werden kann. Das kostet Zeit. Sinnvoller ist es, neue, nur deutsche „Straßen" zu bauen. In der Regel tun sich die TN aber mit einsprachigen Wörterbüchern schwer; sie sind erst einmal umständlich. Deshalb ist es gut, immer explizit nach Worterklärungen aus diesen Wörterbüchern zu fragen, wenn neue Vokabeln auftauchen, damit sich zumindest im Kurs eine Routine zum Gebrauch einstellt. Es ist nicht sinnvoll, andere Wörterbücher im Unterricht zu verbieten, aber man kann Phasen angeben, in denen sie zunächst nicht benutzt werden sollen.	einsprachiges Wörterbuch	
Plenum	c) Die TN überlegen, für welchen Zweck das rechte Wörterbuch besser geeignet ist, zum Beispiel wenn es schnell gehen muss und man eine ungefähre Ahnung haben möchte, was das Wort bedeutet; bei Übersetzungen etc.		
Gruppenarbeit

Plenum
Gruppenarbeit | **VERTIEFUNG 1:** Machen Sie eine Wörterbuchausstellung. Die Wörterbücher sollen in Gruppen verglichen, die Abkürzungen erforscht werden. Hängen Sie, wenn gewünscht, ein Plakat mit den wichtigsten Abkürzungen im Kursraum auf. Die TN machen eine Checkliste und wählen aus den Wörterbüchern das ihrer Meinung nach beste aus. Auswertung im Plenum. **VERTIEFUNG 2:** Machen Sie ein Wörterbuchspiel: Die TN schlagen zum Beispiel irgendeine Seite im Wörterbuch auf und müssen mit allen fett markierten Einträgen auf der Seite spontan eine Geschichte erzählen. | verschiedene Wörterbücher Plakat | |

3 Lesen Sie den Eintrag links.

SOZIALFORM	ABLAUF	MATERIAL	ZEIT
Plenum

Gruppenarbeit | Die TN markieren die Erklärungen und sagen, welche sie verstehen und welche nicht, und ob ihnen die Beispielsätze dabei helfen. Lassen Sie die TN im Wörterbuch weitere Beispiele suchen. Geben Sie am besten ein paar Verben aus der Lektion vor, wie zum Beispiel *verbessern, nachschlagen, ansehen.* | | |

4 Grammatik-Wörter

SOZIALFORM	ABLAUF	MATERIAL	ZEIT
Plenum	Die Bücher bleiben geschlossen. Schreiben Sie einen beliebigen Satz an die Tafel. Deuten Sie auf einzelne Wörter und fragen Sie die TN, welche grammatikalischen Ausdrücke sie schon kennen. Halten Sie sie an der Tafel fest. Dabei ist es wichtig, dass Sie schwierige Grammatikthemen (Relativsatz, Infinitiv mit *zu* etc.) zwar mündlich anerkennen, aber nicht aufschreiben, weil man sonst zu sehr vom Thema abweicht. Es soll in erster Linie um Grammatik-Wörter gehen, die man typischerweise auch im Wörterbuch findet.		
Einzelarbeit Plenum	a) Die TN öffnen die Bücher, lesen die Aufgabe 4a und ergänzen die Begriffe. Kontrolle im Plenum. *Lösung:* Wortart: *Nomen – Verb ...*; Wortbildung: *Stamm – Vorsilbe ...*; Verb: *reflexiv ...*; Satzteil: *Subjekt ...*; Zeiten/Tempus: *Präsens ...*		
Einzelarbeit Plenum	b) Die TN suchen Beispiele für die Wortarten. Kontrolle im Plenum. *Lösungsvorschlag:* Nomen: *Sessel, Stück, Bein, ...*; Verb: *vorstellen, arbeiten, machen*; Artikel: *eine, die, ...*; Pronomen: *sie, ihn, ...*; Adjektiv: *rechte, spätere, ...*; Präposition: *bei, auf, ...*		
Einzelarbeit	AB 16/Ü22 Wortschatzübung zu Grammatik-Wörtern; auch als Hausaufgabe geeignet.		

Ich kann jetzt ...

SOZIALFORM	ABLAUF	MATERIAL	ZEIT
Einzelarbeit	Die TN markieren, was auf sie zutrifft.		
Partnerarbeit	**VERTIEFUNG:** Fragen Sie die TN, welche neuen Wörter sie heute gelernt haben. Sie schlagen diese Wörter im einsprachigen Wörterbuch nach und lesen die entsprechende Erklärung ihrer Lernpartnerin / ihrem Lernpartner vor. Kann sie/er das Wort erraten?	einsprachiges Wörterbuch	
Plenum	**Frage-Antwort-Ball (Glossar → S. 155):** Auf einem Ball steht ein Fragezeichen, auf dem anderen ein Ausrufezeichen. Werfen Sie die Bälle zwei TN zu. Wer den Ball mit dem Fragezeichen fängt, nennt einen grammatischen Begriff, zum Beispiel „Temporaladverb"; die/ der Fänger des Balls mit dem Ausrufezeichen muss schnell mit einem Beispiel antworten, zum Beispiel „immer".	zwei Bälle	

SEHEN UND HÖREN

1 Mein Sprachenpass

SOZIALFORM	ABLAUF	MATERIAL	ZEIT
Einzelarbeit Partnerarbeit	Die TN füllen für sich den Sprachenpass aus und vergleichen abschließend mit ihrer Lernpartnerin / ihrem Lernpartner. **TIPP:** Unter www.sprachenportfolio.de finden Sie weitere ausführliche Kopiervorlagen zum Portfolio. Lassen Sie die TN eine Portfoliomappe anlegen, in der sie alle Dossiers und persönlichen Feedbackbögen sammeln können. Die TN können so selbstständig ihren Spracherwerb mitverfolgen, ihre Stärken und Schwächen besser erkennen und so weitere eigene Ziele formulieren.	Portfoliomappe	

2 Wozu brauchen Sie Deutsch vor allem?

SOZIALFORM	ABLAUF	MATERIAL	ZEIT
Einzelarbeit	a) Die TN schauen sich die Zeichnungen an und überlegen, welche am besten zu ihnen passen. *Lösung: a) telefonieren, b) lesen c) am Computer arbeiten, d) reisen, e) berufstätig sein, f) Kinder im Kindergarten / in der Schule haben, g) studieren, h) Sport treiben*		
Partnerarbeit Plenum	b) Die TN sprechen mit ihren Lernpartnern darüber, wozu jeder Deutsch am meisten braucht. Natürlich sind mehrere Antworten möglich. Sie benutzen dazu die angegebenen Redemittel „Lernziele nennen". Weisen Sie die TN auch auf weitere Redemittel im Kursbuch (→ S. 100–104) hin. Dann berichten die TN im Kurs über ihre Lernpartner. Versuchen Sie, sich diese individuellen Ziele aufzuschreiben, um darauf während des Kurses binnendifferenzierend eingehen zu können.		

3 Interviews mit Deutschlernenden

SOZIALFORM	ABLAUF	MATERIAL	ZEIT
Plenum	a) Die TN lesen die Informationen. Lassen Sie sich von einer/einem TN kurz die Person beschreiben. Dann sehen die TN das erste Interview an und ergänzen die Informationen in der Tabelle. *Lösung:* Sofia: Studium: *Wirtschaftspädagogik*; Stärken: *Sprechen und Hören*; Ziele im Kurs: *Lesen und Schreiben, im Juli TestDaF machen.*	DVD 01	
Partnerarbeit Einzelarbeit Plenum	b) Die TN sollen sich zunächst nur die Fotos ansehen und vermuten, was für einen Beruf Javier und Colette haben und welche Ziele sie im Deutschkurs verfolgen. Sie können ihre Vermutungen dann ihrer Lernpartnerin / ihrem Lernpartner mitteilen. Dann sehen und hören die TN die anderen Interviews und ergänzen die Tabelle. Sie können das Hörverstehen binnendifferenziert anbieten, indem Sie den Kurs in mehrere Gruppen teilen. Jede Gruppe konzentriert sich nur auf eine Person. Kontrolle im Plenum. *Lösung:* Javier: Studium: *Pharmazie*; Stärken: *Deutsch verstehen und Lesen*; Ziele im Kurs: *schreiben und fehlerfrei sprechen.* Colette: Beruf: *Modedesignerin und Journalistin*. Stärken: *Lesen und Schreiben*; Ziele im Kurs: *Aussprache verbessern, Hörverstehen.* Überprüfen Sie noch einmal im Plenum, ob die Vermutungen gestimmt haben.	DVD 02–03	
Plenum	c) Fragen Sie die TN, wer ihnen besonders sympathisch ist und warum.		
Einzelarbeit Partnerarbeit	d) Die TN ergänzen die Tabelle nun für sich. **VERTIEFUNG:** Die TN berichten dann einer Lernpartnerin / einem Lernpartner von ihren Ergebnissen.		

4 Schreiben Sie einen kurzen Text über sich.

SOZIALFORM	ABLAUF	MATERIAL	ZEIT
Einzelarbeit	a)–d) Die TN schreiben mithilfe der Inhaltspunkte einen kurzen Text über sich. **TIPP:** Um so einen Text zu schreiben, ist es gut, eine einleitende Schreibform wie zum Beispiel **Ecriture automatique (Glossar →** **S. 154)** zu verwenden, um den TN Zeit zu geben, sich auf das Schreiben einzustellen. Dabei schreiben die TN für fünf Minuten ohne Punkt und Komma, was ihnen durch den Kopf geht. Sie dürfen dabei nicht stoppen und nachdenken. Sie begleiten das Schreiben zum Beispiel mit klassischer Musik. Bedingung ist, dass dieser Text später nicht zur Kontrolle herangezogen wird. Er dient nur zur Einstimmung auf das Schreibthema, das dann nahtlos genannt und bearbeitet wird. Falls Sie für die TN ein Portfolio anlegen, können dieser Text und der Brief aus AB 7/Ü3 schön gestaltet hier eingeheftet oder im Kurs aufgehängt werden.	Musik	

Mein Dossier

SOZIALFORM	ABLAUF	MATERIAL	ZEIT
Einzelarbeit	AB 16/Ü23 Reflexion zum eigenen Lernverhalten bzw. zur Lernmoti-vation; auch als Hausaufgabe geeignet. Die Porträts können im Kursraum aufgehängt oder auch in der Mappe abgeheftet werden.		

Ich kann jetzt …

SOZIALFORM	ABLAUF	MATERIAL	ZEIT
Einzelarbeit	Die TN markieren, was auf sie zutrifft.		

AUSSPRACHE: *e* und *er* am Wortende (Arbeitsbuch → S. 17)

1 Ergänzen Sie. Hören Sie dann und sprechen Sie nach.

SOZIALFORM	ABLAUF	MATERIAL	ZEIT
Einzelarbeit Plenum	Die TN ergänzen die Endungen. Dann hören sie und sprechen nach. **VERTIEFUNG:** Rappen Sie zusammen den Text.	AB-CD 1/5	

2 Welches Wort hören Sie? Markieren Sie.

SOZIALFORM	ABLAUF	MATERIAL	ZEIT
Einzelarbeit Plenum	Die TN markieren, welches Wort sie hören. Kontrolle im Plenum. **TIPP 1:** Weisen Sie die TN darauf hin, dass in der Endung „er" das „r" nicht gesprochen wird. Für das „e" müssen die Mundwinkel locker bleiben, für das „er", das wie ein kurzes schwaches „a" klingt, ist der Mund leicht geöffnet. Diese Aufgabe fällt besonders Sprechern mit Arabisch als Ausgangssprache schwer. Diese können mit den Wörtern einen eigenen Zungenbrecher schreiben und diesen dann eine Zeit lang immer wieder üben.	AB-CD 1/6	

SOZIALFORM	ABLAUF	MATERIAL	ZEIT
Einzelarbeit	**TIPP 2:** TN, die keinen Unterschied hören, können das Nachsprechen auch nicht erfolgreich üben. Deshalb ist es sinnvoll, sich Schwierigkeiten einzelner TN zu notieren. Erst wenn die TN für die Unterschiede durch Übungen wie *Was hören Sie? Markieren Sie.* sensibilisiert worden sind, ist es überhaupt sinnvoll, das Nachsprechen zu trainieren und die Laute richtig auszusprechen.		

3 Partnerdiktat

SOZIALFORM	ABLAUF	MATERIAL	ZEIT
Partnerarbeit	a)+b) Die TN schreiben einen Text wie im Beispiel mit möglichst vielen Adjektiven und diktieren ihn ihrer Lernpartnerin / ihrem Lernpartner. **VERTIEFUNG:** Wenn den TN nicht so viele Nomen einfallen, die sie in ihrem Diktat verwenden können, geben Sie ihnen ein paar Beispiele vor: *ein warmer Sommer am Meer, ein schöner Urlaub, am steilen Ufer, am Wasser, ein kalter Winter, Sommerurlaub, Urlaub im Dezember, für Kinder und Erwachsene ...*	einsprachiges Wörterbuch	

LERNWORTSCHATZ (Arbeitsbuch → S. 18–19)

SOZIALFORM	ABLAUF	MATERIAL	ZEIT
Einzelarbeit	**LERNSTRATEGIE-TIPP 1:** Regen Sie die TN dazu an, sich ein schönes Vokabelheft anzulegen, das sie im besten Fall immer wieder gern zur Hand nehmen. Dorthin können sie Fotos von Freunden, der Familie etc. kleben und noch einmal in Worte fassen, warum sie Deutsch lernen wollen, um ihr persönliches Lernziel nicht aus den Augen zu verlieren. Das Gehirn liebt schöne Dinge, und manchmal hilft es zu sagen: „Ich möchte mir noch mal das schöne Heft anschauen." statt „Ich muss noch mal Vokabeln lernen." Außerdem hilft es, die Vokabeln auch mal „anzufassen", sie also abzuschreiben, ins Heft oder auf Kärtchen, um sie immer dabei zu haben.	Vokabelheft	

LEKTIONSTEST 1 (Arbeitsbuch → S. 20)

SOZIALFORM	ABLAUF	MATERIAL	ZEIT
Einzelarbeit	Mithilfe des Lektionstests haben die TN die Möglichkeit, ihr neues Wissen in den Bereichen Wortschatz, Grammatik und Redemittel zu überprüfen. Wenn die TN mit einzelnen Bereichen noch Schwierigkeiten haben, können sie gezielt noch einmal einzelne Module wiederholen.		

EINSTIEG

Vor dem Öffnen des Buches

SOZIALFORM	ABLAUF	MATERIAL	ZEIT
Plenum	**Impuls (Glossar → S. 155):** Zeichnen Sie ein typisches Symbol für ein Fest an die Tafel, zum Beispiel einen Kuchen mit Kerze oder ein Geschenk, und lassen Sie die TN Assoziationen dazu finden. Stellen Sie keine Fragen und geben Sie den TN Zeit. Alles, was von den TN genannt wird, schreiben Sie an die Tafel. Steuern Sie das Tafelbild nur, indem Sie die genannten Wörter oder Wortgruppen sortieren, zum Beispiel nach Nomen, Verben, Adjektiven oder nach Wortfeldern wie „Geschenke", „Feste", etc. Dadurch fördern Sie das autonome, selbstbestimmte Lernen.		
Einzelarbeit	**AB 21/Ü1–2** Wortschatzübungen zur Wiederholung und Aktivierung des Themenfelds „Feste".		

1 Sehen Sie das Foto an. Was meinen Sie?

SOZIALFORM	ABLAUF	MATERIAL	ZEIT
Plenum Partnerarbeit	a)–c) Die TN äußern ihre Vermutungen. Alternativ können sie zu den Fragen miteinander **murmeln (Glossar → S. 156).**		

2 Beschreiben Sie die Personen.

SOZIALFORM	ABLAUF	MATERIAL	ZEIT
Plenum	a) Die TN schauen sich den Schüttelkasten an und nennen weitere Assoziationen zum Foto. Sortieren Sie beim Schreiben nach Aussehen und Kleidungsstücken. Danach lassen Sie weitere Nomen und Adjektive ergänzen. **TIPP:** Natürlich besteht auch die Möglichkeit, TN aus der Klasse zu beschreiben und dann raten zu lassen, wer gemeint ist, allerdings muss dabei zuvor die Regel aufgestellt werden, dass nur positive Merkmale genannt werden dürfen. Diese Form des Unterrichts hat den Vorteil, dass näher an der Realität der TN gearbeitet werden kann, hat aber auch den Nachteil, dass ein hohes Maß an Sensibilität zwischen den TN vorhanden sein muss.		
Plenum	b) Die TN äußern sich dazu, ob sie die Leute sympathisch finden. Sie begründen ihre Meinung.		
Gruppenarbeit	**VERTIEFUNG 1:** Die TN teilen sich in zwei Gruppen auf. Schreiben Sie auf zwei Flipcharts / auf zwei Tafelseiten die Buchstaben des Alphabets untereinander. Geben Sie den Gruppen zwei Minuten Zeit. Die TN schreiben pro Buchstabe ein Kleidungsstück auf. Welche Gruppe findet die meisten Kleidungsstücke? Weisen Sie die TN darauf hin, dass sie nicht zu allen Buchstaben etwas finden müssen.	zwei Flipcharts (alternativ zwei Tafelseiten)	
Partnerarbeit	**VERTIEFUNG 2:** Improvisationsübung (Glossar → S. 155): Eine/r sagt ein Adjektiv, die/der andere sagt schnell ein passendes Nomen zum Thema „Aussehen", zum Beispiel *schick – Schuhe, hübsch – Hose, hässlich – Nase* etc. Die TN wechseln nach etwa zwei Minuten und die/der andere TN nennt die Adjektive bzw. Nomen.		

Partnerarbeit	**VERTIEFUNG 3:** Bringen Sie weitere Fotos von unterschiedlich festlich gekleideten Personen mit. Jede/r TN erhält ein Foto und beschreibt es seiner Lernpartnerin / seinem Lernpartner. Diese/r schließt die Augen und versucht, sich die beschriebene Person vorzustellen. Danach wird das Foto gezeigt und darüber gesprochen, was man sich selbst anders als auf dem Foto vorgestellt hat. Dann wird gewechselt.	mindestens vier Ganzkörperfotos aus Zeitschriften	
Gruppenarbeit	**VERTIEFUNG 4:** Bringen Sie weitere Fotos von unterschiedlich festlich gekleideten Personen mit. Hängen Sie die mitgebrachten Fotos gut sichtbar an die Tafel. Bilden Sie vier Gruppen. Jede Gruppe wählt ein Foto und schreibt auf ein Blatt Papier in einen Wortigel, was ihr dazu einfällt (Aussehen, festlicher Rahmen etc.). Dann werden alle Wortigel eingesammelt und wieder auf dem Tisch ausgebreitet. Alle (außer den TN der jeweiligen Gruppe) raten, welche Beschreibung zu welchem Foto passt.	Fotos von unterschiedlich festlich gekleideten Personen	

HÖREN

1 Sehen Sie die Fotos an.

SOZIALFORM	ABLAUF	MATERIAL	ZEIT
Einzelarbeit	a) Die TN sehen die Fotos an und ordnen zu, was passt. *Lösung: Small Talk = C, Begrüßung = B, Gastgeschenk = A*		
Partnerarbeit	b) Die TN beantworten die Fragen zu zweit. **VERTIEFUNG:** Die Lernpartner könnten ein komplettes Gespräch zum Foto B erfinden und dann im Plenum vorstellen.		
Plenum	**LANDESKUNDE:** Wiederholen Sie an dieser Stelle bei Bedarf die gängigen Regeln zum Thema „Du oder Sie" mit dem Hinweis, dass diese Regeln oft nicht ganz starr gehandhabt werden. 1. Man kann Kinder bis zum Eintritt der Pubertät duzen. 2. Unbekannte Erwachsene sollte man immer siezen. 3. In bestimmten Bereichen, die eine Gemeinsamkeit herstellen, duzt man sich, zum Beispiel beim Sport, in Vereinen, in (Sprach-) Kursen etc. 4. Ältere oder beruflich höhergestellte Personen bieten das *Du* an – nicht anders herum.		
Gruppenarbeit	**VERTIEFUNG:** Die TN gehen in Vierergruppen zusammen. Kopieren Sie die Kopiervorlage Lektion 2/1 so oft, dass jede Gruppe mit einer Kopie arbeiten kann. Die TN üben, in welchen Situationen „Du oder Sie" gebraucht wird.	Kopiervorlage Lektion 2/1, Spielfiguren, Würfel	
Plenum	**INTERKULTURELLES:** An dieser Stelle kann man weitere Themen wie zum Beispiel das Thema „Gastgeschenk" besprechen. Fragen Sie die TN: *Was schenkt man typischerweise in Ihrem Heimatland? Bringt man Blumen mit? Überreicht man diese mit oder ohne Papier? Gibt es Blumen, die man nicht mitbringen darf?* etc.		

2 Hören Sie das Gespräch. Was ist richtig? Markieren Sie.

SOZIALFORM	ABLAUF	MATERIAL	ZEIT
Plenum	Die TN markieren die richtigen Sätze. Kontrolle im Plenum. *Lösung: Sie lassen ihre Gastgeber warten.* **VERTIEFUNG:** Da der Hörtext wichtige Redemittel enthält, können die TN fertigkeitenorientiert damit arbeiten: Diejenigen, die den Input besser über das Hören aufnehmen, versuchen, den Hörtext mit den Sprechern halblaut mitzusprechen. Generell fördert das halblaute Mitsprechen das Sprachgefühl und die Intonation. Diejenigen, die sich Redemittel besser über das Lesen einprägen, können die Transkripte erhalten (**Anhang → S. 160**).	CD 1/6 Transkript zu CD 1/6	
Plenum	Weisen Sie auf die landeskundliche Information in *Wussten Sie schon?* hin. **INTERKULTURELLES:** Fragen Sie die TN, wie man üblicherweise mit einer Einladung zum Essen in ihrem Heimatland umgeht: *Wäre es in Ihrem Heimatland ein Problem, wenn Sie nicht zur verabredeten Zeit da wären? Wie viele Minuten/Stunden vor bzw. nach der verabredeten Zeit sind bei Ihnen noch in Ordnung? Hatten Sie schon einmal ein peinliches Erlebnis, weil Sie zu früh / zu spät zu einer Verabredung gekommen sind? Wie finden Sie es, dass die Deutschen so pünktlich sind? Und sind sie denn wirklich so pünktlich, wie man immer glaubt? Welche Erfahrungen haben Sie gemacht?* **TIPP:** Fehlerteufel (Glossar → S. 155): Wenn Sie Sätze der TN an die Tafel schreiben, dann übernehmen Sie die Sätze ruhig einmal wortwörtlich und kennzeichnen Sie die Stellen, wo ein Fehler auftaucht. Erklären Sie zunächst nichts und machen Sie normal mit der Aufgabe weiter. In der Regel kommen die richtigen Antworten automatisch von den TN. Sobald sie jemand geäußert hat, verbessern Sie ihn an der Tafel.		
Einzelarbeit Plenum	**AB 23/Ü6** Lesetext zum richtigen Verhalten bei offizielleren Einladungen. Kontrolle im Plenum.		

3 Lesen Sie die Ausschnitte aus den Gesprächen.

SOZIALFORM	ABLAUF	MATERIAL	ZEIT
Plenum	a) Die TN ergänzen die Minigespräche und vergleichen dann mit der CD. *Lösung: Musst du mich eigentlich immer kritisieren? Das dauert ja ganz schön lange. / Schau mal auf die Uhr. Ach was, der Bus war doch ganz pünktlich. Es war eigentlich ganz einfach. / Kommen Sie doch bitte herein. Diese Farbe ist ja toll.* **TIPP:** Modalpartikeln sind für viele TN ein Lernproblem. Sie sind schwer zu verstehen, da sie eine Haltung zu einer Aussage oder einer Frage ausdrücken und unterschiedlich gebraucht werden können. Man benötigt viele Beispiele, um deutlich zu machen, wann man sie benutzt. Machen Sie den TN deutlich, dass die im Kursbuch präsentierten Modalpartikeln nur eine kleine Auswahl sind und es noch mehr Modalpartikeln gibt. Weisen Sie die TN auch auf die Grammatikübersicht im Kursbuch (→ S. 28/1) hin.	CD 1/7	

Partnerarbeit Plenum	**FOKUS GRAMMATIK:** Modalpartikeln treten meist in gesprochener Sprache auf. Sie beziehen sich immer auf den ganzen Satz. Sie sind kein Satzteil, den man durch eine Frageprobe „erfragen" kann. Die Sätze werden noch einmal gehört und nachgesprochen. Die TN arbeiten zu zweit. Eine/r spricht den Satz mit Partikel, die/der andere ohne. Dabei sollen Sie auf die richtige Betonung achten. Fragen Sie die TN, was sich durch die Modalpartikeln verändert?		
Einzelarbeit Plenum	b) Die TN streichen die Wörter, die nicht passen. Kontrolle im Plenum. *Lösung: Richtig ist: Kommen Sie doch bitte herein. / Haben Sie es denn leicht gefunden? / Eine tolle Idee von Ihrem Mann, die Kollegen mal nach Hause einzuladen. / Ja, es freut mich, Sie alle mal kennenzulernen.*		
Einzelarbeit	**AB 21/Ü3** Wortschatzübung: wichtige Verben zum Thema „Feste"; auch als Hausaufgabe geeignet.		
Einzelarbeit	**AB 22/Ü4** Grammatik entdecken: (Hör-)Übung zum Gebrauch der Modalpartikeln; auch als Hausaufgabe geeignet.	AB-CD 1/7–9	
Einzelarbeit	**AB 22/Ü5** Einsetzübung zu den Modalpartikeln, auch als Hausaufgabe geeignet; Kontrolle über den Hörtext auf CD.	AB-CD 1/10	

Ich kann jetzt …

SOZIALFORM	ABLAUF	MATERIAL	ZEIT
Einzelarbeit	Die TN markieren, was auf sie zutrifft.		

SPRECHEN 1

1 Zu welchem dieser Feste würden Sie gern gehen?

SOZIALFORM	ABLAUF	MATERIAL	ZEIT
Einzelarbeit Partnerarbeit	a)+b) Die TN wählen eins der Feste, machen sich Notizen dazu, was ihnen daran gefällt und sprechen dann zu zweit mithilfe der Redemittel darüber.		

2 Hören Sie drei Telefongespräche. Um wen geht es? Markieren Sie.

SOZIALFORM	ABLAUF	MATERIAL	ZEIT
Einzelarbeit Partnerarbeit	Die TN hören die Gespräche und markieren, um wen es geht. *Lösung: 1 = Herr Schulze, 2 = Kim, 3 = Frau Strauß* **VERTIEFUNG:** Versuchen Sie mit den TN über die **Verstehensinseln** (Glossar → S. 157), den Text zu rekonstruieren. Den Text finden Sie im Anhang (Anhang → S. 160–161).	CD 1/8–10	

3 Telefongespräche mit Kollegen und Freunden

SOZIALFORM	ABLAUF	MATERIAL	ZEIT
Plenum	Gehen Sie den Schüttelkasten mit den TN durch und erklären Sie ggf. „Eisbrecher": Small Talk halten, etwas Gemeinsames suchen, Komplimente machen, über das Wetter sprechen, …		

Einzelarbeit	Die TN ordnen die Bedeutungen den Sätzen zu. *Lösung: 3 Warum ich dich anrufe: Nächste …; 4 Hättest du Lust, auch zu kommen? 5 Klingt gut. Wann denn? 6 Gern. Samstag habe ich noch nichts vor. 7 Soll ich was mitbringen …?; 8 Also, es wäre toll, wenn du …; 9 Also, ich komme wahrscheinlich etwas später …* Lassen Sie die TN dann die Telefongespräche noch einmal anhören und weisen Sie sie darauf hin, auf die Redemittel zu achten. Die TN finden die Redemittel zu diesem Thema auch im Kursbuch	CD 1/8–10	
Plenum	(→ S. 100). Kontrolle im Plenum.		
Einzelarbeit	**AB 24/Ü7** Einsetzübung zu den Redemitteln zum Thema „Jemanden einladen"; Kontrolle über den Hörtext auf CD; auch als Hausaufgabe geeignet.	AB-CD 1/11	

4 Rollenspiel: Jemanden einladen und eine Einladung annehmen

SOZIALFORM	ABLAUF	MATERIAL	ZEIT
Partnerarbeit	Die TN machen ein Rollenspiel zum Thema „Einladungen". Schreiben Sie mögliche Anlässe für eine Einladung an die Tafel: *Grillfest, Geburtstag, Hochzeit* etc. Sie können auch die Liste im Kursbuch (→ S. 22/1) dafür nutzen. Achten Sie bei der Durchführung darauf, dass die TN die Redemittel in Aufgabe 3 anwenden. Weisen Sie sie darauf hin, dass ein paar Redemittel in der direkten mündlichen Kommunikation wegfallen können, wie zum Beispiel *Störe ich dich gerade?* oder *Warum ich dich anrufe …* Wenn es irgendeine konkrete Situation im Kurs gibt, zu der eingeladen werden kann, dann greifen Sie sie an dieser Stelle auf. Je mehr „echte" Kommunikation stattfindet, umso besser. Man könnte zum Beispiel TN aus anderen Kursen zu einer Pausenparty einladen und diese konkrete Szene proben. Wer spricht wen an? Wer soll was mitbringen? Ermuntern und ermutigen Sie die TN, das Rollenspiel auf diese Art so authentisch wie möglich zu halten. **TIPP:** Rollenspiele haben im Stehen eine andere Wirkung als im Sitzen. Man hat eine andere Körperhaltung, spricht freier und deutlicher. Bitten Sie die TN darum, beim Rollenspiel aufzustehen und die Szene so wirklichkeitsgetreu wie möglich nachzuspielen.		

Ich kann jetzt …

SOZIALFORM	ABLAUF	MATERIAL	ZEIT
Einzelarbeit	Die TN markieren, was auf sie zutrifft.		
Plenum	**VERTIEFUNG:** Regen Sie an, dass die TN sich telefonisch oder auch direkt im Kurs zum gemeinsamen Lernen, zu einem Kaffee in der Cafeteria, einem Spaziergang im Park etc. verabreden und dabei versuchen, die Redemittel zu benutzen. Wenn alle damit einverstanden sind, können Sie eine gemeinsame Telefonliste erstellen.		

LESEN

1 Verschiedene Partys

SOZIALFORM	ABLAUF	MATERIAL	ZEIT
Partnerarbeit Plenum	a)+b) Die TN wählen ein Kärtchen und suchen eine Lernpartnerin / einen Lernpartner mit dem gleichen Kärtchen. Sie überlegen gemeinsam, wo und wann die Party auf dem Kärtchen stattfindet und wen sie einladen möchten. **VERTIEFUNG 1:** Jedes Paar stellt sein Fest pantomimisch dar, die anderen raten. **VERTIEFUNG 2:** Die Lernpartner verfassen eine schriftliche Einladung zu ihrer Party.		

2 Einladungen

SOZIALFORM	ABLAUF	MATERIAL	ZEIT
Einzelarbeit Plenum Plenum	Die TN füllen die Tabelle aus. Weisen Sie die TN darauf hin, dass der Absender sich selbst mit einbezieht und deshalb von „wir" spricht. *Lösung:* *2 Freunde, Verwandte – Liebe(r) …, Dich/Euch;* *3 Freunde – keine Anrede – wir/wer von Euch;* *4 Kollegen – Liebe Kolleginnen und Kollegen – wir;* *5 Freunde – Liebe Stammtisch-Freunde – wir* Sammeln Sie danach noch weitere typische Anredeformen an der Tafel. Auch die Indefinitpronomen „alle" und „jeden" gehören dazu. Lesen Sie zusammen mit den TN auch den Hinweis in *Wussten Sie schon?* **LANDESKUNDE:** Stammtisch: In vielen Lokalen ist oft ein Tisch als Stammtisch schon durch ein Schild markiert und so für die Stammtisch-Mitglieder „reserviert". Dort sollte man sich lieber nicht einfach so hinsetzen. Oft wird dort auch Skat, Doppelkopf oder Schafkopf gespielt. Das sind beliebte Kartenspiele im deutschsprachigen Raum. **INTERKULTURELLES:** Fragen Sie die TN: *Gibt es so etwas Ähnliches auch in Ihrem Heimatland? Gilt das für Männer und Frauen gleichermaßen? Setzt man sich zu Fremden an den Tisch?*		
Einzelarbeit	AB 27/Ü14 Interviews und Fragen zu Kaffeehaus (A), Stammtisch (D) und Apéro (CH).	AB-CD 1/12–14	

3 Welche Aussagen sind richtig (R), welche falsch (F)? Markieren Sie.

SOZIALFORM	ABLAUF	MATERIAL	ZEIT
Einzelarbeit Plenum	Die TN lesen noch einmal die Einladungen und markieren, ob die Aussagen richtig oder falsch sind. Kontrolle im Plenum. *Lösung: 1 F, 2 R, 3 F, 4 R, 5 F* **VERTIEFUNG 1:** Die TN lesen die Texte mit passenden Emotionen vor, zum Beispiel Text 1 traurig.		

Plenum	**VERTIEFUNG 2:** Die TN wählen einen bekannten Text und legen mehrere Stifte (oder Konfetti) quer auf den Text, sodass nur noch Satzstücke zu sehen sind. Je mehr Stifte man auf den Text legt, umso schwieriger wird es, den Text trotzdem lesen zu können. Die TN können die Schwierigkeit selbst steigern, indem sie bei jedem Durchgang mehr Stifte auf den Text legen. Alternativ kann man auch Kopien des Textes ziehen und Wörter mit Tipp-Ex weglöschen.	Stifte Alternativ: Kopien, Tipp-Ex	
Einzelarbeit	**AB 24/Ü8** Zuordnungsübung zum Thema schriftliche Einladungen. An dieser Stelle können Sie die TN noch einmal auf die Unterscheidung zwischen formeller/informeller bzw. mündlicher/schriftlicher Sprache hinweisen. Unter Freunden kann eine schriftliche Einladung im Sprachstil auch mündlichen Charakter haben.		

4 Verben mit Präpositionen

SOZIALFORM	ABLAUF	MATERIAL	ZEIT
Einzelarbeit	**AB S 24/Ü9** Grammatikwiederholung der reflexiven Verben mit Präposition; gut als Vorschaltübung geeignet.		
Plenum	a) Die TN unterstreichen die Präpositionen bei *einladen* und *freuen*. *Lösung: einladen zu meiner Abschiedsparty – Dativ; mich freuen auf Sie/Euch – Akkusativ* Weisen Sie die TN auf die Grammatikübersicht im Kursbuch (→ S. 28/2) und die Liste der Verben mit Präposition im Kursbuch (→ S. 112) hin.		
Einzelarbeit	**AB 25/Ü10** Grammatik entdecken: Verben mit Präposition: Die TN markieren die Verben mit Präposition, ergänzen und ordnen sie nach Kasus; auch als Hausaufgabe geeignet.		
Einzelarbeit	**AB 26/Ü11** Vertiefende Grammatikübung; auch als Hausaufgabe geeignet.		
Einzelarbeit Plenum	b) Die TN ergänzen die Fragewörter und die Präpositionalpronomen. Kontrolle im Plenum. *Lösung: Sache: Klar, darauf freuen wir uns alle. – Worauf freust du dich denn am meisten? Person: An wen? Wer ist denn Petra Maier? An sie sollen wir doch …*		
Gruppenarbeit	**VERTIEFUNG:** Teilen Sie den Kurs in Gruppen à vier TN. Kopieren Sie die Kopiervorlage Lektion 2/2 so oft, dass Sie für jede Gruppe einen Satz Kärtchen mit Verben und Präposition haben. Die TN versuchen, zu den Verben die jeweils passende Präposition zu legen und einen Beispielsatz zu bilden. Nach einem Satz ist die/der Nächste dran.	Kopiervorlage Lektion 2/2	
Einzelarbeit	**AB 26/Ü12** Grammatik entdecken: Fragen und Antworten bei Verben mit Präposition; auch als Hausaufgabe geeignet.		
Einzelarbeit	**AB 27/Ü13** Einsetzübung zu den Präpositionalpronomen bei Personen und bei Sachen; auch als Hausaufgabe geeignet.		

Ich kann jetzt …

SOZIALFORM	ABLAUF	MATERIAL	ZEIT
Einzelarbeit	Die TN markieren, was auf sie zutrifft.		
Gruppenarbeit	**VERTIEFUNG:** Die TN schreiben aus dem Kursbuch und dem Arbeitsbuch die Verben und Präpositionen getrennt voneinander auf Kärtchen, fügen sie wieder passend zusammen und bilden damit einen Satz.	Kärtchen	

SCHREIBEN

1 Sprache im Netz

SOZIALFORM	ABLAUF	MATERIAL	ZEIT
Partnerarbeit	a) Die TN überlegen sich, was die Abkürzungen heißen könnten. Weisen Sie die TN auch auf die Information in *Wussten Sie schon?* hin. Die Lösung finden Sie im Kursbuch (→ S. 118).		
Partnerarbeit	b) Die TN schreiben eine Abkürzung in ihrer Sprache auf und erklären die Bedeutung.		

2 Schriftliche Verabredungen

SOZIALFORM	ABLAUF	MATERIAL	ZEIT
Einzelarbeit Plenum	a) Die TN ordnen die Nachrichten den Zeiten zu. Kontrolle im Plenum. *Lösung: 17:10 = 1, 18:25 = 3, 18:30 = 7, 20:30 = 6, 20:35 = 5, 22:30 = 4, 23:00 = 2*		
Partnerarbeit	b) Die TN schreiben sich mithilfe der Redemittel gegenseitig Nachrichten. Weisen Sie die TN auch auf die Redemittel „Auf eine Einladung reagieren" im Kursbuch (→ S. 100) hin. **TIPP:** Die Kommunikation ist authentischer, wenn statt Zettel ein Handy benutzt wird, das immer wieder zurückgegeben wird.	Zettel oder Handy	
Partnerarbeit	c) Die TN lesen noch einmal alle Nachrichten und überprüfen die Verständlichkeit. Sie können sie ggf. mit einem anderen Paar tauschen.		
Einzelarbeit	**AB 28/Ü15** Komplexe Lese- und Schreibübung zu dem Thema „Eine Einladung ablehnen"; auch als Hausaufgabe geeignet.		
Einzelarbeit	**AB 29/Ü16** Leseübung zum Verstehen von Kurzmitteilungen; auch als Hausaufgabe geeignet.		
Einzelarbeit	**AB 29–30/Ü17** Schreibübung zum Thema „Junggesellinnen-Abschied", auch als Hausaufgabe geeignet. **LANDESKUNDE:** Der Junggesellen- / Junggesellinnen-Abschied ist eine Tradition aus dem angelsächsischen Raum, die auch in Deutschland immer beliebter wird. Die Männer und Frauen ziehen am Abend vor der Trauung getrennt durch die Straßen und Kneipen, um sich von dem Dasein als Single zu verabschieden. Meistens hat die gesamte Gruppe dabei das gleiche T-Shirt an.		

Ich kann jetzt …

SOZIALFORM	ABLAUF	MATERIAL	ZEIT
Einzelarbeit	Die TN markieren, was auf sie zutrifft.		
Gruppenarbeit	**VERTIEFUNG:** Alle schreiben eine Einladung auf einen Zettel und legen sie in eine Schachtel. Zum Beispiel: *Ich habe am Freitag Geburtstag. Hast du Lust, zu mir zu kommen? Wir grillen mit ein paar Leuten.* Dann zieht jede/r aus der Gruppe einen Zettel, liest ihn vor, korrigiert ihn ggf. und lehnt die Einladung ab oder nimmt sie an.	Zettel Schachtel/ Briefumschlag	

WORTSCHATZ

1 Partys mit Freunden

SOZIALFORM	ABLAUF	MATERIAL	ZEIT
Plenum	a) Die TN nennen ihre Favoriten und beschreiben ggf. auch eine ungewöhnliche Party, die sie schon erlebt haben. Notieren Sie die Vorschläge an der Tafel.		
Partnerarbeit Plenum	b) Die TN einigen sich zu zweit auf die drei für sie wichtigsten Aspekte für eine gute Party. Vergleichen Sie im Plenum.		
Plenum	**VERTIEFUNG:** Die TN entscheiden sich für das Motto einer Verkleidungsparty und bringen entsprechende Verkleidungsgegenstände in den Unterricht mit. Alle Verkleidungen werden mit Modalpartikeln kommentiert. Einigen Sie sich vorher mit dem Kurs darauf, dass die Kommentare durchweg positiv sein sollten, zum Beispiel: *Du siehst ja genial aus! Das ist aber mal eine Verkleidung! Das ist eigentlich auch super für den Alltag. ...*	Verkleidungs-gegenstände	
Einzelarbeit	**AB 30/Ü18** Wortschatzübung zum Thema „Feste"; auch als Hausaufgabe geeignet.		

2 Eine Party vorbereiten

SOZIALFORM	ABLAUF	MATERIAL	ZEIT
Partnerarbeit	a) Die TN ordnen zu, was man allein und was man zu zweit machen kann und ergänzen dann die Liste.		
Einzelarbeit Plenum	**AB 31/Ü19–20** Wortschatzübung und Übung zu den Redemitteln „Jemanden höflich um etwas bitten" und „Auf eine Bitte reagieren", s. a. Kursbuch (→ S. 100–101). Eignet sich gut als Vorentlastung zum Rollenspiel in 2b. Kontrolle im Plenum. **FOKUS GRAMMATIK:** Der Konjunktiv II der höflichen Bitten wird immer dann angewendet, wenn man auf Fremde oder Freunde trifft, wie zum Beispiel im Restaurant, in der Kneipe, beim Einkaufen, auf der Straße, auf der Bank, auf der Post, am Bahnhof, unter Arbeitskollegen. Bitten können sehr unterschiedlich formuliert werden: sehr unhöflich – ohne Verb und ohne „bitte": *Die Rechnung!* nicht freundlich – Imperativ: *Bringen Sie mir die Rechnung!* freundlich – Frage + „bitte": *Bringen Sie mir bitte die Rechnung?* Sehr freundlich – Konjunktiv II + Frage: *Könnten Sie mir bitte die Rechnung bringen?*		
	Die Partikeln *vielleicht* und *(ein)mal* machen eine Bitte noch höflicher, wie zum Beispiel: *Hättest du **vielleicht** einen Augenblick Zeit für mich?* *Könntest du mir bitte **mal** den Zucker geben?*		

Partnerarbeit	b) Die TN führen das Rollenspiel durch. **TIPP:** Bei Anlaufschwierigkeiten können Sie mögliche Bitten/Ausreden nennen, zum Beispiel *eine Vase holen / ich weiß nicht, wo; sich um die Musik kümmern / einen schlechten Geschmack haben; tanzen / zwei linke Füße haben ...* Sie können die Rollenspiele vorspielen lassen, und die TN wählen danach, wer die beste Ausrede hatte.		
Plenum	**VERTIEFUNG:** Notieren Sie Verben und Ergänzungen aus 2a getrennt auf Kärtchen. Teilen Sie die Klasse in zwei Gruppen. Eine Gruppe erhält die Verben, die andere die Ergänzungen. (zum Beispiel *dekorieren – den Raum; schaffen – eine schöne Atmosphäre*). Jede/r TN zieht ein Kärtchen. Dann laufen alle durch den Raum und Sie machen die Musik an. Wenn Sie sie stoppen, sucht man sich schnell eine Lernpartnerin / einen Lernpartner und überlegt, ob Verb und Ergänzung zusammenpassen. Wenn ja, darf man weitermachen, wenn nicht, ist man raus. Dabei darf durchaus diskutiert werden, ob auch untypische Wortpaare zusammenpassen. Wenn man einen plausiblen Satz nennen kann, ist das erlaubt, zum Beispiel *eine Musikanlage wählen.* Wiederholen Sie die Aktivität mehrmals.	Musik, Kärtchen	
	TIPP: Lassen Sie doch jetzt im Kurs eine kleine Party organisieren. Das fördert die Atmosphäre im Kurs und die Kommunikation läuft authentisch ab. Wichtig ist hierbei aber, alle interkulturellen Faktoren abzuwägen (zum Beispiel dass Männer in manchen Kulturkreisen Frauen nicht beim Tanzen zuschauen dürfen etc.).		

Ich kann jetzt ...

SOZIALFORM	ABLAUF	MATERIAL	ZEIT
Einzelarbeit	Die TN markieren, was auf sie zutrifft.		
Plenum	**VERTIEFUNG 1:** Sammeln Sie noch einmal Wörter zum Thema „Feste" an der Tafel (getrennt Nomen und Verben) und trainieren Sie zu den Nomen noch einmal die Artikel zum Beispiel durch **Artikelgymnastik** (Glossar → S. 154) Teilen Sie die Klasse in drei Gruppen: *der, die* und *das.* Lesen Sie Nomen aus dem Wortfeld „Feste" vor und immer, wenn die TN glauben, dass „ihr" Artikel der richtige ist, stehen sie auf.		
Plenum	**VERTIEFUNG 2:** Fordern Sie die TN zu Beginn der nächsten Stunde auf, höflich um Dinge im Kursraum zu bitten und eine Bitte höflich abzulehnen, zum Beispiel: *Könntest du bitte das Fenster aufmachen? – Nein, tut mir leid. Ich friere so.*		

SEHEN UND HÖREN

1 Sehen Sie eine Foto-Reportage <u>ohne Ton</u> zu einem bekannten Volksfest an.

SOZIALFORM	ABLAUF	MATERIAL	ZEIT
Einzelarbeit	a) Die TN sehen die Reportage ohne Ton und markieren. *Lösung: Würste, Brezeln*	DVD 04	
Plenum	b) Die TN äußern ihre Vermutung zu den Fotos. *Lösung: Oktoberfest in München*		
Einzelarbeit	**AB 32/Ü21** Lesetext zum Oktoberfest. Dieser ist gut als Vorbereitung auf die komplette Reportage geeignet, kann aber auch als Nachbereitung von Aufgabe 2 (als Hausaufgabe) gemacht werden.		

2 Sehen Sie die Foto-Reportage nun <u>mit Ton</u> in Abschnitten an. Markieren Sie.

SOZIALFORM	ABLAUF	MATERIAL	ZEIT
Einzelarbeit	a) Weisen Sie die TN darauf hin, dass sie zunächst nur die Abschnitte zuordnen sollen. Die TN sehen das Video und machen sich Notizen. *Lösung: Abschnitt 1: 4; Abschnitt 2: 3, 5, 6, 7; Abschnitt 3: 1, 2, 8*	DVD 05–07	
Plenum	b) Die TN beantworten die Fragen mit der **Ballmethode (Glossar → S. 154)**. *Lösung: 1 König Ludwigs Frau Therese; 2 1810; 3 Trubel; 4 im September, 5 singen; 6 11; 7 5000; 8 Romantik und Liebe*	Ball	

3 Sehen Sie nun Abschnitt 2 der Foto-Reportage noch einmal an. Was ist richtig? Markieren Sie.

SOZIALFORM	ABLAUF	MATERIAL	ZEIT
Einzelarbeit Plenum	Die TN markieren ihre Antworten. Die richtigen Antworten werden dann noch einmal in ganzen Sätzen im Plenum wiedergegeben. *Lösung: 1 ... haben Platz für etwa 5000 Gäste; 2 ... mögen dieses Volksfest nicht; 3 ... die Karussells und Süßigkeiten*	DVD 06	

Ich kann jetzt ...

SOZIALFORM	ABLAUF	MATERIAL	ZEIT
Einzelarbeit	Die TN markieren, was auf sie zutrifft.		
Plenum	**VERTIEFUNG:** Fragen Sie die TN: *Was denken Sie über das Oktoberfest? Hätten Sie Lust, es einmal zu besuchen?*		

SPRECHEN 2

1 Eine Präsentation planen

SOZIALFORM	ABLAUF	MATERIAL	ZEIT
	Betonen Sie, bevor Sie mit dem Baustein *Sprechen 2* beginnen, dass Sie am Ende der Aktivität eine Präsentation über ein Fest aus dem Heimatland der/des TN erwarten. Das macht zum einen die Wichtigkeit der Aufgabe deutlich, zum anderen ist produktorientiertes Lernen für die TN interessanter und motivierender.		
Einzelarbeit Gruppenarbeit	Die TN überlegen sich ein typisches Fest und machen sich dazu Notizen. TN aus gleichen Städten / Ländern können ggf. zusammenarbeiten. **TIPP:** Es gibt immer TN, die eine etwas längere Phase brauchen, bis ihnen etwas einfällt. Unterstützen Sie sie mit zusätzlichen Fragen: *Auf welchem Fest waren Sie in letzter Zeit? Wie feiert man bei Ihnen eine Hochzeit?* etc.		
Einzelarbeit	Fordern Sie die TN auf, das von ihnen gewählte Thema weiter auszuschmücken: Ist es möglich, dass die TN Fotos, Kostüme, Musik, typisches Essen etc. mitbringen?	Fotos, Musik, Essen, etc.	

2 Eine Präsentation vorbereiten

SOZIALFORM	ABLAUF	MATERIAL	ZEIT
Einzelarbeit	a) Die TN versuchen, ihre Stichworte aus 1 zunächst auf einem Blatt Papier zu strukturieren, bevor sie sie als Präsentation aufbereiten. Ggf. können die TN die Aufgabe auch zu Hause als Power-Point-Präsentation vorbereiten. Sollten die technischen Voraussetzungen dafür nicht vorhanden sein, geben Sie den TN Folien für den Overheadprojektor mit. **TIPP:** Erklären Sie, wie man Stichpunkte macht: keine ganzen Sätze bzw. Nebensätze schreiben; nur wichtige einzelne Nomen und zugeordnete Personen oder Beschreibungen notieren; wenn nach Tätigkeiten gefragt wird, einzelne Verben aufschreiben. Weisen Sie dazu die TN auch auf den Lerntipp zur Aufgabe hin.	Folien für den Overheadprojektor	
Einzelarbeit	b) Die TN schreiben sich auf, was sie zu welcher Folie sagen möchten. Gut eignen sich dafür Karteikärtchen, weil man sich vom Platz beschränken muss und so nicht versucht ist, die Präsentation abzulesen. Wichtig aber ist, die Inhalte ein paar Mal im Vorfeld zu üben oder gar auswendig zu lernen. **TIPP:** Weisen Sie die TN darauf hin, dass sie für ihre Präsentation nicht aus Wikipedia o. Ä. abschreiben sollten. Sie können auch das Thema „Plagiat" ansprechen: Ein Plagiat ist, wenn man das, was man aus anderen Texten abschreibt, nicht als Zitat markiert. Damit verletzt man das Urheberrecht, was strafbar ist.	Karteikärtchen	

3 Ihre Präsentation

SOZIALFORM	ABLAUF	MATERIAL	ZEIT
	a) Die TN lernen die passenden Redemittel „Eine Präsentation formulieren", s. a. Kursbuch (→ S. 100). **TIPP:** Zum effektiven Lernen: Die TN können (auch zu Hause) im **Mönchsgang (Glossar → S. 156)** lernen, das heißt, sie laufen langsam durch den Raum und sprechen ihre Sätze vor sich hin. In der Bewegung prägt sich vieles leichter ein. Andere Methoden, die Sie mit den TN ausprobieren können, wären: zu den Redemitteln kleine Zeichnungen anfertigen lassen, die Redemittel gurgeln / brummen / mit Emotionen sprechen. Hier hat jeder TN seine eigene Methode, wie sie/er am besten lernen kann.		
	b) **TIPP:** Zum richtigen Präsentieren: Um ein Gefühl dafür zu bekommen, wie es ist, vor Publikum zu stehen, sollten die TN zu Hause vor dem Spiegel üben. Wenn sie schnell nervös werden, können sie sich eine Strategie überlegen, zum Beispiel bis drei zählen, auf ein Bild schauen etc., um während der Präsentation wieder ruhiger zu werden. Weisen Sie auch auf den Lerntipp zur Aufgabe hin.		
	c) Die TN halten ihre Präsentationen. Geben Sie dafür Termine vor, wann jede/r an der Reihe ist, um nicht zu viel auf einmal zu hören. Mehr als eine Präsentation pro Kurstag sollten Sie nicht einplanen.		

Mein Dossier

SOZIALFORM	ABLAUF	MATERIAL	ZEIT
Einzelarbeit	AB 32/Ü22 Erinnerung an ein Fest; auch als Hausaufgabe geeignet. Die TN können diese Seiten auch mitbringen und im Kursraum aufhängen, wenn sie möchten.		

Ich kann jetzt ...

SOZIALFORM	ABLAUF	MATERIAL	ZEIT
Einzelarbeit	Die TN markieren, was auf sie zutrifft.		

AUSSPRACHE: *u – ü – i* (Arbeitsbuch → S. 33)

1 Wortpaare *u – ü*

SOZIALFORM	ABLAUF	MATERIAL	ZEIT
Plenum	a) Die TN hören die Wortpaare und ergänzen das zweite Wort. b) Die TN hören noch einmal oder sprechen gleich die Paare.	AB-CD 1/15	

2 *i* oder *ü*?

SOZIALFORM	ABLAUF	MATERIAL	ZEIT
Einzelarbeit Plenum	a) Die TN hören zu und markieren, welches Wort sie hören. Kontrolle im Plenum. **VERTIEFUNG:** Benutzen Sie die Methode des **Echo-Sprechens** (Glossar → S. 154). Eine/r sagt ein Wort ein paar Mal vor, die anderen sprechen nach.	AB-CD 1/16	
Einzelarbeit Partnerarbeit	b) Die TN schreiben mit den Wörtern aus a) Sätze und geben sie weiter an die Lernpartnerin / den Lernpartner. Die/der liest vor.	Zettel	
Plenum	**TIPP:** Das Vorlesen solcher Sätze ist doppelt schwer. Die TN müssen die Schrift der anderen entziffern und die richtige Aussprache üben. Damit eine entspannte, lockere und sogar lustige Atmosphäre herrscht, die man für solche Übungen braucht, können Sie vorher mit den TN Zungengymnastik machen, also zum Beispiel die Zunge zur Nase führen, weit herausstrecken, drehen, an den Gaumen führen, zusammenrollen etc.		

3 Zungenbrecher

SOZIALFORM	ABLAUF	MATERIAL	ZEIT
Gruppenarbeit	Die TN hören die Zungenbrecher und sprechen sie nach. Auf der CD werden die Zungenbrecher viermal mit steigendem Sprechtempo gehört. Dies kann für die Teilnehmer Ermunterung sein, selbst ihr Sprechtempo zu erhöhen. Fordern Sie die TN auf, einen Wettbewerb daraus zu machen. Wer kann welchen Zungenbrecher am längsten / am schnellsten fehlerlos sprechen?	AB-CD 1/17	

4 Selbstkontrolle

SOZIALFORM	ABLAUF	MATERIAL	ZEIT
Einzelarbeit	Die TN hören die Sätze und sprechen sie nach. Dann nehmen sie sich auf und kontrollieren ihre Aussprache. Es können auch eigene Sätze mit *u-ü-i*-Lauten gebildet werden. **TIPP:** Diese Aufgabe ist sehr effektiv, weil sich die TN durch das Anhören ihrer Aufnahme viel besser hören können, als wenn sie nur nachsprechen. Wenn sie nur mit einem Aufnahmegerät aufnehmen, kann das sehr lange dauern. Fordern Sie die TN deshalb auf, die Aufnahme mit ihrem Handy durchzuführen. Jede/r hört sich selbst das Gesprochene an. Was ist anders als im Original? Die	AB-CD 1/18 Aufnahme- gerät / Handy	
Gruppenarbeit	TN sprechen darüber in ihren Gruppen.		

LERNWORTSCHATZ (Arbeitsbuch → S. 34–35)

SOZIALFORM	ABLAUF	MATERIAL	ZEIT
Plenum	**Lernstrategie Tipp 2:** Schlagen Sie den TN vor, sich ein paar Stellen zu Hause zu überlegen, an denen sie oft vorbeikommen und ungestört Zettel aufhängen können (Kühlschrank, Geschirrspüler, Spiegel, Toilette etc.). Die TN kleben an diese Orte Zettel mit Präpositionen. Immer, wenn sie ein neues Verb mit einer bestimmten Präposition gelernt haben, kleben sie es dazu. So kann der Kühlschrank zum Beispiel für alle Verben mit *auf* reserviert sein, hier hängen dann *warten, stehen* etc.	Zettel	

LEKTIONSTEST 2 (Arbeitsbuch → S. 36)

SOZIALFORM	ABLAUF	MATERIAL	ZEIT
Einzelarbeit	Mithilfe des Lektionstests haben die TN die Möglichkeit, ihr neues Wissen in den Bereichen Wortschatz, Grammatik und Redemittel zu überprüfen. Wenn die TN mit einzelnen Bereichen noch Schwierigkeiten haben, können sie gezielt noch einmal einzelne Module wiederholen.		

REFLEXION DER LEKTION

SOZIALFORM	ABLAUF	MATERIAL	ZEIT
Plenum	Die TN halten eine **flammende Rede** (Glossar → S. 155) zum Thema der Stunde bzw. der letzten Stunden, zum Beispiel *Wie war es, eine Präsentation vorzubereiten, über Feste zu sprechen, …?* Jede/r in der Runde erhält nacheinander ein Streichholz, zündet es an und darf nur sprechen, bis es abgebrannt ist. Dann ist die/der Nächste an der Reihe. Dabei lernen die TN, schneller auf den Punkt zu kommen.	Streichholz, Teller	

EINSTIEG

Vor dem Öffnen des Buches

SOZIALFORM	ABLAUF	MATERIAL	ZEIT
Plenum Gruppenarbeit	Wählen Sie drei Fragen, die Ihre TN zum Thema interessieren könnten. Recherchieren Sie die Antworten vorher im Internet. Schreiben Sie dann die Fragen an die Tafel, zum Beispiel: *Wo liegt der gefährlichste Flughafen der Welt? Welche Stadt ist die teuerste der Welt? Wohin reisen die Menschen im deutschsprachigen Raum im Sommer am liebsten?* Die TN versuchen in Gruppen, die Fragen zu lösen. Kontrolle im Plenum.	spannende Fragen zum Thema aus dem Internet	
Plenum	**AB 37/Ü1** Wortschatzwiederholung zum Thema „Reisen". Die TN lösen die Übung als Vorentlastung. Hier können die Artikel und Pluralformen gleich mit geübt werden zum Beispiel mit **Artikelgymnastik** (Glossar → S. 154).		

1 Sehen Sie das Foto an. Was ist hier los? Was meinen Sie?

SOZIALFORM	ABLAUF	MATERIAL	ZEIT
Plenum	Sammeln Sie die Vermutungen der TN an der Tafel. Ermuntern Sie die TN, die Redemittel im Kursbuch zu benutzen. **TIPP:** Arbeiten Sie wieder mit dem **Fehlerteufel** (Glossar → S. 155).		

2 Günstig unterwegs sein

SOZIALFORM	ABLAUF	MATERIAL	ZEIT
Einzelarbeit	a) Die TN hören nun den Anfang des Gesprächs und ordnen die Satzteile zu. *Lösung: Der Mann bietet der Familie an, sie mit seinem Auto nach Hause zu fahren. Dafür möchte er das Geld für eine Fahrkarte zum Flughafen. Die Familie versteht nicht, warum er eine Fahrkarte braucht.*	CD 1/11	
Plenum Partnerarbeit	b) Die TN sammeln ihre Vermutungen, wie das Gespräch weitergehen könnte, und hören dann das Ende des Gesprächs zum Vergleich. Je nach Intensität und Zeit kann diese Übung entweder im Plenum an der Tafel oder in Partnerarbeit gelöst werden.	CD 1/12	

HÖREN

1 Vermutungen

SOZIALFORM	ABLAUF	MATERIAL	ZEIT
Plenum	Klären Sie zunächst die Bedeutung der Wörter *vermutlich* und *wohl*. Schreiben Sie dazu Beispielsätze an die Tafel. **TIPP:** In Wörterbüchern findet man oft nur „gut" als Übersetzung von *wohl*. Weisen Sie hier darauf hin, dass es die gleiche Bedeutung wie *wahrscheinlich* und *vermutlich* hat. Stellen Sie die Fragen einzeln im Plenum und notieren Sie mögliche Lösungen an der Tafel. Fordern Sie die TN auf, bei ihren Antworten die angeführten Redemittel zu benutzen. Weisen Sie die TN auch auf die Redemittel „Vermutungen und Vorhersagen formulieren" im Kursbuch (→ S. 101) hin.		

2 Vermutungen formulieren

SOZIALFORM	ABLAUF	MATERIAL	ZEIT
Einzelarbeit	a) Die TN markieren die richtigen Formen. *Lösung: Adverbien wie wohl, vielleicht, vermutlich oder wahrscheinlich; werden + wohl, vielleicht, … + Infinitiv*		
Partnerarbeit Plenum	b) Fordern Sie die TN auf, zunächst zu zweit über die Bedeutung der Adverbien zu sprechen und sie in die Tabelle einzuordnen. Bei der Kontrolle im Plenum sollten Sie noch einmal verschiedene Beispielsätze anbieten, damit die Unterscheidung deutlich wird. Weisen Sie auch auf die Grammatikübersicht im Kursbuch (→ S. 40/1) hin: *Der Mann hat vermutlich kein Ticket. Ich weiß es aber nicht genau.* *Der Mann hat bestimmt kein Ticket. Ich bin mir ziemlich sicher, dass er kein Ticket hat.* *Lösung: vielleicht: vermutlich, eventuell; ziemlich sicher: bestimmt, wahrscheinlich*		
Plenum Partnerarbeit Plenum	c) Weisen Sie die TN noch einmal darauf hin, dass man Vermutungen mithilfe der Adverbien mit oder ohne *werden + Infinitiv* formulieren kann. Schreiben Sie zur Verdeutlichung einige Beispielsätze an die Tafel. Die TN schreiben zu zweit Sätze über ihre Zukunft. Helfen Sie bei Schwierigkeiten. Wer möchte, kann anschließend einige seiner Sätze laut vorlesen.		
Einzelarbeit	**AB 37/Ü2** Grammatikübung zu Vermutungen ohne *werden* + Infinitiv, aber mit *wohl, vielleicht, …*; auch als Hausaufgabe geeignet.		
Einzelarbeit	**AB 37/Ü3** Grammatikübung zu Vermutungen mit *werden + wohl, vielleicht, … + Infinitiv*; auch als Hausaufgabe geeignet.		

3 Die Fahrkarte, bitte!

SOZIALFORM	ABLAUF	MATERIAL	ZEIT
Plenum	Spielen Sie das Gespräch vor. Fragen Sie dann, ob die Vermutungen der TN aus Aufgabe 1 gestimmt haben. Kontrollieren Sie ggf. mit den Notizen aus 1 an der Tafel.	CD 1/13	
Einzelarbeit	Die TN beantworten dann die Fragen. Spielen Sie dazu bei Bedarf das Gespräch noch einmal vor. Kontrolle im Plenum. *Lösung: 2 Weil sie wegfliegen; 3 verkaufen 4 Seine Rente ist nicht so hoch; 5 Es ist nicht in Ordnung, dass jemand etwas weiterverkauft, was ein anderer bezahlt hat.*		

4 Ihre Meinung

SOZIALFORM	ABLAUF	MATERIAL	ZEIT
Plenum	Die TN diskutieren anhand der Fragen über die beiden Situationen am Flughafen. Weitere mögliche Fragestellungen: *Hat Sie schon mal jemand am Bahnhof / Flughafen angesprochen? Wenn ja, warum?* **INTERKULTURELLES:** Stellen Sie den TN weitere Fragen, wie zum Beispiel: *Wären diese Situationen in Ihrer Heimat auch möglich? Fahren dort fremde Leute zusammen mit dem Auto? Kann man sich ein Ticket teilen?*		

	LANDESKUNDE 1: Zug- oder Busverbindungen zwischen Innenstadt und Flughafen sind meist um ein Vielfaches teurer als andere Verbindungen gleicher Entfernung. Deshalb lohnt sich der Blick zum Beispiel auf taxi-rechner.de. Bei Bedarf klären Sie die Abkürzungen: ICE = Intercityexpress: Der ICE verkehrt zwischen den großen Städten, hält selten und kostet einen Zuschlag; EC = Eurocity: Reisezug im internationalen Fernverkehr in Europa, der nur in wichtigen Städten hält. **LANDESKUNDE 2:** „Schwarzfahren", d.h. fahren ohne gültige Fahrkarte, ist teuer, wenn man kontrolliert wird. Wenn es wiederholt passiert, erstatten die Verkehrsbetriebe Anzeige bei der Polizei. Man darf die öffentlichen Verkehrsmittel dann nicht mehr benutzen und ist vorbestraft.
Einzelarbeit	**AB 38/Ü4** Landeskundlicher Lesetext über Verkehrsmittelnutzung in Großstädten in Deutschland, Österreich und der Schweiz, angelehnt an *Wussten Sie schon?* im Kursbuch; auch als Hausaufgabe geeignet.

Ich kann jetzt ...

SOZIALFORM	ABLAUF	MATERIAL	ZEIT
Einzelarbeit	Die TN markieren, was auf sie zutrifft.		
Einzelarbeit	**VERTIEFUNG:** Jede/r TN schreibt zwei Satzanfänge einzeln auf Kärtchen, wie man Vermutungen formulieren kann. Die Satzanfänge (doppelte vorher aussortieren) kommen in die Wiederholungskiste (Glossar → S. 158) zum Thema „Vermutungen". Jede/r TN zieht ein Kärtchen und beendet den Satz. Diese Übung kann auch zu einem späteren Zeitpunkt wiederholt werden.	Kärtchen, Briefumschläge, Wiederholungskiste	

WORTSCHATZ

1 Wo ist bloß ...?

SOZIALFORM	ABLAUF	MATERIAL	ZEIT
Partnerarbeit	a) Die Bücher bleiben noch geschlossen. Spielen Sie den Anfang des Gesprächs vor. Fragen Sie, warum die Frau so nervös ist. *Lösung: Sie muss bald eine Freundin am Bahnhof abholen, aber sie findet ihren Autoschlüssel nicht.* **VERTIEFUNG:** Die TN können dann in **Murmelgruppen** (Glossar → S. 156) Geschichten erzählen, wie sie einmal selbst verzweifelt ihren Schlüssel / ihre Mütze / ihre Brille etc. gesucht haben, und wo diese Dinge am Ende lagen.	CD 1/14	
Einzelarbeit Plenum	b) Die TN schlagen nun das Buch auf, hören das Gespräch noch einmal und ergänzen die Verben mit Vorsilben. Kontrolle im Plenum. *Lösung: hingelegt, kommt ... an, losfahren, komm ... her, Schau ... raus*	CD 1/15	
Gruppenarbeit	c) Lassen Sie die TN in zwei Minuten so viele Ideen wie möglich zu dritt sammeln, was der Mann entdeckt haben könnte. Das Team mit den meisten Ideen am Ende hat gewonnen. Jedes Team wählt dann die Vermutung aus, die es für die wahrscheinlichste hält.		

| Plenum | d) Spielen Sie das Ende des Gesprächs vor. Wie viele Teams hatten die richtige Vermutung?
Lösung: Der Schlüssel steckt in der Autotür. | CD 1/16 | |

2 Verben der Bewegung

SOZIALFORM	ABLAUF	MATERIAL	ZEIT
Plenum	Sollten die TN Schwierigkeiten bei Aufgabe 1 gehabt haben, sollten noch einmal die trennbaren Verben visualisiert und geübt werden. Visualisieren kann man sie sehr gut, indem man ein trennbares Verb auf ein Kärtchen schreibt und es dann demonstrativ mit einer Schere hinter der Vorsilbe zerschneidet. Danach kann man immer mit der Hand die Schere andeuten, wenn die TN im freien Sprechen die trennbaren Verben falsch benutzen.	Kärtchen Schere	
Partnerarbeit	**VERTIEFUNG:** Wenn Sie etwas mehr Bewegung in Ihren Unterricht bringen wollen, können Sie mit der Kopiervorlage Lektion 3/1 arbeiten. Hier werden Verben und Vorsilben mit vorher definierten Bewegungen verknüpft, d.h. immer, wenn ein Verb genannt wird, sollen die TN eine bestimmte Bewegung dazu ausführen, zum Beispiel sagt TN1 „fahren" und TN2 streckt das rechte Bein vor. Die TN gehen paarweise zusammen und bekommen eine Kopie der Kopiervorlage Lektion 3/1. Sie üben die Verknüpfung von Verben, Vorsilben und Bewegungen. **TIPP:** Diese Konzentrationsübung hilft den TN, sich die trennbaren Verben besser merken zu können. Zudem steigert sie die Leistungsfähigkeit des Gehirns generell. Bei regelmäßiger Anwendung solcher Übungen, die mehrere Gehirnareale beanspruchen, ist der Lerneffekt um ein Vielfaches größer als bei Übungen, die „nur" ein oder zwei Gehirnareale beanspruchen wie beim Schreiben oder Lesen. Führen Sie diese Übung zunächst am besten einmal im Plenum durch, um den TN die Sicherheit zu geben, dass sie sie richtig verstanden haben. Bei der Übung ist es wichtig, locker zu lassen und Spaß zu haben. Es soll nicht darum gehen, perfekte Bewegungen durchzuführen.	Kopiervorlage Lektion 3/1	
Partnerarbeit Plenum	a) Die TN schreiben in Partnerarbeit die Vorsilben und Verben getrennt auf Kärtchen. Fragen Sie die TN, mit welchen Verben man besonders viele neue Wörter bilden kann. Die TN legen Verben der Bewegung, die sie kennen. Sie schreiben die Verben auf und legen neue. Kontrolle im Plenum. **VERTIEFUNG:** Die Aufgabe kann auch als Wettbewerb durchgeführt werden. Wer findet in zwei Minuten die meisten richtigen Verben? Sicher werden die TN die Verben bilden, die sie auf ihrer Niveaustufe kennen. Besprechen Sie Zweifelsfälle danach im Plenum. *Lösung: fahren: alle Vorsilben passen; kommen und gehen: alle Vorsilben außer ver-; reisen: ab-, an-, verreisen; holen: ab-, wegholen; bringen: wegbringen*	Kärtchen	
Einzelarbeit	b) Die TN markieren die jeweils richtige Form. **TIPP:** Die Unterscheidung von *losgehen* und *weggehen* kann für die TN schwierig sein. Erklären Sie den TN, dass „los-" einen zeitlichen Aspekt hat und oft mit der Uhrzeit benutzt wird: *Ich fahre um 7:00 Uhr los.* *Lösung: 2 losgehen, 3 wegbringen, 4 verreisen*		

Einzelarbeit	**AB 39/Ü5–6** (Hör-)Einsetzübungen zu den Vorsilben und zum unterschiedlichen Gebrauch von *fahren, gehen* und *laufen*.	AB-CD 1/19	
Einzelarbeit Plenum	c) Die TN schreiben Sätze oder überlegen sich Fragen zu den Verben der Bewegung. Arbeiten Sie mit der **Ballmethode** (Glossar → S. 154): zum Beispiel *Gehst du gern am Samstag raus? – Ja, aber ich gehe nur raus, wenn das Wetter schön ist.* **TIPP:** Aus den Vorsilben *hinein-/herein-, hinaus-/heraus-, hinunter-/herunter-, …* haben sich in der gesprochenen Sprache die Kurzformen *rein-, raus-, runter-, …* entwickelt. In der deutschsprachigen Schweiz werden die Vorsilben *hinein-/herein-* etc. üblicherweise komplett benutzt.	Ball	
Einzelarbeit	**AB 39/Ü7** Einsetzübung zu den Verben der Bewegung mit *rein-, raus-, …*; auch als Hausaufgabe geeignet.		
Gruppenarbeit Plenum	d) Stellen Sie Gruppen von vier TN zusammen, zum Beispiel mit der **Vier Ecken-Methode** (Glossar → S. 158). Geben Sie in den Ecken Themen vor, zum Beispiel „Unsere Fahrt nach …", „Freitag, der 13.", „Meine Schwiegermutter kommt", „Zug verpasst!". Die TN wählen ein Thema und gehen in die jeweilige Ecke. Fordern Sie einen TN in jeder Gruppe auf, noch einmal die Aufgabenstellung vorzulesen, damit der Auftrag hundertprozentig klar ist. Die Lernpartner sollen zwar abwechselnd schreiben, aber gemeinsam überlegen. Jede Gruppe kann dann ihre Geschichte im Plenum vorlesen.	vier Zettel	

Ich kann jetzt …

SOZIALFORM	ABLAUF	MATERIAL	ZEIT
Einzelarbeit	Die TN markieren, was auf sie zutrifft.		
Plenum	**VERTIEFUNG:** Schreiben Sie Vorsilben und Verben in zwei Farben auf Kärtchen oder lassen Sie sie die TN schreiben und legen Sie sie auf den Boden. Ein/e TN zieht von jeder Farbe ein Kärtchen und überlegt, ob sie zusammenpassen (zum Beispiel *rein + kommen*). Der Kurs hilft. Schwierige Kärtchen bleiben zunächst auf dem Boden, leichte kommen in die **Wiederholungskiste** (Glossar → S. 158). Diese Übung kann auch zu einem späteren Zeitpunkt wiederholt werden. **TIPP:** Im Arbeitsbuch (→ S. 81) wird in Lektion 5 auf die Aussprache der trennbaren und untrennbaren Verben eingegangen.	Kärtchen, Briefumschläge, Wiederholungskiste	

SPRECHEN 1

1 Welcher Titel passt zu welchem Bild? Ordnen Sie zu.

SOZIALFORM	ABLAUF	MATERIAL	ZEIT
Einzelarbeit	Die TN sehen die Bilder an und ordnen die Titel den Bildern zu. *Lösung: A3, B1, C2*	Reisebilder aus Zeitschriften / dem Internet	
Partnerarbeit	Jede/r TN wählt ein Bild, beschreibt es der Lernpartnerin / dem Lernpartner und äußert gleichzeitig Vermutungen, worum es gehen könnte. Alternativ können Sie auch andere Reisebilder aus Zeitschriften oder dem Internet mitbringen und die Übung durchführen.		

2 Vorschläge machen

SOZIALFORM	ABLAUF	MATERIAL	ZEIT
Plenum Einzelarbeit Plenum	a) Vor dem Öffnen des Buches: Schneiden Sie die Redemittel auf der Kopiervorlage Lektion 3/2 einmal einzeln als Kärtchen aus. Jede/r zweite TN zieht ein Kärtchen. Alle laufen durch den Kursraum. Die TN mit Redemitteln sprechen die ganze Zeit ihren Satz, die TN ohne gehen von „Redemittel" zu „Redemittel" und wählen, nachdem sie alle gehört haben, eins aus und sprechen mit der Sprecherin / dem Sprecher das Redemittel mit. Welches Redemittel wurde am meisten gewählt? Danach werden die Redemittel im Buch gelesen und zugeordnet. Kontrolle im Plenum. Weisen Sie die TN darauf hin, dass es noch weitere Redemittel zum Thema „Vorschläge machen" im Kursbuch (→ S. 102) gibt. *Lösung:* jemandem etwas vorschlagen: *Wie wäre es, wenn wir ...?, Ich schlage vor, wir ...;* Rückfragen zu einem Vorschlag stellen: *Meinst du nicht, wir sollten ...?, Ich hätte noch eine Frage: ...?* einverstanden sein oder ablehnen: *Warum eigentlich nicht? Das ist mir, ehrlich gesagt, nicht so recht.*	Kopiervorlage Lektion 3/2	
Plenum Partnerarbeit Plenum	b)+c) Klären Sie zunächst den unbekannten Wortschatz. Dann wählen die TN zu zweit eine Situation aus und führen das Rollenspiel durch. Die TN sollten dabei so mit den Redemitteln arbeiten, wie es im Lerntipp „Redemittel benutzen" im Kursbuch (→ S. 33) angegeben ist. Kopieren Sie dazu die Kopiervorlage Lektion 3/2 so oft, dass Sie für jede Gruppe alle Redemittel einer Kopie als Kärtchen parat haben. **TIPP:** Beim Spielen der Gespräche gibt es immer Personen, die schneller fertig sind. Diese können dann das Gespräch auch aufschreiben – am besten mit der Vorgabe, mindestens drei Redemittel dabei zu benutzen – und im Plenum präsentieren. Lassen Sie nur die TN vorspielen, die es wollen.	Kopiervorlage Lektion 3/2	
Einzelarbeit	**AB 40/Ü8** (Hör-)Übung zur Festigung der Redemittel; auch als Hausaufgabe geeignet.	AB-CD 1/20	
Einzelarbeit	**AB 40/Ü9** Vertiefende Übung zu den Redemitteln; auch als Hausaufgabe geeignet.		

Ich kann jetzt ...

SOZIALFORM	ABLAUF	MATERIAL	ZEIT
Einzelarbeit	Die TN markieren, was auf sie zutrifft.		
Plenum	**VERTIEFUNG:** Heben Sie die Streifen mit den Redemitteln auf, sortieren Sie sie in die **Wiederholungskiste (Glossar → S. 158)** ein und üben Sie zu einem späteren Zeitpunkt noch einmal damit.	Kärtchen, Briefumschläge, Wiederholungskiste	

LESEN

1 Reisen und Verkehr in der Zukunft

SOZIALFORM	ABLAUF	MATERIAL	ZEIT
Plenum Partnerarbeit	Sprechen Sie mit den TN darüber, was ihnen zum Stichwort „Reisen und Verkehr in der Zukunft" einfällt oder lassen Sie sie mithilfe der Adjektive aus dem Schüttelkasten zu zweit einen kleinen Text – vielleicht auch mit Skizze – anfertigen, wie sie sich Reisen und Verkehr in der Zukunft vorstellen. Die TN können dann ihre Geschichten und Zeichnungen als „Zukunftsausstellung" im Raum verteilen. **TIPP:** Es ist immer hilfreich, wenn die TN etwas produktorientiert tun, weil das Lernen dann fokussierter abläuft.		

2 Eine Werbebroschüre über „Touch & Travel"

SOZIALFORM	ABLAUF	MATERIAL	ZEIT
Plenum	a) Fordern Sie die TN auf, ihre Vermutungen zum Bild zu äußern.		
Einzelarbeit	b) Die TN überfliegen den Text. Weisen Sie auch auf den Lerntipp „Richtig lesen – Hauptaussagen verstehen" zur Aufgabe hin. **TIPP:** Damit der Text wirklich nur überflogen wird, ist es gut, einen Wettbewerb daraus zu machen. Wer zuerst fertig ist, sagt „Stopp" und gibt dann die Antwort. *Lösung: Ein Angebot, bei dem man Bus- und Bahnfahrten mit dem Handy bezahlen kann.*		
Plenum	c) Fordern Sie die TN auf, den Text nun genau zu lesen und die Überschriften den Abschnitten zuzuordnen. Kontrolle im Plenum. *Lösung: 1 Sie finden, Ihre Zeit ist kostbar? 2 Sie kennen sich beim Ticketkauf am Bahnhofsautomaten nicht gut aus? 3 Sie sind kein Ticketsammler?*		

3 Relativsätze

SOZIALFORM	ABLAUF	MATERIAL	ZEIT
Einzelarbeit	a) Die TN suchen im Text die Satzteile und ergänzen die Tabelle. *Lösung: 1 ..., die Sie bargeldlos bezahlen können. 2 ..., mit dem sie die Anmeldung überprüfen können. 3 ..., wo Sie in den Bus oder die Bahn einsteigen. 4 Das ist das Praktischste, was ...* Fordern Sie die TN auf, sich die Struktur der Sätze genau anzusehen und fragen Sie sie als Wiederholung, wozu man Relativsätze benutzt. Weisen Sie auch auf die Grammatikübersicht im Kursbuch (→ S. 40/2) hin.		
Einzelarbeit Plenum	b) Die TN verbinden die beiden Sätze durch einen Relativsatz. Kontrolle im Plenum. *Lösung: 1 ... das neue Handy, das den Fahrpreis im Display anzeigt. 2 ... einen roten Punkt, der sehr leicht erkennbar ist. 3 ... einen neuen Bahnhof, wo Roboter die meisten Arbeiten erledigen. 4 ... ein neuer Bahnservice, für den Sie einen kleinen Aufpreis bezahlen.*		
Einzelarbeit	**AB 41/Ü10** Wiederholungsaufgabe zu den Relativsätzen; auch als Hausaufgabe geeignet.		

Einzelarbeit	**AB 41/Ü11** Grammatik entdecken: Systematische Erarbeitung der Relativpronomen; auch als Hausaufgabe geeignet.		
Einzelarbeit	**AB 42/Ü12** Übung zu Relativpronomen in Verbindung mit Verben mit Präposition; auch als Hausaufgabe geeignet.		
Einzelarbeit	**AB 42–43/Ü13–14** Übungen zu Relativpronomen mit und ohne Präpositionen; auch als Hausaufgabe geeignet.		
Einzelarbeit	**AB 43/Ü15–16** Übungen zu den weiteren Relativpronomen *wo* und *was*; auch als Hausaufgabe geeignet.		
Einzelarbeit	**AB 43/Ü17** Übung zum Relativpronomen *was* mit Bezug auf den ganzen Satz.		
Einzelarbeit	**AB 44/Ü18** Gemischte Übung zu Relativpronomen; auch als Hausaufgabe geeignet.		
Einzelarbeit	**AB 44/Ü19** Übung zur Wortstellung im Relativsatz; auch als Hausaufgabe geeignet.		

4 Verkehrsmittel der Zukunft

SOZIALFORM	ABLAUF	MATERIAL	ZEIT
Plenum	Erzählen Sie von einer Verbesserung bei Verkehrsmitteln, von der Sie gehört haben. Fordern Sie dann die TN auf, über ähnliche Neuerungen zu sprechen, von denen sie gehört haben. Notieren Sie diese an der Tafel.		

5 Einen Zeitungsartikel verstehen

SOZIALFORM	ABLAUF	MATERIAL	ZEIT
Einzelarbeit Plenum	a) Die TN lesen den Anfang des Berichts und markieren das passende Fahrzeug. Kontrolle im Plenum. *Lösung: Fahrzeug B*		
Partnerarbeit Plenum Einzelarbeit	**TIPP:** Nach dem Lesen und Beantworten der Fragen im Plenum wäre ein **Lesen nach Zahlen (Glossar → S. 156)** möglich, hier mit den Zahlen 120, 30–50, 330. Alle Zahlen aus einem Text werden herausgeschrieben. Dies kann entweder gemeinsam zum Bearbeiten an der Tafel erfolgen oder als Einzelübung über einen Eintrag im Heft. Die passenden Stichworte werden ergänzt. *(Lösung hier: Der Mute kann 120 Stundenkilometer/Stunde fahren. / Man kann Distanzen von 30–50 Kilometern mit dem Mute zurücklegen. / Pro Monat kostet die Leasingrate für den Mute 330 Euro.)*		
Einzelarbeit Plenum	b) Die TN lesen den letzten Abschnitt und ergänzen in der Tabelle die Vor- und Nachteile des „Mute". Kontrolle im Plenum. *Lösung: Vorteile: ist umweltschonend und bezahlbar, fährt bis zu 120 km/h, kann 2 Personen mit Gepäck transportieren; Nachteile bzw. mögliche Probleme: man kann keine großen Strecken zurücklegen, z.B. um in den Urlaub zu fahren, die Batterien sind derzeit noch sehr teuer.* **TIPP 1:** Sie können noch weitere Fragen zum Detailverstehen stellen, zum Beispiel: *Was kann der „Mute" nicht? Wer hat den „Mute" entwickelt? Welche Probleme müssen die Forscher noch lösen?* **TIPP 2:** Die TN schreiben einen Text für das Fahrzeug A.		

6 Vorhersagen

SOZIALFORM	ABLAUF	MATERIAL	ZEIT
Plenum	a) Die TN markieren die passende Form für Vorhersagen. *Lösung: mit werden + Infinitiv* Weisen Sie die TN auf die Grammatikübersicht im Kursbuch (→ S. 40/1) hin.		
Einzelarbeit	b) Je nach Kursniveau kann Aufgabe 6b schriftlich oder mündlich gelöst werden.		
Plenum	c) Die TN nennen ihre Vorhersagen zum Thema „Verkehr". Korrigieren Sie dabei nur die Fehler für die Form *werden* + Infinitiv.		
Partnerarbeit	**VERTIEFUNG:** Lassen Sie die TN persönliche (nur positive!) Vorhersagen formulieren. Jede/r TN schreibt für eine/n andere/n TN auf, wie ihr/sein nächster Monat/nächstes Jahr verlaufen wird.		
Einzelarbeit	**AB 45–46/Ü20–24** Übungen zu weiteren modalen Funktionen von *werden* + Infinitiv: Vermutungen, Vorhersage, Pläne und Versprechen; auch als Hausaufgabe geeignet.		

7 Ihre Meinung

SOZIALFORM	ABLAUF	MATERIAL	ZEIT
Plenum Gruppenarbeit	Da die Fragen a) bis d) sehr unterschiedlich in ihren Fragestellungen sind, ist es sinnvoll, diese Aufgabe nicht frontal zu lösen. Kopieren Sie die Fragen so oft, dass es für jeden TN eine Frage gibt. Schneiden Sie einzelne Streifen. Jeder TN zieht eine Frage, anschließend gehen alle TN mit derselben Frage in eine Gruppe zusammen. Die TN diskutieren mithilfe der Redemittel. Weisen Sie dabei auch auf die Redemittel „Vermutungen und Vorhersagen formulieren" im Kursbuch (→ S. 101) hin. Danach werden neue Gruppen gebildet, möglichst so, dass aus jeder der vier Gruppen je ein TN in der neuen Gruppe ist. Jeder TN erzählt, was zuvor in seiner Gruppe diskutiert wurde. Sie als KL haben bei diesen **Expertengruppen (Glossar → S. 155)** die Möglichkeit, individuell und binnendifferenzierend auf sprachliche Fehler der TN einzugehen. Weisen Sie die TN auch auf die Redemittel „Die eigene Meinung äußern" im Kursbuch (→ S. 102) hin.	Kopien der Fragen, Schere, Schale oder Kiste	

Ich kann jetzt ...

SOZIALFORM	ABLAUF	MATERIAL	ZEIT
Einzelarbeit	Die TN markieren, was auf sie zutrifft.		
Plenum	Beenden Sie die Stunde, indem Sie nach der Wettervorhersage für den nächsten Tag fragen.		

SCHREIBEN

1 Beschreiben Sie die Fotos.

SOZIALFORM	ABLAUF	MATERIAL	ZEIT
Partnerarbeit	Vor dem Öffnen des Buches: Jede/r TN erhält ein Foto und beschreibt es der Lernpartnerin / dem Lernpartner mithilfe der Redemittel. Diese/r ordnet dann nach dem Öffnen des Buches die Beschreibung dem Foto zu. Weisen Sie die TN auf die Redemittel „Etwas beschreiben und erklären" im Kursbuch (→ S. 102) hin.	Fotos als Kopien	

2 Lesen Sie Bewertungen von Gästen eines Baumhaushotels.

SOZIALFORM	ABLAUF	MATERIAL	ZEIT
Plenum Einzelarbeit	Klären Sie unbekannten Wortschatz im Plenum und lassen Sie die TN dann die Tabelle ergänzen. Kontrolle im Plenum. *Lösung: Ausstattung/Einrichtung: 2 Feierplattform, Bad, Dusche und Balkon; 3 Sitzecke, Mini-Toilette und Schlafnische; Personal: 3 wird von sehr netten, engagierten Leuten geführt; Gastronomie: 1 leckeres Frühstücksbuffet im Galerie-Café*		
Einzelarbeit	**AB 47/Ü25** Wortschatzübung, kann Aufgabe 2 vorgeschaltet werden.		
Plenum	Stellen Sie zusätzliche Fragen: *Wie finden Sie das Baumhaushotel? Können Sie sich vorstellen, dort Urlaub zu machen? Hätten Sie Angst, in der Höhe zu schlafen? Kennen Sie andere ungewöhnliche Hotels?*		

3 Unterkünfte der Superlative

SOZIALFORM	ABLAUF	MATERIAL	ZEIT
Plenum	a) Besprechen Sie die Punkte kurz im Plenum, um die TN zu aktivieren und zu sehen, wie gut sie Komparativ und Superlativ beherrschen. Im Internet finden Sie dazu weiterführende interaktive Übungen, die die TN selbstständig durchführen können. Die TN machen sich Notizen zu den Punkten.		
Plenum Einzelarbeit	b) Erzählen Sie selbst über eine bemerkenswerte Unterkunft. Nun schreiben die TN mithilfe der Notizen ihre Kritik. Weisen Sie die TN auch auf die Redemittel „Über Erfahrungen und Ereignisse berichten" im Kursbuch (→ S. 101) hin. Sammeln Sie die Kritiken ein und nehmen Sie diese als Anlass, eine Einheit mit Fehleranalyse in einer der nächsten Unterrichtsstunden durchzuführen.		
Einzelarbeit	**AB 47/Ü26** Vertiefende Übung zu den Redemitteln, Übung a) ist auch vor Verfassen der schriftlichen Kritik in Aufgabe 3b), Kursbuch, gut einsetzbar; Übung b) als Hausaufgabe geeignet.		

Ich kann jetzt ...

SOZIALFORM	ABLAUF	MATERIAL	ZEIT
Einzelarbeit	Die TN markieren, was auf sie zutrifft.		
Plenum	**VERTIEFUNG:** Fordern Sie die TN auf, ihre Meinung zum Unterricht zu sagen: Fragen Sie, was ihnen gut gefallen hat, was nicht so gut. Die TN benutzen dabei die Redemittel aus Aufgabe 3.		

SPRECHEN 2

1 Sehen Sie sich die Bilder an.

SOZIALFORM	ABLAUF	MATERIAL	ZEIT
Plenum	Vor dem Öffnen des Buches: Zeichnen Sie das Logo von bookcrossing.com (ein laufendes Buch) an die Tafel und fordern Sie die TN auf, Vermutungen zu äußern, wofür das Logo stehen könnte. Schreiben Sie die Vermutungen rund um Ihre Zeichnung auf. Die TN öffnen dann das Buch und sehen sich das Foto in 2b an. Ergänzen Sie nun noch weitere Vermutungen der TN an der Tafel.		

2 Lesen Sie nun einen Informationstext über „bookcrossing".

SOZIALFORM	ABLAUF	MATERIAL	ZEIT
Einzelarbeit Plenum	a)+b) Die TN lesen den Text, vergleichen mit ihren Vermutungen und sprechen über dieses Hobby im Plenum. Stellen Sie weitere Fragen wie: *Lesen Sie gern? Würden Sie Ihre Bücher auf der Parkbank oder im Café liegen lassen?*		

3 Projekt: Schatzsuche

SOZIALFORM	ABLAUF	MATERIAL	ZEIT
Einzelarbeit/ Partnerarbeit	a) Machen Sie vorab deutlich, dass man den Schatz nach der Projektarbeit nicht mehr zurückbekommt. Falls es nicht genug Schätze gibt, können Sie zuvor kostenlose Werbeartikel organisieren. Es ist wichtig klarzumachen, dass der Schatz keinen materiellen Wert haben soll. Legen Sie am besten eine Obergrenze fest. Die TN suchen ein geeignetes Versteck für ihren Schatz und schreiben eine Wegbeschreibung dazu. Diese können sie in einer Schatzkarte verzeichnen und zusätzlich bemalen etc. Diese Aufgabe kann in Einzelarbeit oder in Partnerarbeit durchgeführt werden.	verschiedene Gegenstände/ Werbeartikel	
Einzelarbeit	b) Sammeln Sie die Schatzkarten ein und verteilen Sie sie neu im Kurs. Jeder TN sucht einen Schatz. **TIPP:** Wer seinen Schatz schon gefunden hat, soll, während die anderen noch suchen, seinen Schatz mit möglichst vielen passenden Adjektiven beschreiben.		

4 Mein neuer Schatz …

SOZIALFORM	ABLAUF	MATERIAL	ZEIT
Plenum	Die TN berichten mithilfe der Redemittel von ihrer Suche und ihrem neuen Schatz. **VERTIEFUNG:** Alle Schätze kommen in eine Tüte / einen Beutel, und jede/r TN versucht, seinen Schatz zu erfühlen. Fragen Sie: *Wie fühlt sich das an? Weich, hart, eckig, rund, glatt, …?*	Tüte/Beutel	

Ich kann jetzt ...

SOZIALFORM	ABLAUF	MATERIAL	ZEIT
Einzelarbeit	Die TN markieren, was auf sie zutrifft.		

SEHEN UND HÖREN

1 Anders reisen

SOZIALFORM	ABLAUF	MATERIAL	ZEIT
Einzelarbeit Plenum	a) Die TN ordnen die Fahrzeuge den Bildern zu. Kontrolle im Plenum. *Lösung: A der Ballon, B das Kajak, C die Fahrrad-Rikscha, D der Hundeschlitten, E das Raumschiff*		
Gruppenarbeit	b) Die TN sprechen in Gruppen über ihre Reisewünsche und erzählen auch, welche Reise sie vielleicht schon einmal unternommen haben. Gehen Sie herum und machen Sie sich zu Fehlern, die mit der Struktur von Wunschäußerungen zu tun haben, Notizen. Unterbrechen Sie die TN aber nicht in ihrem Redefluss. Danach können diese Fehler noch einmal durch das Nachsprechen der richtigen Form korrigiert werden.		
Einzelarbeit	**AB 48/Ü27** Übung zu den Präpositionen; auch als Hausaufgabe geeignet.		

2 Interview mit einem Weltreisenden

SOZIALFORM	ABLAUF	MATERIAL	ZEIT
Plenum	a) Die TN beschreiben mit den passenden Präpositionen, wie die Person gereist ist. *Lösung: A mit dem Hundeschlitten, B zu Fuß, C mit dem Fahrrad (+ Anhänger), D mit einem Kajak*		
Gruppenarbeit Plenum	b) Die TN sehen den Film <u>ohne Ton</u> an und machen sich zu den Fragen Notizen. Dann arbeiten sie nach dem **Schneeballprinzip** (**Glossar → S. 157**). Ein Paar vergleicht seine Ergebnisse mit einem zweiten, alle zusammen wiederum mit einem dritten. Jedes Mal wird neue Information ergänzt. Besprechen Sie die Ergebnisse dann im Plenum. **VERTIEFUNG:** Sammeln Sie, bevor Sie den Film mit Ton hören, mit den TN weitere Fragen an Thomas Bauer und versuchen Sie, Vermutungen zu den Fragen anzustellen. Die TN können die Redemittel „Vermutungen formulieren" im Kursbuch (→ S. 30) benutzen.	DVD 08	
Einzelarbeit Plenum	c) Erklären Sie kurz die Aufgabenstellung und zeigen Sie die Foto-Reportage nun mit Ton. Die TN markieren, ob die Aussagen richtig oder falsch sind. Kontrolle im Plenum. Überprüfen Sie dann, ob es zu den eigenen Fragen Antworten im Film gab und welche Vermutungen richtig waren. *Lösung: 1 richtig, 2 richtig, 3 falsch, 4 richtig, 5 falsch, 6 falsch, 7 richtig, 8 richtig, 9 falsch*	DVD 08	
Plenum	d) Die TN sprechen gemeinsam über mögliche Reisen mit Thomas Bauer. Sie können das Thema aber auch zum Anlass nehmen, generell über Reisen zu sprechen.		

Plenum	**VERTIEFUNG:** Erweitern Sie die Gruppenarbeit um zusätzliche Fragen: *Wie viel Geld hat Thomas Bauer wohl für seine Reisen jeweils gebraucht? Wie könnte Thomas Bauers Gepäck ausgesehen haben?* Wählen Sie eine Reise aus und machen Sie jeweils eine Liste.		
Einzelarbeit	**AB 48/Ü28** Vertiefende Hörübung zu dem Interview mit Thomas Bauer; auch als Hausaufgabe geeignet.	AB-CD 1/21	

Mein Dossier

SOZIALFORM	ABLAUF	MATERIAL	ZEIT
Einzelarbeit	**AB 48/Ü29** Die TN beschreiben einen Lieblingsgegenstand, den sie von einer Reise mitgebracht haben; auch als Hausaufgabe geeignet.		

Ich kann jetzt ...

SOZIALFORM	ABLAUF	MATERIAL	ZEIT
Einzelarbeit	Die TN markieren, was auf sie zutrifft.		
Plenum	Beginnen Sie noch mal den Satz: *Ich würde gern mal mit ... nach ... reisen.* Dann sind die TN mithilfe der **Ballmethode** (Glossar → S. 154) an der Reihe.	Ball	

AUSSPRACHE: Die Wortpaare *tz – z* und *s – ss – ß* (Arbeitsbuch → S. 49)

1 Hören Sie die Sätze und sprechen Sie nach.

SOZIALFORM	ABLAUF	MATERIAL	ZEIT
Gruppenarbeit	Machen Sie aus dieser Übung einen Wettbewerb: Wer kann welchen Satz am längsten / am schnellsten fehlerfrei sprechen?	AB-CD 1/22	

2 Welches Wort hören Sie? Markieren Sie.

SOZIALFORM	ABLAUF	MATERIAL	ZEIT
Einzelarbeit Plenum	a)+b)+c) Die TN markieren, welches Wort sie hören. **TIPP:** Nach dem Ausfüllen können die TN die Wörter noch einmal nachsprechen. Geben Sie ihnen dabei den Tipp, ihren Zeigefinger und Daumen an die Kehle zu legen. Ziehen Sie zur Veranschaulichung auch einen Vergleich heran: Der *S*-Laut klingt wie das Summen einer Biene und das *z* wie das Zischeln einer Schlange.	AB-CD 1/23	

3 Diktat

SOZIALFORM	ABLAUF	MATERIAL	ZEIT
Gruppenarbeit	Die TN diktieren die Sätze ihrer Lernpartnerin / ihrem Lernpartner. **TIPP:** Die TN können auch aus der Lektion Wörter mit *s, ss, z, ß* heraussuchen und selbst Sätze schreiben, die sie diktieren.		

LERNWORTSCHATZ (Arbeitsbuch → S. 50–51)

SOZIALFORM	ABLAUF	MATERIAL	ZEIT
Einzelarbeit	**LERNSTRATEGIE-TIPP 3:** Reflektieren Sie mit Ihren TN das Wörterlernen. Erklären Sie, dass das Gehirn Überraschungen mag und die TN auch mal ungewöhnliche Lernorte oder -positionen ausprobieren sollen, zum Beispiel die „Lernwörter drehen" und „auf dem Kopf" lernen. Also lassen Sie sie das Lehrbuch drehen und die Lernwörter auf dem Kopf stehend vorlesen.		

LEKTIONSTEST 3 (Arbeitsbuch → S. 52)

SOZIALFORM	ABLAUF	MATERIAL	ZEIT
Einzelarbeit	Mithilfe des Lektionstests haben die TN die Möglichkeit, ihr neues Wissen in den Bereichen Wortschatz, Grammatik und Redemittel zu überprüfen. Wenn die TN mit einzelnen Bereichen noch Schwierigkeiten haben, können sie gezielt noch einmal einzelne Module wiederholen.		

REFLEXION DER LEKTION

SOZIALFORM	ABLAUF	MATERIAL	ZEIT
Plenum	Arbeiten Sie mit der **Strahlmethode (Glossar → S. 157)**. Malen Sie einen Stern an die Tafel, der so viele Strahlen hat, wie es Themen zu beurteilen gibt. Ordnen Sie jedem Strahl ein Thema zu (s.u.) und bitten Sie die TN, die Themen zu beurteilen, zum Beispiel *Wie gut hat die Thematik den TN gefallen?* Die TN zeichnen nun zu jedem Thema einen Punkt ein. Je näher der Punkt an der Strahlenmitte steht, desto positiver ist die Bewertung. Sie können auch zwei Farben nutzen, zum Beispiel rot = Thematik war schwer/leicht; blau = Thematik hat mir gefallen. Natürlich können Sie auch ein anderes Bewertungskriterium, zum Beispiel in Anlehnung an *Ich kann jetzt …,* nennen. a Eine Präsentation vorbereiten b Vermutungen und Vorhersagen formulieren c Verben der Bewegung mit Vorsilben unterscheiden d Vorschläge über eine Freizeitaktivität machen e Eine Unterkunft beschreiben f Über Erfahrungen im Urlaub berichten g Einen Gegenstand beschreiben h Eine Wegbeschreibung geben		

EINSTIEG

Vor dem Öffnen des Buches

SOZIALFORM	ABLAUF	MATERIAL	ZEIT
Einzelarbeit	**AB 53/Ü1–2** Wortschatzwiederholung: Übungen zum Thema „Wohnen", die sich gut als Vorentlastung für Aufgabe 2 eignen; auch als Hausaufgabe geeignet.		

1 Sehen Sie das Foto an. Würden Sie gern in dem Haus wohnen? Warum (nicht)?

SOZIALFORM	ABLAUF	MATERIAL	ZEIT
Plenum	Die TN betrachten das Foto und äußern ihre Meinung. **VERTIEFUNG:** Bringen Sie noch mehr Fotos von Häusern unterschiedlicher Art mit und fordern Sie die TN auf zu sagen, was ihnen daran gefällt und was nicht. Diese Fotos können Sie dann auch für Aufgabe 2 verwenden, falls die TN Probleme haben, ihr Traumhaus zu beschreiben.	Fotos von Häusern	

2 50 Wörter, bitte!

SOZIALFORM	ABLAUF	MATERIAL	ZEIT
Einzelarbeit Gruppenarbeit	a) Die TN schreiben mithilfe der genannten Punkte einen Text über ihr Traumhaus. Weisen Sie die TN darauf hin, dass sie genau 50 Wörter schreiben sollen. **VERTIEFUNG:** Geben Sie unterschiedliche Schreibthemen vor: ein altes Haus, ein modernes Haus, ein Haus am Meer, etc. Sie können an dieser Stelle auch auf die Bilder im Arbeitsbuch (→ S. 58/Ü12) verweisen. Dort gibt es ein Hausboot, ein Haus am Deich und zwei Stadtwohnungen. Die TN arbeiten in Gruppen. Sie machen zunächst einen Wortigel zum Thema. Dann schreibt jede Gruppe ihren Text, indem eine/r TN beginnt und dann jede/r weitere Sätze hinzufügt.		
Plenum	b) Sammeln Sie die Texte ein und verteilen Sie sie neu.		
Plenum	c) Lassen Sie einige Texte im Kurs vorlesen. Die TN raten, wer welchen Text geschrieben hat. **TIPP:** Das Schreiben ist eine sehr sensible Angelegenheit, besonders, wenn kreativ geschrieben werden soll. Alle Texte können deshalb auch alternativ in einer **Kursausstellung (Glossar → S. 156)** präsentiert werden. Dabei werden die verschiedenen Arbeiten wie Ausstellungsstücke im Museum im Kursraum aufgehängt. Die TN gehen von Arbeit zu Arbeit und können sich dabei Notizen machen, die ggf., je nach Klassenklima, besprochen werden können.		
Einzelarbeit	**AB 53/Ü3** Wortschatzübung, auch als Hausaufgabe geeignet.		

WORTSCHATZ

1 Wie wohnen Studenten und Auszubildende in Ihrem Heimatland?

SOZIALFORM	ABLAUF	MATERIAL	ZEIT
Plenum	Die TN sprechen über die Wohnsituationen von Studenten in ihren Heimatländern. Schreiben Sie passende Redemittel dazu an die Tafel, wie zum Beispiel *Das ist bei uns auch so / überhaupt nicht so. // Wirklich? Das ist ja komisch/interessant/merkwürdig ...* Für Kurse im Ausland: Fragen Sie die TN, ob sie wissen, wie Studenten in deutschsprachigen Ländern wohnen. **LANDESKUNDE:** Im deutschsprachigen Raum wohnen etwa 10 % aller Studenten in Studentenwohnheimen, weil die Zimmer/Wohnungen dort günstig sind. Oft wohnt man in Einzelzimmern, aber teilt sich mit anderen Bewohnern Küche und Bad. Die Wohnheime liegen oft in der Nähe der Universität. Viele Studenten/Auszubildende suchen sich auch eine Wohnung auf dem freien Wohnungsmarkt und bilden sogenannte Wohngemeinschaften (WGs), um sich die Kosten für die Miete zu teilen. Aus Kostengründen bleiben aber viele auch zu Hause wohnen, wenn ihre Eltern in der Stadt der Hochschule/Ausbildungsstätte leben.		

2 Ein typisches Studentenzimmer

SOZIALFORM	ABLAUF	MATERIAL	ZEIT
Partnerarbeit	Die TN gehen die Liste durch und unterstreichen die Dinge, die sie nicht finden. Wer fertig ist, kann zu den Wörtern den Plural wiederholen. *Lösung: Teppich, Stehlampe, Drucker, Vorhang, Mülleimer* **VERTIEFUNG:** Wer möchte, kann zu diesem Zeitpunkt noch einmal die Wechselpräpositionen wiederholen. Fragen Sie: *Wohin legen Sie Dinge, die herumliegen?* Die TN sprechen zu zweit. *Ich lege die Hose in den Schrank. Ich ...*		
Einzelarbeit	**AB 54/Ü4** Wortschatzübung zu Gegenständen in der Wohnung; auch als Hausaufgabe geeignet.		

3 Einrichtungstricks vom Profi

SOZIALFORM	ABLAUF	MATERIAL	ZEIT
Plenum	Die TN ordnen die Wörter den Tipps zu. *Lösung: Hochbett, Sofakästen, Klapptisch*		

4 Wortbildung Nomen

SOZIALFORM	ABLAUF	MATERIAL	ZEIT
Einzelarbeit	Die TN lösen die Aufgabe. Weisen Sie sie auch auf die Grammatikübersicht im Kursbuch (→ S. 50/1) hin. *Lösung: Verb + Nomen: Klapptisch; Adjektiv + Nomen: Hochbett; Nomen + Nomen: Sofakästen*		
Einzelarbeit	**AB 54/Ü5** Wortschatzübung; auch als Hausaufgabe geeignet.		

Ich kann jetzt …

SOZIALFORM	ABLAUF	MATERIAL	ZEIT
Einzelarbeit	Die TN markieren, was auf sie zutrifft.		
Plenum	**VERTIEFUNG:** Arbeiten Sie mit der **Ballmethode (Glossar → S. 154):** Jemand nennt ein zusammengesetztes Nomen zum Thema „Wohnen" und wirft den Ball. Die-/Derjenige, die/der ihn fängt, bildet mit dem letzten Wort ein neues zusammengesetztes Nomen. *Beispiel: Esstisch – Tischdecke – …*	Ball	

HÖREN

1 Auf Reisen

SOZIALFORM	ABLAUF	MATERIAL	ZEIT
Plenum	Vor dem Öffnen des Buches: Fragen Sie: *Wo kann man Urlaub machen? Wie kann man im Urlaub wohnen?* Machen Sie folgenden Tafelanschrieb und ergänzen Sie weitere passende Begriffe mit Artikel auf Zuruf der TN: 	Wohnorte	Natur	Erdkunde	 	das Hotel	das Meer	der Süden	 Sie können auch zuerst nur die Begriffe aufschreiben und dann die passenden Artikel ergänzen lassen. Machen Sie ggf. **Artikelgymnastik (Glossar → S. 154)**, wenn die Artikel noch nicht so vertraut sind. Schreiben Sie dann die Präpositionen *in, an* und *bei* an und fragen Sie die TN: *Wo wohnen Sie am liebsten, wenn Sie auf Reisen sind?* Lassen Sie die TN die richtigen Formen zu den Wörtern an der Tafel bilden. Ergänzen Sie die Formen an der Tafel und geben Sie den Hinweis, dass typische Formen wie *im Hotel, bei Freunden* etc. als feste Wortverbindungen, **Chunks (Glossar → S. 154)**, gelernt werden sollten, um die Sprachgeschwindigkeit zu erhöhen und die Fehlerquote zu minimieren. Das ist besonders bei Ergänzungen mit Ortsangabe sinnvoll. Chunks sind feste Redemittel, die nicht grammatisch analysiert, sondern von den TN als feste Form gelernt werden.		
Partnerarbeit	a) Die TN öffnen das Buch und sprechen mithilfe des Schüttelkastens zur Fragestellung.		
Plenum	b) Da die Anzeige sehr klein ist, ggf. auf Folie vergrößern. Lassen Sie die TN Informationen aus der Anzeige sammeln und Vermutungen dazu anstellen, worum es sich bei der Anzeige handeln könnte. *Lösung: Es geht um eine Internetseite einer Agentur, die sich auf Wohnungstausch spezialisiert hat.*	vergrößerte Anzeige auf Folie	

2 Hören Sie eine Reportage in Abschnitten.

SOZIALFORM	ABLAUF	MATERIAL	ZEIT
Einzelarbeit Plenum	Lesen Sie gemeinsam den Lerntipp „Richtig hören – Erste Orientierung". Danach wird im Plenum über das richtige Hören gesprochen. Machen Sie den TN deutlich, dass es wichtig ist, im Vorfeld alles, was sie zu einem Thema wissen, zu aktivieren. Dabei helfen auch die im Lerntipp genannten Fragen. Exemplarisch wird das „richtige Hören" anhand dieser Aufgabe geübt. Die TN hören nun Abschnitt 1 der Reportage und markieren die Lösung. Kontrolle im Plenum. *Lösung: Man hört eine Reportage aus dem Radio. / Eine Journalistin.*	CD1/17	
Einzelarbeit Plenum	Die TN hören Abschnitt 2. Stellen Sie die zwei Fragen und lassen Sie die TN dazu antworten. Kontrolle im Plenum. *Lösung: Man zahlt eine Gebühr für die Aufnahme in den Katalog, in dem alle Tauschpartner weltweit stehen. Über diesen Katalog können sich die Tauschpartner im Internet finden und weitere Informationen austauschen.*	CD 1/18	
Einzelarbeit Plenum	Die TN hören Abschnitt 3 und bringen die Sätze in eine logische Reihenfolge. Kontrolle im Plenum. *Lösung: 2 das Haus … 3 Platz im Schrank … 4 Info-Material… 5 den Schlüssel …*	CD 1/19	
Einzelarbeit Plenum	Die TN hören Abschnitt 4 und markieren das Problem. Kontrolle im Plenum. *Lösung: Die Wohnung des Tauschpartners ist nicht genauso wie die eigene.* **TIPP:** Regen Sie die TN dazu an, öfter eine Radiosendung als Podcast im Internet anzuhören. Der Vorteil ist, dass man die Sendungen im Internet unabhängig von Raum und Zeit auch wiederholt anhören kann. Die TN sollen sich ein für sie interessantes Thema heraussuchen und sich überlegen: *Was weiß ich über dieses Thema? Worum wird es logischerweise gehen?* Nach dem Hören überlegen sie, ob ihnen dieses Vorwissen geholfen hat, das Gehörte besser zu verstehen.	CD 1/20	

3 *nicht/nur brauchen … zu*

SOZIALFORM	ABLAUF	MATERIAL	ZEIT
Einzelarbeit Plenum	Die TN hören die Passagen und ergänzen die Sätze. Kontrolle im Plenum. *Lösung: Wenn Sie schlau sind, dann brauchen Sie für Ihre Unterkunft keinen Cent zu zahlen. / Sie brauchen nur einen Tauschpartner in der jeweiligen Stadt zu finden. / Da brauchen wir nicht lange zu überlegen.* Weisen Sie die TN auch auf die Grammatikübersicht im Kursbuch (→ S. 50/2) hin.	CD 1/21	
Einzelarbeit	**AB 55/Ü6** Grammatik entdecken zu *brauchen / nicht brauchen … zu* + Infinitiv; auch als Hausaufgabe geeignet.		
Einzelarbeit	**AB 56/Ü7–8** Schreibübungen zu Wohngemeinschaften und zur Hausordnung mit *nicht/nur brauchen … zu* + Infinitiv; auch als Hausaufgabe geeignet.		
Gruppenarbeit	**AB 57/Ü9** Spiel: Die TN suchen sich ein Thema aus und schreiben als Gruppe ihre Traum-Hausordnungen. Diese können dann im Plenum vorgelesen oder gemeinsam erweitert werden.		

4   Würden Sie gern Ihr Haus / Ihre Wohnung mit jemandem tauschen?

SOZIALFORM	ABLAUF	MATERIAL	ZEIT
Plenum	Die TN sprechen darüber, ob sie sich einen Haustausch vorstellen können und wo sie gern Urlaub machen würden. Schreiben Sie ggf. weitere Fragestellungen an die Tafel: *Was würde Sie in einem fremden Haus stören? Was können Sie in einem fremden Haus alles über die Personen erfahren, die dort normalerweise leben?*		
Einzelarbeit	**AB 57/Ü10** Wortschatzübung zum Thema „Wohnungstausch"; auch als Hausaufgabe geeignet.		

Ich kann jetzt ...

SOZIALFORM	ABLAUF	MATERIAL	ZEIT
Einzelarbeit	Die TN markieren, was auf sie zutrifft.		
Gruppenarbeit	**VERTIEFUNG:** Bilden Sie Gruppen. Machen Sie eine Kettenübung zum Thema „Wohnungstausch": Welche Vorteile gibt es? Beispiel: *Ich brauche für die Wohnung nicht zu bezahlen. Ich brauche für die Wohnung nicht zu bezahlen und nicht zu ...*		

SCHREIBEN

1   Sehen Sie die Fotos an.

SOZIALFORM	ABLAUF	MATERIAL	ZEIT
Plenum	a)–c) Die TN äußern ihre Vermutungen bzw. beschreiben, wie ihnen die Wohnlage und die Wohnung gefällt. Stellen Sie weitere Fragen: *Was sieht man auf dem Foto? Was für Häuser sind das?* *Lösung: Berlin*		

2   Lesen Sie die E-Mail.

SOZIALFORM	ABLAUF	MATERIAL	ZEIT
Einzelarbeit Plenum	a) Die TN lesen die E-Mail und nennen Absender, Adressat und Thema des Schreibens. Kontrolle im Plenum. *Lösung: Michael Baumeister schreibt an mögliche Tauschpartner, es geht um eine Anfrage zu einem Wohnungstausch.*		
Einzelarbeit	b) Die TN ergänzen die Lücken. *Lösung: 1 = Ihnen, 2 = geben, 3 = in, 4 = sie, 5 = suchen, 6 = am, 7 = seit, 8 = Wenn, 9 = freuen, 10 = Mit*		
Partnerarbeit Plenum	c) Die TN vergleichen ihre Lösungen mit denen ihrer Lernpartner und markieren zunächst, was unterschiedlich ist. Dann lesen sie diese Sätze noch mal in beiden Varianten im Plenum vor. Oft hilft das, um Fehler zu erkennen. Wer hat recht? Die TN sollen sich pro Lücke auf eine Form einigen. Kontrolle im Plenum.		

3 Wortstellung im Hauptsatz

SOZIALFORM	ABLAUF	MATERIAL	ZEIT
Plenum	a) Lesen Sie die E-Mail (am besten etwas leiernd) vor oder lassen Sie sie vorlesen. So erkennen die TN sicher schnell, wo das Problem liegt. Alternativ markieren die TN die Satzanfänge. *Lösung: Die Sätze beginnen oft gleich (Meine Eltern, Ich). Das wirkt sehr monoton und langweilig.*		
Einzelarbeit	b) Die TN ergänzen die Tabelle. Schreiben Sie verschiedene Beispiele in Tabellenform an die Tafel. *Lösungsvorschlag:* *Ich finde Urlaub mit meiner Familie total langweilig.* *Ich will was mit dir und den anderen unternehmen.* *Mir gefällt der Wannsee viel besser.* *Ich habe keine Lust, mit meiner Familie am Strand zu liegen.*		
Partnerarbeit Plenum	c) Die TN lesen den Lerntipp „Richtig schreiben – Gute Texte schreiben" und markieren die richtigen Aussagen. Weisen Sie die TN auch auf die Grammatikübersicht (→ S. 50/3) hin. Kontrolle im Plenum. *Lösung: Im Hauptsatz steht das Verb immer auf Position 2. / Der Satzanfang auf Position 1 kann variieren.* **VERTIEFUNG:** Schreiben Sie jedes Wort und jedes Satzzeichen eines Satzes, zum Beispiel des ersten Satzes der Tabelle, auf ein DIN-A4-Papier. Lassen Sie die Sätze aus der Tabelle mittels **Grammatiktheater (Glossar → S. 155)** stellen und variieren: Dazu kommen so viele Personen nach vorne, wie es Kärtchen gibt. Jede/r hält das eigene Kärtchen sichtbar für alle. Das Plenum dirigiert die passenden Anschlüsse für jede Person. Die Personen, die zusammengehören (zum Beispiel Artikel + Nomen) haken sich ein. Wenn der Satz „steht", wird diskutiert, ob jetzt alles richtig ist. Im Anschluss wird überlegt, wie man den Satz noch stellen könnte. Wie viele Varianten werden gefunden?	DIN-A4-Papier	
Einzelarbeit	**AB 58/Ü11** Grammatik entdecken: Die TN erkennen, welche Satzglieder auf Position 1 stehen können; auch als Hausaufgabe geeignet.		

4 Den Text verbessern

SOZIALFORM	ABLAUF	MATERIAL	ZEIT
Partnerarbeit	Die TN benutzen zu zweit unterschiedliche Satzanfänge und können Nomen auch durch Pronomen ersetzen, falls das sinnvoll erscheint. Die TN vergleichen ihre Texte mit einer anderen Zweiergruppe und diskutieren über die Gemeinsamkeiten und Unterschiede in ihren Texten. *Lösungsvorschlag: Hallo Alex, meine Eltern wollen diesen Sommer Urlaub am Mittelmeer machen. Sie wollen wieder einen Haustausch organisieren. Letztes Jahr haben meine Eltern auch schon so was gemacht. Ich finde Urlaub mit meiner Familie total langweilig. In dem Haus letztes Jahr hatte ich nicht mal Internet. Dieses Jahr bleibe ich lieber hier in Berlin. Mit dir und den anderen will ich was unternehmen. Ich habe keine Lust, mit meiner Familie am Strand zu liegen. Der Wannsee gefällt mir viel besser. Und dann noch meine kleine Schwester. Die nervt so! Vielleicht können wir bald etwas ausmachen.*		

5 Eine E-Mail schreiben

SOZIALFORM	ABLAUF	MATERIAL	ZEIT
Einzelarbeit	a) Die TN wählen einen Adressaten und machen sich Notizen zu den Stichpunkten. Vor dem Schreiben der E-Mail sollten Sie sie darauf hinweisen, dass sich noch mehr Redemittel zum Thema „Wünsche und Vorlieben ausdrücken" im Kursbuch (→ S. 101) befinden.		
Einzelarbeit	b) Die TN schreiben den Text mithilfe der Redemittel.		
Partnerarbeit	c) Die TN lesen ihre Texte noch einmal kritisch durch. Alternativ können die TN ihre Texte mit einer Lernpartnerin / einem Lernpartner tauschen und auf unterschiedliche Satzanfänge achten. **VERTIEFUNG:** Die TN wählen eine ihrer Antwort-E-Mails und ändern die Beschreibung ihrer Wohnung / ihres Hauses auf witzige Art ab, zum Beispiel *Die Wohnung ist sehr ruhig, denn im Erdgeschoss befindet sich ein Kindergarten und im Obergeschoss wohnt ein Opernsänger. ...* Lustiges oder Absurdes zu schreiben, fördert die Fantasie und macht mehr Spaß.		
Einzelarbeit	**AB 58/Ü12** Vertiefende Schreibübung zum Thema „Wohnungstausch"; auch als Hausaufgabe geeignet.		

Ich kann jetzt ...

SOZIALFORM	ABLAUF	MATERIAL	ZEIT
Einzelarbeit	Die TN markieren, was auf sie zutrifft.		

LESEN

1 Sehen Sie die Bilder an. Wie stellen Sie sich die Wohnungen dieser Leute vor?

SOZIALFORM	ABLAUF	MATERIAL	ZEIT
Plenum	Die TN äußern ihre Vermutungen. Falls den TN nichts einfällt, geben Sie ein paar Impulse: Fragen Sie zum Beispiel, ob die Wohnungen eher modern, rustikal, sauber, unordentlich, ... sind.		

2 Lesen Sie die Zeitungstexte. Welche Überschrift passt? Ordnen Sie zu.

SOZIALFORM	ABLAUF	MATERIAL	ZEIT
Einzelarbeit	Die TN ordnen die Überschriften zu. *Lösung: Text 1 = Eine Menge Mitbewohner. / Text 2= Es wird eng.*		
Plenum	Die TN lesen die Informationen über Wohngemeinschaften (WGs) in *Wussten Sie schon?* Sprechen Sie im Kurs über WGs. Sie können an dieser Stelle ggf. auch von Ihren eigenen WG-Erfahrungen berichten.		
Partnerarbeit	**AB 59/Ü13** Leseverstehen zu den Texten im Kursbuch. **VERTIEFUNG:** Die TN schreiben zu einem der Texte fünf Fragen auf, die die Lernpartnerin / der Lernpartner beantwortet.		
Einzelarbeit	**AB 59–60/Ü14a–c** Radioreportage zum Thema „Wohnen in einer Wohngemeinschaft", angelehnt an *Wussten Sie schon?* im Kursbuch; auch als Hausaufgabe geeignet.	AB-CD 1/24	

3 Welche Probleme haben Chris und Ivo? Ergänzen Sie die Namen.

SOZIALFORM	ABLAUF	MATERIAL	ZEIT
Einzelarbeit Plenum	Die TN lesen die Texte noch einmal genau und ergänzen die Namen. Kontrolle im Plenum. *Lösung: 1, 2 = Ivo, 3 = Chris*		

4 Temporale Präpositionen

SOZIALFORM	ABLAUF	MATERIAL	ZEIT
Einzelarbeit	Die TN ergänzen die Beispiele und überlegen, ob es sich bei den Beispielen um einen Zeitpunkt oder eine Zeitdauer handelt. Weisen Sie die TN auch auf die Grammatikübersicht im Kursbuch (→ S. 50/4) hin. *Lösung: seit drei Jahren (Zeitdauer); gegen 20 Uhr (Zeitpunkt); innerhalb des letzten Jahres (Zeitdauer); außerhalb der Schulzeiten (Zeitdauer); während der Woche (Zeitdauer)*		
Gruppenarbeit	**VERTIEFUNG:** Präpositionenspiel: Kopieren Sie die Kopiervorlage Lektion 4/1 auf zwei unterschiedlich farbige Papiere und bilden Sie pro Lernergruppe einen Stapel mit den temporalen Präpositionen (zum Beispiel weißes Papier) und einen Stapel mit Situationen (zum Beispiel rotes Papier). Ein TN zieht in seiner Gruppe eine Präposition, zum Beispiel *seit*, und von dem anderen Stapel zum Beispiel *auf Besuch warten*. Der TN soll zunächst einen Satz mit einer Zeitangabe richtig bilden, dann möglichst beide Teile zu einem Satz verbinden (*Seit drei Stunden – Seit drei Stunden warte ich auf meinen Besuch*). Lassen sich beide Teile nicht verbinden, zieht der TN eine neue Karte.	Kopiervorlage Lektion 4/1, weißes / farbiges Papier	
Einzelarbeit	AB 60–62/Ü15 Wiederholungsübung zu den aus A2 bekannten temporalen Präpositionen; auch als Hausaufgabe geeignet.		
Einzelarbeit	AB 61/Ü16 Grammatik entdecken: Die TN suchen und ordnen temporale Präpositionen.		
Einzelarbeit	AB 61/Ü17–18 Grammatikübungen zu temporalen Präpositionen; auch als Hausaufgabe geeignet.		

5 Lesen Sie eine Reportage.

SOZIALFORM	ABLAUF	MATERIAL	ZEIT
Gruppenarbeit Plenum	a) Teilen Sie den Kurs in drei Gruppen. Jede Gruppe erstellt zu einem der Themen einen Wortigel (*Kinderlärm / Altersruhe / Wohnen mit allen Generationen*). Anschließend schreibt jede Gruppe ihren Wortigel an die Tafel und stellt ihre Ergebnisse vor. Bevor die TN Aufgabe b) beginnen, weisen Sie auch auf den Lerntipp zur Aufgabe hin.		

Einzelarbeit	b) Die TN lesen zunächst die Aussagen, dann den Text und markieren, welche Aussagen richtig und welche falsch sind.		
Plenum	Klären Sie ggf. unbekannten Wortschatz. Kontrolle im Plenum.		
	Lösung: 1 richtig, 2 richtig, 3 falsch, 4 falsch, 5 richtig, 6 richtig, 7 falsch		
	TIPP: Wer früher fertig ist, wird **Textdetektiv (Glossar → S. 157):** Die TN unterstreichen alle Wörter, die mit „e" beginnen (außer Artikel) und schreiben daraus einen Satz.		
	Lösung: erkennen, Experiment, Eintragungen, erzählen, eigene, Ehepaar, extrem, einfach, Elfriede, Euro, Einkaufen, erwarten, ...		
Partnerarbeit	**VERTIEFUNG:** Arbeiten Sie mit dem neuen Wortschatz aus dem Lesetext nach Beendigung der Lesephase mit der **Tandem-Methode (Glossar → S. 157)** weiter. Die TN arbeiten zu zweit. Eine/r nennt ein Nomen, die/der andere dann das passende Verb (zum Beispiel *Schnee schaufeln, Arbeiten übernehmen*, etc.)		
Einzelarbeit	**AB 63/Ü19** Vertiefende Wortschatzübung zum Lesetext. Kontrolle über das Hören; auch als Hausaufgabe geeignet.	AB-CD 1/25	

6 Ihre Meinung

SOZIALFORM	ABLAUF	MATERIAL	ZEIT
Plenum	**LANDESKUNDE:** Im deutschsprachigen Raum wird das generationsübergreifende Wohnen immer beliebter. Das heißt, dass in einem Haus mehrere Generationen, also Menschen jeden Alters, allein oder als Familie, zusammenwohnen. Ziel eines solchen Wohnprojekts ist es, sich gegenseitig zu unterstützen. Jeder hat seine Privatsphäre in seiner Wohnung, kann aber jederzeit Kontakt und Hilfe bei den anderen Bewohnern suchen. Die TN äußern ihre Meinung zu den Fragen. **INTERKULTURELLES:** Diskutieren Sie weitere Fragen mit den TN, wie zum Beispiel *Warum sind wohl solche generationsübergreifenden Wohnprojekte entstanden? Gibt es in Ihrem Heimatland auch solche Wohnprojekte? Warum (nicht)? Wäre so ein Projekt in Ihrem Land (überhaupt) möglich?* etc.		

Ich kann jetzt ...

SOZIALFORM	ABLAUF	MATERIAL	ZEIT
Einzelarbeit	Die TN markieren, was auf sie zutrifft.		
Plenum	**VERTIEFUNG:** Die in dieser Lektion behandelten temporalen Präpositionen werden auf kleine Zettel geschrieben und im Raum ausgelegt. Jede/r TN zieht einen Zettel und heftet ihn sich mit Kreppband an die Brust. Alle gehen zur Musik durch den Raum. Wenn die Musik stoppt, gehen zwei Lernpartner zusammen und sagen einen Satz zu der Präposition der/des anderen.	Zettel, aktivierende Musik, Kreppband	

SPRECHEN

1 Machen Sie eine Blitz-Umfrage im Kurs.

SOZIALFORM	ABLAUF	MATERIAL	ZEIT
Plenum	Schreiben Sie folgende Stichpunkte tabellenartig an die Tafel. | Name	WG ja/nein	Gründe	Erfahrungen | Die TN übertragen die Stichpunkte auf einen Zettel. Dann laufen sie durch den Raum, befragen mindestens 3 bis 5 Personen und machen sich dabei Notizen. Sammeln Sie anschließend im Plenum: Was waren die lustigsten/interessantesten Erfahrungen?	Zettel	

2 Unser neuer Mitbewohner

SOZIALFORM	ABLAUF	MATERIAL	ZEIT
Einzelarbeit	a) Die TN sehen zunächst die Fotos und die Überschrift an und überlegen, ohne die Texte zu lesen, was für Personen das sein könnten. Nach dem Lesen unterstreichen sie die wichtigen Informationen in den Profiltexten.		
Einzelarbeit Partnerarbeit	b) Die TN lesen den Lerntipp „Notizen machen" und übertragen ihn auf diese Situation. Sie überlegen sich, was sie an den Bewerbern positiv und negativ finden und wen sie warum zuerst einladen möchten. **TIPP:** Dieser Lerntipp hilft nicht nur beim Deutschlernen, sondern immer bei bevorstehenden Gesprächen. **VERTIEFUNG:** Wenn Sie noch mehr Abwechslung in den Lerngruppen haben wollen, bringen Sie Fotos von ausdrucksstarken Personen aus Zeitschriften mit und legen Sie sie im Kurs aus. Die TN wählen paarweise eine Person und beschreiben sie in einem kurzen Text wie in den Beispielen (etwas Positives und etwas Störendes). Alle Porträts werden dann im Kurs aufgehängt und die TN gehen von Porträt zu Porträt und entscheiden, welche Person sie mit in die WG aufnehmen wollen und warum. Dann kann sich im folgenden Rollenspiel eine schöne Diskussion entwickeln, weil sich die TN besser mit den Personen identifizieren können.	Personenporträts aus Zeitschriften	

3 Rollenspiel: Wen laden wir ein?

SOZIALFORM	ABLAUF	MATERIAL	ZEIT
Einzelarbeit Plenum	a) Die TN schreiben die Redemittel auf Kärtchen und sortieren dann, ob es sich um Wünsche oder Abneigungen handelt. Kontrolle im Plenum. Weisen Sie die TN darauf hin, dass es im Kursbuch (→ S. 101) noch weitere Redemittel gibt, um Wünsche, Vorlieben und Abneigungen auszudrücken.	Kärtchen	

Gruppenarbeit	b) Die TN arbeiten zu viert. Zwei TN jeder Gruppe führen das Rollenspiel als WG-Bewohner mithilfe ihrer Notizen durch. Die anderen beiden beobachten das Rollenspiel und geben Rückmeldung. Dabei können sie mit dem „Rückmeldebogen für Rollenspiele" auf der Kopiervorlage L4/2 arbeiten: Kopieren Sie den Rückmeldebogen für alle TN und gehen Sie vor dem Rollenspiel im Plenum die Punkte durch, auf die die TN bei den Gesprächen achten sollen. Schreiben Sie ggf. Redemittel an die Tafel wie *Ich fände es besser, wenn ...*, *etc.* Geben Sie den „Beobachtern" nach dem Rollenspiel Zeit, die eigenen Notizen zu ordnen und ggf. auszuformulieren.	Kopiervorlage L4/2	
Gruppenarbeit	c) Führen Sie nun das Rollenspiel durch. Jeder „Beobachter" gibt anhand des Rückmeldebogens ein persönliches Feedback zu je einem „WG-Bewohner". Gehen Sie herum und helfen Sie bei Schwierigkeiten.		
Gruppenarbeit	d) Die TN tauschen die Rollen.		
Einzelarbeit	**AB 63–64/Ü20** Übung zu den Redemitteln; auch als Hausaufgabe geeignet.		

Ich kann jetzt …

SOZIALFORM	ABLAUF	MATERIAL	ZEIT
Einzelarbeit	Die TN markieren, was auf sie zutrifft.		
Partnerarbeit	**VERTIEFUNG 1:** Die TN sprechen über ihre persönliche Wohnsituation. Was für Wünsche und Abneigungen haben sie?		
Gruppenarbeit	**VERTIEFUNG 2:** Die Gruppen arbeiten mit den Kärtchen aus Aufgabe 3 und nennen ihre Wünsche und Abneigungen im Kurs. Sie schreiben dann zwei Dinge davon auf, die sie Ihnen als KL gern zum Unterricht mitteilen möchten. Dazu können sie für ihre Wünsche rote und für ihre Abneigungen grüne Kärtchen benutzen.	Kärtchen aus Aufgabe 3, rote und grüne Kärtchen	

SEHEN UND HÖREN

1 Ein Animationsfilm: Die Situation

SOZIALFORM	ABLAUF	MATERIAL	ZEIT
Plenum	a)–c) Die TN äußern ihre Vermutungen zu der Situation auf dem Foto.		
Einzelarbeit	d) Die TN ergänzen die Tiernamen. Lassen Sie die Wörter *Gnu*, *Krokodil* und *Nashorn* ggf. im Wörterbuch nachschlagen. *Lösung: Ellen= das Gnu, Roger = das Nashorn; Gerold = das Krokodil*	Wörterbuch	
Einzelarbeit Plenum	e) Die TN ordnen die Adjektive zu und diskutieren dann gemeinsam darüber, warum sie die Zuordnung so gewählt haben.		

2 Sehen Sie den ersten Abschnitt <u>ohne Ton</u> an. Was meinen Sie?

SOZIALFORM	ABLAUF	MATERIAL	ZEIT
Plenum	Die TN äußern ihre Vermutungen, warum Gerold, das Krokodil, in die Wohnung kommt und warum er Kuchen mitbringt.	DVD 09	

3 Sehen Sie den ganzen Film in Abschnitten <u>mit Ton</u>. Beantworten Sie die Fragen.

SOZIALFORM	ABLAUF	MATERIAL	ZEIT
Plenum	Die TN sehen den Film in drei Abschnitten an und beantworten die Fragen. *Lösung:* Abschnitt 1: *Die Atmosphäre ist gespannt, ernst. Die Tiere sind unfreundlich zueinander. Roger und Gerold sind aggressiv.* Abschnitt 2: *Die Mitbewohner ärgern sich über Gerold, weil er zu spät zum Treffen kommt und weil er sich in der WG schlecht benimmt. Er nimmt keine Rücksicht auf die anderen Mitbewohner.* Abschnitt 3: *Zunächst streiten Armin und Roger, weil Armin denkt, Roger und Ellen haben eine Liebesbeziehung. Danach verlässt Armin den Raum und Ellen streitet mit Roger.* **TIPP:** Am besten ist es, über die Fragen gleich im Plenum zu sprechen. Die Gespräche sind für die Stufe B1 relativ komplex und enthalten viele umgangssprachliche Wendungen. Es geht aber beim Verstehen nur um die Grundstimmung, die einzelnen umgangssprachlichen Ausdrücke müssen nicht thematisiert werden. Wenn Sie aber möchten, dass die TN intensiver auf den Film vorbereitet werden, dann kopieren Sie nach Abschnitt 3 und vor dem Ansehen des gesamten Films die Kopiervorlage Lektion 4/3 für jeden TN.	DVD 09–11	
Einzelarbeit	Die Kopiervorlage gibt den TN noch einmal eine inhaltliche Zusammenfassung und hilft beim Verständnis der gesprochenen Sequenzen.	Kopiervorlage Lektion 4/3	

4 Sehen Sie den Film noch einmal an. Wer sagt das?

SOZIALFORM	ABLAUF	MATERIAL	ZEIT
Einzelarbeit	a) Die TN sehen den Film noch einmal komplett an und schreiben die Namen auf. *Lösung: Roger: Ihr bleibt …; Armin: Sag mal, … ; Ellen: Nein, …*	DVD 12	
Plenum	b) Danach begründen sie ihre Entscheidungen. Akzeptieren Sie hier auch verkürzte Erklärungen. Wichtig ist, dass die TN die Grundstimmung verstanden haben und wer mit wem befreundet ist. *Lösungsvorschlag: Gerold sagt das, weil er nicht selbstbewusst genug ist und sich angegriffen fühlt. Armin sagt das, weil er eifersüchtig ist. Roger sagt das, weil er in Ellen verliebt ist. Ellen sagt das, weil sie nicht will, dass Armin merkt, dass sie mit Roger befreundet war.*		
Plenum Gruppenarbeit	**VERTIEFUNG:** Sehr lernstarke Gruppen oder TN, die gern die Umgangssprache vertiefen möchten, können die Szene selbst spielen. Dazu lesen die TN zunächst die Transkription im Anhang (**Anhang → S. 174**) und klären mögliche unbekannte Wörter. Die TN gehen in Gruppen zusammen und verändern oder kürzen die Gespräche so, dass sie im Kurs aufgeführt werden können.		

5 Was denken Sie?

SOZIALFORM	ABLAUF	MATERIAL	ZEIT
Plenum	a) Die TN erzählen, welche der Figuren sie (un)sympathisch finden.		
Gruppenarbeit	b) Die TN schreiben die Geschichte weiter. Geben Sie folgende Stichworte als Hilfe: *Wer zieht aus, wer bleibt? Bleiben Armin und Ellen zusammen? Was ist zwischen Ellen und Roger passiert?*		
Plenum	**VERTIEFUNG:** Der neue Teil kann dann von den Gruppen ebenfalls als Rollenspiel aufgeführt werden.		

Mein Dossier

SOZIALFORM	ABLAUF	MATERIAL	ZEIT
Einzelarbeit	**AB 64/Ü21** Die TN beschreiben einen Ort, an dem sie besonders gern sind; auch als Hausaufgabe geeignet.		

Ich kann jetzt …

SOZIALFORM	ABLAUF	MATERIAL	ZEIT
Einzelarbeit	Die TN markieren, was auf sie zutrifft.		
Einzelarbeit	**VERTIEFUNG:** Stellen Sie den TN folgende Aufgabe: *Sie haben zwei Minuten Zeit: Worum ging es in dem Animationsfilm? Schreiben Sie. Bringen Sie die Handlung in zwei Sätzen auf den Punkt.*		

AUSSPRACHE: *pr – tr – kr – spr – str* (Arbeitsbuch → S. 65)

1 *pr – tr – kr*

SOZIALFORM	ABLAUF	MATERIAL	ZEIT
Plenum	a) Die TN hören die Wörter und sprechen nach.	AB-CD 1/26	
Partnerarbeit	b) Die TN schreiben mit den Wörtern aus a) Sätze. Ihre Lernpartnerin / Ihr Lernpartner liest diese vor. **TIPP:** Weisen Sie die TN darauf hin, dass wirklich jeder Laut der Lautverbindung deutlich gesprochen werden muss, weil es sonst zu Missverständnissen kommen kann, zum Beispiel *der Trick – der Tick.*		

2 *spr – str*

SOZIALFORM	ABLAUF	MATERIAL	ZEIT
Plenum	Die TN hören die Sätze und sprechen sie nach.	AB-CD 1/27	

3 Zungenbrecher

SOZIALFORM	ABLAUF	MATERIAL	ZEIT
Plenum	Die TN hören die Zungenbrecher und sprechen sie nach. **TIPP:** Machen Sie einen Wettbewerb: Wer kann welchen Zungenbrecher am schnellsten fehlerfrei sprechen? **VERTIEFUNG:** Die TN können auch aus der Lektion Wörter mit *spr, str* heraussuchen und selbst Zungenbrecher schreiben.	AB-CD 1/28	

LERNWORTSCHATZ (Arbeitsbuch → S. 66–67)

SOZIALFORM	ABLAUF	MATERIAL	ZEIT
Einzelarbeit	**LERNSTRATEGIE-TIPP 4:** Geben Sie den TN den Tipp, die Verben immer in einem Kontext zu lernen. Lassen Sie die TN verschiedene Situationen, in denen das Verb benutzt wird, herausfinden und versuchen Sie, Synonyme zu finden. Beispiel: *verteilen → Ich verteile die Texte neu. Ich verteile Gummibärchen an die anderen TN. Die Gruppe verteilt sich auf dem Platz.* Als Synonym: *austeilen, sich ausbreiten.*		

LEKTIONSTEST 4 (Arbeitsbuch → S. 68)

SOZIALFORM	ABLAUF	MATERIAL	ZEIT
Einzelarbeit	Mithilfe des Lektionstests haben die TN die Möglichkeit, ihr neues Wissen in den Bereichen Wortschatz, Grammatik und Redemittel zu überprüfen. Wenn die TN mit einzelnen Bereichen noch Schwierigkeiten haben, können sie gezielt noch einmal einzelne Module wiederholen.		

REFLEXION DER LEKTION

SOZIALFORM	ABLAUF	MATERIAL	ZEIT
Gruppenarbeit	Die TN schreiben alle *Ich kann jetzt*-Sätze auf kleine Zettel und legen sie auf den Tisch. Jede/r TN wählt davon aus, was ihr/ihm besonders viel gebracht hat, und begründet die Auswahl. Gibt es Zettel, die keiner mochte? Dann ab damit in den Papierkorb. **TIPP:** Diese Übung ist sehr effektiv, weil sie den TN ermöglicht, Einfluss auf ihren Lernprozess zu nehmen und zu erkennen, was gut für sie ist und was nicht. Das fördert das autonome Lernen.	Zettel Papierkorb	

EINSTIEG

Vor dem Öffnen des Buches

SOZIALFORM	ABLAUF	MATERIAL	ZEIT
Plenum	Fragen Sie die TN: *Was sind Sie / wären Sie gern von Beruf?* Die TN laufen durch den Raum und gehen zu zweit zusammen, befragen sich und wechseln dann drei- bis viermal ihre Lernpartner, um über ihre Berufe/Berufswünsche zu sprechen. Danach kann jede/r eine Person im Plenum vorstellen: *Ich habe mit Tanja gesprochen und sie würde gern Polizistin sein, weil ...* **VERTIEFUNG:** Dabei könnte man die TN auffordern, eine **Lüge** (Glossar → S. 156) einzubauen, die die anderen dann erraten müssen: *Ich habe mit Tanja gesprochen und sie sagt, sie wäre gern Polizistin, weil sie gern mit der Pistole schießt. Das glaube ich nicht. Sie ist viel zu friedlich.*		
Partnerarbeit	**AB 69/Ü1–2** Wortschatzwiederholung; diese Übung eignet sich gut zur Vorentlastung des Wortfeldes „Beruf". **VERTIEFUNG:** Spiel: „Was bin ich?" Jede/r TN schreibt für eine/n andere/n TN einen Fantasieberuf auf einen Zettel und klebt ihr/ ihm diesen Zettel auf die Stirn oder auf den Rücken. Die TN gehen herum und befragen sich gegenseitig, was sie beruflich machen / welchen Beruf sie haben. Erlaubt sind nur „Ja-/Nein-Fragen". Bei *Ja* darf man weiterfragen, bei *Nein* ist der andere dran. Beispiel: *Arbeite ich mit Menschen? – Ja. – Muss ich viel stehen? – Ja. – Brauche ich eine Schere? – Ja. – Bin ich Friseurin? – Ja.*	Zettel, Tesa-krepp	

1 Sehen Sie das Foto an.

SOZIALFORM	ABLAUF	MATERIAL	ZEIT
Plenum	a)+b) Die TN äußern ihre Vermutungen und sagen, ob sie Lust hät-ten, im „Atelier La Silhouette" einzukaufen.		

2 Sehen und hören Sie eine Foto-Reportage. Ergänzen Sie dann.

SOZIALFORM	ABLAUF	MATERIAL	ZEIT
Einzelarbeit Plenum	Die TN sehen die Reportage zunächst komplett und ergänzen dann die fehlenden Wörter. Falls Sie über keine Möglichkeit verfü-gen, die DVD anzusehen, können Sie die Reportage auch nur anhö-ren. Kontrolle im Plenum. *Lösung: b) Auszubildende, c) Ausbildungsbetrieb, d) Modewerkstatt, e) Schneiderin, f) Kleid*	DVD 13 CD 2/2	

SEHEN UND HÖREN 1

1 Sehen und hören Sie die Foto-Reportage noch einmal in Abschnitten.

SOZIALFORM	ABLAUF	MATERIAL	ZEIT
Plenum	Die TN lesen den Tipp „Einzelheiten richtig verstehen". Fordern Sie eine/n TN auf, noch einmal mit eigenen Worten wiederzugeben, was laut Tipp gemacht werden soll.		
Einzelarbeit Plenum	Abschnitt 1: Die TN lesen zuerst die Sätze. Dann sehen sie den ersten Abschnitt des Films. Anschließend korrigieren sie die Sätze. Danach sehen sie den Abschnitt noch einmal an und fügen ggf. weitere Korrekturen ein. Kontrolle im Plenum. *Lösung: 2 jungen Frauen – eine soziale Chance, 3 den Mädchen mit ihren Kolleginnen, 4 aus der Türkei, 5 im dritten Lehrjahr*	DVD 14 CD 2/3	
Einzelarbeit Plenum	Abschnitt 2: Die TN arbeiten wie zuvor in zwei Schritten und markieren, was richtig und was falsch ist. Kontrolle im Plenum. *Lösung: 2 richtig, 3 falsch, 4 richtig*	DVD 15 CD 2/4	
Einzelarbeit Plenum	Abschnitt 3: Die TN sehen den dritten Abschnitt an und machen sich Stichpunkte zu den Fragen. Beim zweiten Ansehen überprüfen sie dann ihre Punkte. Kontrolle im Plenum. *Lösung: 1 Freude, Spaß, Stolz; 2 weiter zur Schule gehen, im Theater arbeiten, in einem Atelier arbeiten*	DVD 16 CD 2/5	
Plenum	Abschnitt 4: Erinnern Sie die TN daran, dass Gülnur Azubi 1 und Pinar Azubi 2 sind, damit es bei der Zuordnung nicht zu Verwechslungen kommt. Die TN ordnen das jeweilige Satzende zu, nachdem sie den vierten Abschnitt gesehen haben. Kontrolle im Plenum. *Lösung: Sie würde sich 1 zufriedenere junge Frauen, 2 genügend Ausbildungsplätze, 4 weltweit mehr Anerkennung für Frauen, 5 ein Leben ohne Schulden wünschen.*	DVD 17 CD 2/6	
Einzelarbeit	AB 69/Ü3 Wortschatzübung Foto-Reportage; auch als Hausaufgabe geeignet.		

2 Wenn ich einen Zauberstab hätte, …

SOZIALFORM	ABLAUF	MATERIAL	ZEIT
Einzelarbeit Plenum	a) Die TN formen die Sätze aus Abschnitt 4 um. Kontrolle im Plenum. *Lösung: Wenn Gülnür einen Zauberstab hätte, würde sie sich genügend Ausbildungsplätze wünschen. Wenn Pinar einen Zauberstab hätte, würde sie sich eine eigene Wohnung wünschen. Wenn Barbara einen Zauberstab hätte, würde sie sich weltweit mehr Anerkennung für Frauen wünschen. Wenn Pinar einen Zauberstab hätte, würde sie sich ein Leben ohne Schulden wünschen.* **FOKUS GRAMMATIK:** Den Konjunktiv II bildet man aus der Präteritum-Grundform. Er wird heutzutage aber fast nur noch für die Hilfsverben *sein* und *haben* und die *Modalverben* angewendet. Für die Vollverben benutzt man mittlerweile fast ausschließlich die Form von *würde* + Infinitiv. Einzelne Vollverben benutzt man auch noch ohne die *würde* + Infinitiv-Form in der Originalform, siehe die Grammatikübersicht im Kursbuch (→ 62/1a).		

Partnerarbeit	b) Die TN nennen eigene Wünsche mithilfe der Satzbautafel. Falls es den TN schwerfällt, gleichzeitig die Form zu bilden und Wünsche zu äußern, können Sie die Wünsche an die Tafel schreiben.		
Einzelarbeit	**AB 70/Ü4** Grammatikwiederholungsübung zu der bereits aus A2 bekannten Verwendung von Konjunktiv II-Formen in Vorschlägen und Bitten; auch als Hausaufgabe geeignet.		
Einzelarbeit	**AB 70/Ü5** Grammatik entdecken: Formen des Konjunktivs II: Verwendung in der Orginalform und mit *würde* + Infinitiv.		
Einzelarbeit	**AB 71/Ü6–7** Weitere Übungen zum Konjunktiv II zu irrealen Wünschen und Bedingungen; auch als Hausaufgabe geeignet.		

3 Spiel – Ihre Wünsche!

SOZIALFORM	ABLAUF	MATERIAL	ZEIT
Einzelarbeit	a) Die TN schreiben ihre Namen auf einen Zettel. Weisen Sie sie darauf hin, die Namen deutlich zu schreiben. Auf einen anderen Zettel schreiben die TN einen Wunsch.	Zettel	
Plenum	b) Lesen Sie die Spielanleitung vor. Die TN lesen mit. Lassen Sie sich einmal von einem TN mit eigenen Worten erklären, was zu tun ist, und führen Sie es selbst einmal mit einer/einem TN durch, damit die Aufgabenstellung richtig verstanden wird. Dann spielen die TN.		
Plenum	c) Die TN vergleichen am Ende des Spiels noch einmal die letzte Version mit ihrem ursprünglichen Wunsch. Meist wird der Wunsch im Laufe des Spiels relativ stark verfremdet, ähnlich wie bei der „Stillen Post".		

4 Verkürzter *wenn*-Satz

SOZIALFORM	ABLAUF	MATERIAL	ZEIT
Einzelarbeit	Die TN schreiben ihre Wünsche analog zum Beispiel auf. Schreiben Sie mehrere verkürzte Wünsche der TN an die Tafel und lassen Sie die TN Gemeinsamkeiten erkennen. Fragen Sie nach dem *wenn*. Gehen Sie dann anhand der Grammatikübersicht im Kursbuch (→ S. 62/1b) auf die Wortstellung ein.		
Einzelarbeit	**AB 71/Ü8** Übung zu verkürzten irrealen Sätzen; auch als Hausaufgabe geeignet.		

Ich kann jetzt ...

SOZIALFORM	ABLAUF	MATERIAL	ZEIT
Einzelarbeit	Die TN markieren, was auf sie zutrifft.		
Gruppenarbeit	**VERTIEFUNG:** Motivationsplakat: Die TN schreiben ihren größten Wunsch, den sie bezüglich des Deutschlernens haben, auf und machen daraus ein Plakat. Wer will, kann auch Fotos aufkleben. So ein Motivationsplakat im Raum ist sehr wirkungsvoll. Gerade wenn die TN Gefahr laufen, sich von einer grammatischen Form oder einer Sprachblockade frustrieren zu lassen, kann man sich mithilfe eines Motivationsplakats wieder an das eigentliche große Ziel erinnern.	Plakate, Kleber, Fotos	

LESEN 1

1 In 10 Minuten erledigt?

SOZIALFORM	ABLAUF	MATERIAL	ZEIT
Einzelarbeit	a) Die TN markieren, was sie in 10 Minuten erledigen können. **TIPP:** Erzählen Sie den TN, wie gut das Prinzip „nur 10 Minuten" auf das Unterbewusstsein wirkt. Wenn sie sich sagen: „Heute lerne ich nur 10 Minuten die Vokabeln der letzten Kursstunde", dann können Sie sich viel leichter motivieren als bei der unbestimmten Aussage „Ich muss noch Deutsch machen." Meistens lernt man sogar länger als 10 Minuten, ganz freiwillig ohne große Überwindung.		
Gruppenarbeit	b) Die TN sprechen zu viert über ihre Ergebnisse. Wenn eine Gruppe schneller fertig ist, können diese TN auch weitere Aktivitäten hinzufügen, die sie in 10 Minuten schaffen können (oder nicht).		

2 Speed-Dating mit dem Chef

SOZIALFORM	ABLAUF	MATERIAL	ZEIT
Plenum	a) Die TN äußern ihre Vermutungen.		
Plenum Einzelarbeit	b) Erklären Sie zunächst, wie man Texte überfliegt: Achten Sie auf Überschriften, Abbildungen und Zahlen. Lesen Sie dann den ersten Absatz komplett und von den weiteren Abschnitten nur noch den ersten Satz. Zum Schluss lesen Sie den letzten Absatz komplett. Die TN überfliegen den Zeitungsbericht und überprüfen ihre Vermutungen.		
Einzelarbeit Plenum	c) Die TN lesen den Text gründlich und markieren, was richtig und was falsch ist, und korrigieren die falschen Aussagen. Kontrolle im Plenum. *Lösung: 1 richtig, 2 richtig, 3 falsch: 12 Bewerber, 4 richtig, 5 falsch: Termin zu einem weiteren Vorstellungsgespräch, 6 falsch: Arbeitssuchenden*		
Partnerarbeit	**VERTIEFUNG:** Lassen Sie die TN doch einmal selbst die Methode des **Speed-Datings** (Glossar → S. 157) ausprobieren. Die TN gehen zu zweit zusammen und überlegen sich eine Stelle, auf die sie sich gern bewerben würden. Einer von beiden ist der Chef, der andere der Bewerber. Die Lernpartner setzen sich gegenüber an einen Tisch. Kopieren Sie die Kopiervorlage Lektion 5 für alle TN und klären Sie ggf. Wortschatzfragen. Geben Sie den TN zunächst Zeit, sich Notizen zu machen. Die TN führen dann die Bewerbungsgespräche durch. Machen Sie den TN bewusst, dass sie sich als kompetenter Gesprächspartner präsentieren und möglichst nicht nur mit „ja" antworten sollen. Es geht darum, sich selbst / sein eigenes Können möglichst positiv zu verkaufen! Gehen Sie herum und helfen Sie bei Wortschatzfragen und Formulierungen. Die TN wechseln nach einem Durchgang die Rollen. Wenn Sie möchten, können Sie auch einen zweiten Durchgang starten; die Bewerber wechseln dann jeweils zu einem anderen Chef und müssen sich spontan für den neuen Beruf etwas ausdenken. Die TN wechseln nach einer Weile wieder die Rollen.	Kopiervorlage Lektion 5 Schere	
Einzelarbeit	AB 72/Ü9 Wortschatzübung zum Thema „Chef-Dating": Die TN ergänzen die Lücken und hören das Telefongespräch zur Kontrolle; auch als Hausaufgabe geeignet.	AB-CD 1/29	

3 damit – um ... zu

SOZIALFORM	ABLAUF	MATERIAL	ZEIT
Einzelarbeit Plenum	a) Die TN schreiben die Satzart und markieren die Subjekte. Kontrolle im Plenum. *Lösung: 1 Nebensatz: Damit die Arbeitgeber ...; Hauptsatz: ... müssen sich die Bewerber kurzfassen. 2 Hauptsatz: Die Bewerber haben ...; Nebensatz: ..., um ihren Werdegang im Eiltempo zu erzählen.*		
Einzelarbeit Plenum	b) Die TN ergänzen die Regel. Kontrolle im Plenum. *Lösung: 1 damit, 2 um ... zu*		
Einzelarbeit Plenum	c) Die TN markieren, was die Sätze ausdrücken. Kontrolle im Plenum. *Lösung: eine Absicht oder ein Ziel* Weisen Sie die TN auf die Grammatikübersicht im Kursbuch (→ S. 62/2a+b) hin.		
Einzelarbeit Plenum	d) Die TN lesen die Satzanfänge und den jeweiligen Abschnitt im Zeitungsbericht noch einmal. Dann ergänzen sie mit eigenen Worten. Kontrolle im Plenum. *Lösungsvorschlag: 1 in kürzester Zeit mit vielen Bewerbern zusammenkommen. 2 um sich kennenzulernen. 3 um einen bleibenden Eindruck zu hinterlassen.*		
Einzelarbeit	AB 72/Ü10 Grammatikübung: Zielsetzungen erkennen; welche Sätze kann man mit *damit*, welche mit *um ... zu* weiterführen?		
Einzelarbeit	AB 73/Ü11 Sätze mit *um ... zu*; auch als Hausaufgabe geeignet.		
Einzelarbeit	AB 73/Ü12–13 Ratschläge/Tipps mit *um ... zu* oder *damit*; auch als Hausaufgabe geeignet.		
Einzelarbeit	AB 74/Ü14 Leseübung zum Filmtipp „Résiste! Aufstand der Praktikanten"; auch als Hausaufgabe geeignet.		

Ich kann jetzt ...

SOZIALFORM	ABLAUF	MATERIAL	ZEIT
Einzelarbeit	Die TN markieren, was auf sie zutrifft.		
Plenum	**VERTIEFUNG:** Fragen Sie die TN, was heute im Unterricht behandelt wurde und wie lange jede Phase gedauert hat. Haben die TN die Phasen als lang oder als kurz empfunden? Fragen Sie die TN, woran es liegen könnte, dass man Zeit unterschiedlich empfindet.		

WORTSCHATZ

1 Ein Lebenslauf

SOZIALFORM	ABLAUF	MATERIAL	ZEIT
Einzelarbeit Plenum	a) Die TN ordnen die Verben zu. Machen Sie sie darauf aufmerksam, dass manchmal auch mehrere Verben passen können. Kontrolle im Plenum. *Lösung: eine Schule besuchen, eine Berufsausbildung machen, ein Studium absolvieren, einen Praktikumsplatz suchen/finden, die Ausbildung mit einer Prüfung abschließen, in einer Firma eingestellt werden, ein Gehalt bekommen, Lohn- oder Einkommenssteuer bezahlen, als Arbeitnehmer sozialversichert sein, gekündigt werden, sich arbeitslos melden, (k)eine Stelle bekommen/suchen/finden, in Rente gehen/sein*		

| Gruppenarbeit | b) Die TN erfinden Lebensläufe für eine der Personen und bilden reihum je einen Satz. Sie variieren die Satzanfänge.
VERTIEFUNG: Die Gruppen nehmen sich ein Universal-Lexikon und schlagen irgendeine Seite auf, auf der eine Person abgebildet ist. Was könnte sie/er von Beruf sein? Warum steht sie/er im Lexikon? Was für ein Leben hat sie/er geführt?
Alternativ können Sie auch Fotos von berühmten Menschen aus dem Internet heraussuchen und raten lassen, was diese von Beruf waren und/oder welchen Lebensweg sie gegangen sind. | Universal-Lexika / Fotos berühmter Personen | |
| Einzelarbeit | **AB 74/Ü15** Wortschatzübung zum Thema „Lebenslauf"; auch als Hausaufgabe geeignet. | | |

2 Quiz zum Thema *Berufstätigkeit*

SOZIALFORM	ABLAUF	MATERIAL	ZEIT
Partnerarbeit	Die TN lösen das Quiz in Partnerarbeit und zählen ihre richtigen Antworten. **VERTIEFUNG:** Die Lernpartner schreiben weitere Quizfragen und -antworten mithilfe des Lernwortschatzes im Arbeitsbuch (→ S. 82/83) auf und tauschen sich mit zwei anderen Lernpartnern aus.		
Einzelarbeit	**AB 75/Ü16** Wortschatzübung zum Thema „Berufstätigkeit"; auch als Hausaufgabe geeignet.		
Plenum	Ein TN liest den Text in *Wussten Sie schon?* vor. Fragen Sie die TN, welche Erfahrungen sie mit Beamten im deutschsprachigen Raum / in ihrem Heimatland gemacht haben.		
Plenum	**AB 75/Ü17** Erweiterungsübung zu *Wussten Sie schon?*: Gründe für Beamtenwitze. **TIPP:** Die Arbeit mit Witzen kommt oft viel zu kurz, dabei sind Witze auflockernd, bringen Leichtigkeit in den Unterricht, schulen das Gedächtnis und das richtige Vortragen. Dass die Pointe manchmal nicht verstanden wird, hängt vom Sprachniveau und dem Hintergrund des Witzes ab. Den Witz in Übung 17 können die TN sicherlich verstehen. Mit einem Witz kann man auch in ein neues Thema einsteigen, Grammatik analysieren, das Gedächtnis trainieren, Diktate schreiben lassen, das Erzählen in der Fremdsprache üben u.v.m. Überlegen Sie immer gemeinsam, was schwierig an einem Witz ist: die Grammatik, eine bestimmte Redewendung, etc.? Besprechen Sie diese Problematik, dann ist der Witz meist leichter verständlich.		

3 Zum Taxifahren braucht man ...?

SOZIALFORM	ABLAUF	MATERIAL	ZEIT
Einzelarbeit Plenum	a) Die TN sehen die Fotos an und ergänzen die Tätigkeiten. Kontrolle im Plenum. *Lösung:* 2. Bild: *Zum Programmieren*, 3. Bild: *Zum Operieren*, 4. Bild: *Zum Unterrichten*		
Gruppenarbeit	**VERTIEFUNG:** Die TN arbeiten jeweils nur an einem Foto und versuchen, mithilfe des Wortschatzes im Kursbuch (→ S. 56/1a) den Lebenslauf dieser Person zu rekonstruieren.		

Partnerarbeit Plenum	b) Die TN bilden die nominalisierten Infinitive und ergänzen die Sätze. Kontrolle im Plenum. Weisen Sie die TN auch auf die Grammatikübersicht im Kursbuch (→ S. 62/2c) hin. Dann bilden die TN weitere Sätze. *Lösung: 2 Zum Zeichnen braucht sie ein Lineal, einen Zirkel, einen Bleistift und einen Rechner für den Maßstab. 3 Zum Schneiden braucht er eine Schere und einen Kamm und zum Färben Farbe. 4 Zum Kochen braucht er Gemüse, Fleisch, Gewürze und Geschirr.*		
Einzelarbeit	**AB 76/Ü18** Übung zu *zum* + nominalisierter Infinitiv; auch als Hausaufgabe geeignet.		
Einzelarbeit	**AB 76/Ü19** Schreibübung zum Gebrauch von Gegenständen; auch als Hausaufgabe geeignet.		

Ich kann jetzt …

SOZIALFORM	ABLAUF	MATERIAL	ZEIT
Einzelarbeit	Die TN markieren, was auf sie zutrifft.		
Einzelarbeit Plenum Gruppenarbeit	**VERTIEFUNG 1:** Jede/r TN schreibt vier bis fünf Punkte ihres/seines Lebenslaufes mithilfe des Wortschatzes im Kursbuch (→ S. 56/1a) auf einen Zettel. Dazu schreibt sie/er auch, was sie/er unbedingt noch mal beruflich machen möchte. Der Zettel wird an die Brust geheftet, dann laufen alle durch den Raum. Jede/r sucht sich eine Lernpartnerin / einen Lernpartner, unterhält sich und stellt die Lernpartnerin / den Lernpartner danach einem weiteren „Paar" vor, etc.	Klebeband zum Anheften Zettel	
Plenum	**VERTIEFUNG 2:** Berufspantomime: Je zwei Lernpartner stellen einen Beruf dar. Die anderen raten und sagen, was man für diese Tätigkeit braucht.		

SPRECHEN

1 Small Talk: Gespräch über Berufe

SOZIALFORM	ABLAUF	MATERIAL	ZEIT
Partnerarbeit	a) Die TN formulieren Fragen zur Ausbildung und zum Lebenslauf der Pilotin.		
Einzelarbeit Plenum	b) Die TN hören das Gespräch und notieren die Fragen des Gastes und sammeln dann im Kurs. Wenn genug Zeit ist, können die TN ihre Fragen mit denen des Gastes vergleichen. *Lösung: Was machst du denn beruflich? / Wie bist du auf die Idee gekommen, Pilotin zu werden? / Das ist ja eher so ein typischer Männerberuf, oder? / Was braucht man denn da für Voraussetzungen? / Wie lange dauert die Ausbildung? / Und ist es jetzt dein Traumjob?*	CD 2/7	
Einzelarbeit Plenum	c) Die TN hören noch einmal das Gespräch und ergänzen die Satzanfänge mit ihren eigenen Worten. Kontrolle im Plenum. *Lösungsvorschlag: 2 Mich persönlich hat Fliegen jedenfalls immer interessiert. 3 Ich habe mich nach dem Abi informiert und mich bei der Lufthansa um einen Ausbildungsplatz beworben. 4 Erst mal wird man getestet. 5 Es macht Spaß. Man kommt in der ganzen Welt herum. 6 Es kann aber auch manchmal etwas anstrengend sein. 7 Ich möchte vielleicht später nicht mehr so viele weite Flüge machen.*	CD 2/7	
Einzelarbeit	**AB 76/Ü20** Erweiterte Zuordnungsübung/Synonyme; die TN ordnen zu und hören zur Kontrolle; auch als Hausaufgabe geeignet.	AB-CD 1/30	

2 Und was machst du beruflich?

SOZIALFORM	ABLAUF	MATERIAL	ZEIT
Einzelarbeit	a) Die TN überlegen sich, welche Punkte in ihrem Berufsleben interessant für einen Small Talk wären und machen sich dazu Stichpunkte.		
Plenum Partnerarbeit	b) Die TN lesen den Tipp zur Gesprächsstrategie „Small Talk". Bitten Sie die TN, diesen in den folgenden Gesprächen umzusetzen. Die TN gehen zu zweit zusammen und unterhalten sich über ihre (Fantasie)Berufe. Weisen Sie die TN auch auf zusätzliche Redemittel „Über den Beruf/Berufswunsch sprechen" im Kursbuch (→ S. 103) hin.		
Einzelarbeit Plenum Partnerarbeit	**VERTIEFUNG 2:** Die TN schreiben ihren beruflichen Steckbrief mit den folgenden Stichpunkten und bauen dabei eine **Lüge** (Glossar → S. 156) mit ein: 1 Das wollte ich als Kind schon machen, 2 Diese Ausbildungen/Abschlüsse habe ich, 3 In folgenden Berufen/Jobs habe ich schon Erfahrungen gesammelt. Den Steckbrief hängen sich alle um und gehen im Raum herum. Immer zwei Lernpartner kommen zusammen und überlegen gemeinsam, was die Lüge sein könnte und notieren sich diese auf einem Extrablatt. Erst zum Schluss wird aufgelöst.	Schnüre oder Sicherheitsnadeln, Zettel	
Einzelarbeit	**AB 77/Ü21** Übung zu den Redemitteln „Über den Beruf/Berufswunsch sprechen"; auch als Hausaufgabe geeignet.		
Einzelarbeit Plenum	**AB 77/Ü22** Spiel: Die TN schreiben über ihren Traumberuf und achten dabei auch auf die Anwendung der gelernten Redemittel. Später wird im Plenum geraten, welcher TN welchen Text geschrieben hat.		

Ich kann jetzt ...

SOZIALFORM	ABLAUF	MATERIAL	ZEIT
Einzelarbeit	Die TN markieren, was auf sie zutrifft.		

LESEN 2

1 Sehen Sie sich folgenden Text an.

SOZIALFORM	ABLAUF	MATERIAL	ZEIT
Plenum	a) Die TN entscheiden, was für eine Textsorte das ist und wo man sie findet. *Lösung: Ausbildungsangebot/Anzeige; steht im Internet oder in bestimmten Zeitungen*		
Plenum Einzelarbeit	b) Wiederholen Sie noch einmal die Technik des Überfliegens: 1 Überschriften und Abbildungen ansehen. 2 Den ersten Absatz komplett lesen, bei allen weiteren nur den ersten Satz. Die TN überfliegen den Text und markieren, welche Aussagen richtig sind. Kontrolle im Plenum. *Lösung: 2, 3*		

Einzelarbeit	**AB 78/Ü23** Wortschatzübung zur Stellenanzeige im KB; auch als Hausaufgabe geeignet.		
Einzelarbeit Partnerarbeit	**AB 78/Ü24** Wortschatzarbeit zu beruflichen Zielen mit Redemitteln. Nachdem die Übung schriftlich erledigt wurde, eignet sie sich auch gut als Partner-Sprechübung.		

2 Angebote und Anforderungen

SOZIALFORM	ABLAUF	MATERIAL	ZEIT
Einzelarbeit Plenum	Die TN lesen die Anzeige noch einmal gründlich im Detail und ergänzen die Tabelle. Kontrolle im Plenum. *Lösung:* Angebote: *duales Studium an einer Berufsakademie, Studium an der Hochschule für Mode ..., praxisorientierte kaufmännische Ausbildung;* Anforderungen: *Interesse für Mode, Wirtschaft und Handel; gern mit Menschen zu tun haben, Verantwortung im Beruf übernehmen, flexibel bei der Ortswahl sein*		

3 Diskutieren Sie in Kleingruppen.

SOZIALFORM	ABLAUF	MATERIAL	ZEIT
Gruppenarbeit	a) Die TN erzählen, ob und warum sie die Anzeige interessant finden oder nicht. b) Die TN sprechen über die Vorteile einer Ausbildung in einer Firma. *Lösungsvorschlag:* Vorteile: *praxisorientiert, schnellere Übernahme und Aufstiegschancen;* Nachteile: *Bindung an die Firma, sehr spezialisiert und auch festgelegt*		
Gruppenarbeit Plenum	**TIPP:** Für viele TN ist die Jobsuche ein konkretes Anliegen, das sich hervorragend für die Spracharbeit eignet, weil es authentisch ist. Bieten Sie den TN deshalb doch einen „Berufsfindungstag" an: 1 Vorbereitung: Bringen Sie Stellenanzeigen aus der Zeitung oder dem Internet mit. 2 Die TN lesen die mitgebrachten Anzeigen und diskutieren über Vor- und Nachteile der Stellen. Sie bilden Gruppen und entscheiden sich für eine Anzeige. 3 Die TN bereiten ein mögliches Telefonat vor: *Welche Informationen sind noch nötig? Welche Unterlagen werden gebraucht? Wie ist die genaue Adresse? Was wollen sie unbedingt schon am Telefon berichten?* etc. 4 Die TN spielen in Rollenspielen die Telefongespräche durch. 5 Wer sich traut, spielt sein Telefonat im Plenum vor. Das Telefonat wird ausgewertet. **TIPP:** Nach Möglichkeit kann in der Gruppe das Telefongespräch auch real durchgeführt werden, wenn sich ein/e TN gerade wirklich für eine der mitgebrachten Stellenanzeigen interessiert und sich zutraut, das Gespräch zu führen.	Stellenanzeigen aus Zeitungen oder dem Internet	
	TIPP: Etwas real durchzuführen und auszuprobieren ist für alle sehr aufregend, weil echte Kommunikation stattfindet. Geben Sie ein ausführliches Feedback und bleiben Sie dabei so positiv wie möglich.		

Ich kann jetzt ...

SOZIALFORM	ABLAUF	MATERIAL	ZEIT
Einzelarbeit	Die TN markieren, was auf sie zutrifft.		

SCHREIBEN

1 Ein Bewerbungsschreiben

SOZIALFORM	ABLAUF	MATERIAL	ZEIT
Plenum	a) Die TN lesen den Brief und überlegen, wer an wen schreibt und warum. *Lösung: Luisa Adler schreibt an Sandro Bell, weil sie die Anzeige gelesen hat und sich bewerben will.*		
Plenum Einzelarbeit	b) Fragen Sie die TN, welche Formulierungen umgangssprachlich/ unpassend sind. Geben Sie selbst ein Beispiel vor, zum Beispiel *einen Job als Chef bei Ihnen bekommen.* Die TN nennen weitere Beispiele. Danach markieren sie umgangssprachliche Formulierungen im Brief. Kontrolle im Plenum. *Lösung: einen Job als Chef bei Ihnen bekommen / Abi machen / fand ich am coolsten / Umziehen ist gar kein Problem für mich / und ich sag auch gern, was gemacht wird / was Sie so im Angebot haben / wir mal persönlich ein bisschen miteinander reden / die allerbesten Grüße*		
Einzelarbeit	**AB 78/Ü25a** Formulierungsstilübung für Bewerbungsbriefe; auch als Hausaufgabe geeignet.		

2 Korrigieren Sie den Bewerbungsbrief.

SOZIALFORM	ABLAUF	MATERIAL	ZEIT
Einzelarbeit Plenum	Die TN gehen die einzelnen Formulierungen durch und probieren, den Brief zu korrigieren. Kontrolle im Plenum. *Lösung: als Chef bei Ihnen – eine Führungsposition in Ihrem Unternehmen übernehmen; Abi – Abitur; fand ich am coolsten – waren meine bevorzugten Fächer; Umziehen ist gar kein Problem für mich – Dafür bin ich auf jeden Fall zu einem Ortswechsel bereit; und ich sag auch gern, was gemacht wird – sowie in verantwortungsvollen Positionen; Was Sie so im Angebot haben – das Sortiment in Ihren Kaufhäusern; wenn wir mal persönlich ein bisschen miteinander reden könnten – wenn Sie mir die Möglichkeit zu einem Vorstellungsgespräch geben würden; allerbeste Grüße – mit freundlichen Grüßen* **LANDESKUNDE:** Im deutschsprachigen Raum hat die Bewerbungsmappe einen sehr hohen Stellenwert. Sie entscheidet oft darüber, ob eine Personalchefin/ein Personalchef jemanden überhaupt zum Gespräch einlädt. Schon das Äußere der Mappe ist wichtig, die Farbe, die Form etc. Zu einer Bewerbungsmappe gehören ein aussagekräftiges, individuelles Anschreiben, ein Lebenslauf und Zeugnisse bzw. Empfehlungsschreiben und Beurteilungen. Mittlerweile nimmt aber auch die Online-Bewerbung zu. Dabei spielen wieder ganz andere Kriterien eine Rolle. Da die „Hülle" wegfällt, muss man andere Mittel finden, um auf sich aufmerksam zu machen. Sehr wichtig ist es zum Beispiel, dass man nicht an die allgemeine E-Mailadresse der Firma schreibt, sondern ganz genau recherchiert, wer für Neueinstellungen zuständig ist und an wen		

	man genau seine Bewerbung richten muss. Ein bedeutender Punkt ist auch die Betreffzeile, damit die E-Mail überhaupt geöffnet wird. Ein persönliches Telefonat, auf das man sich beziehen kann, ist bei der Online-Bewerbung auch sehr von Vorteil. **INTERKULTURELLES:** Fragen Sie die TN, wie üblich Bewerbungsanschreiben in ihren Ländern sind. Oder ist es üblich, direkt bei der Firma, bei der man sich bewerben will, vorbeizuschauen?		

3   Verfassen Sie nun ein eigenes Bewerbungsschreiben.

SOZIALFORM	ABLAUF	MATERIAL	ZEIT
Einzelarbeit	**AB 79/Ü25b** Übung zum Aufbau eines Bewerbungsbriefes, auch als Vorentlastung geeignet.		
Gruppenarbeit	**VERTIEFUNG 1:** Die TN verfassen ein Quiz zum Bewerbungsschreiben mit Fragen und jeweils drei Antworten, von denen nur eine richtig ist. Mögliche Fragen wären zum Beispiel: *Womit beginnt man ein Bewerbungsschreiben? Was sollte im Bewerbungsschreiben nicht stehen? Wie ist die Anrede, wenn ich die Person nicht kenne? Welche Grußformel ist richtig? Was schreibt man als Betreff?* etc. **VERTIEFUNG 2:** Die TN stellen eine Checkliste für das Erstellen eines Bewerbungsschreibens zusammen: Aus welchen Teilen besteht es? → Eigene Anschrift, Anschrift der Firma, Datum, Betreff, Anrede, Einleitung, Quelle der Anzeige, Grund der Bewerbung, Qualifikation, Berufserfahrung, die eigenen Stärken, Erwartung, Gruß, Anlagen. Sie heften die Checkliste in ihre Portfoliomappe ab.		
Einzelarbeit	Die TN nutzen die mitgebrachten oder die von Ihnen zur Verfügung gestellten Anzeigen und schreiben mithilfe der Checkliste (→ Vertiefung 2) und der Redemittel „Ein formelles Bewerbungsschreiben verfassen" im Kursbuch (→ S. 103) ein Bewerbungsschreiben. Dies ist alternativ auch als Hausaufgabe möglich.	Stellenanzeigen aus Zeitungen oder dem Internet	

Ich kann jetzt ...

SOZIALFORM	ABLAUF	MATERIAL	ZEIT
Einzelarbeit	Die TN markieren, was auf sie zutrifft.		
Gruppenarbeit	Die TN arbeiten mit der Checkliste (→ Vertiefung 2) und korrigieren gegenseitig ihre Bewerbungsbriefe. Sind alle wichtigen Informationen über die Ausbildung und Berufserfahrung enthalten? **TIPP:** Bewerbungen zu schreiben, ist schon in der Muttersprache eine große Herausforderung, in der Fremdsprache jedoch ist es unmöglich, auf diesem Niveau ein perfektes Anschreiben zu formulieren. Loben Sie die TN daher ausgiebig für ihr Engagement und die Ergebnisse.		

SEHEN UND HÖREN 2

1 Einen Werbefilm sehen

SOZIALFORM	ABLAUF	MATERIAL	ZEIT
Plenum	a) Die TN sehen die DVD in Abschnitten an und beantworten die Fragen. Kontrollieren Sie jeweils im Plenum. Abschnitt 1: Variante: Spielen Sie den Ausschnitt zunächst ohne Ton vor und stellen Sie Fragen: *Was sind das für Leute? Wie sehen sie aus? Über welche Berufe sprechen sie?* Die TN sehen dann den Abschnitt noch einmal mit Ton an. Fragen Sie erneut die gleichen Fragen. Was wird jetzt klarer? *Lösung: junge Leute, über die Bank*	DVD 18	
	Abschnitt 2: Die TN sehen den Abschnitt und machen sich Notizen über die Bewegungen. Da es sehr viele Bewegungen sind, ist es sinnvoll, diesen Abschnitt zweimal zu zeigen. Sammeln Sie die Tätigkeiten danach gemeinsam an der Tafel. *Lösung: Geld; Krawatte binden, am Computer arbeiten, Tasche nehmen, Geld zählen, telefonieren, Börsenkurse ermitteln*	DVD 19	
	Abschnitt 3 + 4: Die TN sehen die Abschnitte und markieren die Antwort. *Lösung: die jungen Leute wissen nicht sehr viel / die junge Frau sagt, dass man sich selbst eine Meinung bilden soll.*	DVD 20–21	
Plenum	b) Die TN diskutieren darüber, wer den Film gemacht hat. Fragen Sie die TN nach der Absicht, die dahinterstecken könnte, den Film so zu gestalten. Die TN nennen Gründe, die Sie an der Tafel festhalten. *Lösung: Der Film wurde von der Commerzbank für Schulabsolventen gemacht, die vor der Berufswahl stehen. Der Film soll sie motivieren, ein Self-Assessment durchzuführen, in dem junge Leute mit alltäglichen Aufgaben von Bankern konfrontiert werden.*		
Gruppenarbeit	c) Die TN sehen den Film noch einmal und überlegen, ob er junge Leute zu einer Bankausbildung animieren kann.	DVD 22	

2 Interview mit einem Auszubildenden in einer Bank

SOZIALFORM	ABLAUF	MATERIAL	ZEIT
Einzelarbeit Plenum	a) Die TN hören die Radiosendung und markieren die Themen, über die gesprochen wird. Kontrolle im Plenum. *Lösung: Tätigkeiten von Auszubildenden in der Bank, Gründe für die Berufswahl, Erfüllung der Erwartungen, Überraschung in der Ausbildung, Studienwunsch nach der Ausbildung, Meinung zum Videoclip, Klischees über Banker*	CD 2/8	
Einzelarbeit Plenum	b) Die TN hören die Abschnitte und machen sich Notizen. Danach berichten sie über ihre Ergebnisse. *Lösung: 1 am Schalter arbeiten, Kundengespräche führen; 2 gute kaufmännische Ausbildung; 3 Reaktion der Kunden, wie sie sich aufregen oder schreien; 4 studieren; 5 er findet den Videoclip lustig; er muss über das Klischee des Bankers lachen.*	CD 2/9–10	
Einzelarbeit	**AB 79/Ü26** Ergänzende Aufgabe zum Interview; auch als Hausaufgabe geeignet.		

Einzelarbeit	**AB 80/Ü27** Landeskundliche Informationen zum Dualen System als Lesetext, angelehnt an *Wussten Sie schon?* im Kursbuch (→ S. 61/2b); auch als Hausaufgabe geeignet.		

Mein Dossier

SOZIALFORM	ABLAUF	MATERIAL	ZEIT
Einzelarbeit	**AB 80/Ü28** Fotos zum Thema „Interessante Berufe" sammeln und kommentieren; auch als Hausaufgabe geeignet.	Fotos	

Ich kann jetzt …

SOZIALFORM	ABLAUF	MATERIAL	ZEIT
Einzelarbeit	Die TN markieren, was auf sie zutrifft.		

AUSSPRACHE: Wortakzent (Arbeitsbuch → S. 81)

1 Hören Sie die Wörter. Welche Silben sind betont? Markieren Sie und lesen Sie dann die Wörter laut.

SOZIALFORM	ABLAUF	MATERIAL	ZEIT
Plenum	a) Die TN hören die Wörter und markieren die betonten Silben. Alternativ können sie die betonten Silben auch durch Klopfen oder Klatschen aufzeigen und beim Nachsprechen mitmachen. **TIPP:** Alle trennbaren Verben haben die Betonung auf der ersten Silbe, diese Silbe kann als eigenes Wort allein stehen; alle nicht trennbaren Verben haben ihre Betonung auf der zweiten Silbe. Diese Silbe kann nicht allein als Wort stehen. **TIPP:** Die betonten Silben sind lauter, melodisch abgesetzter, gespannter und deutlicher sowie insgesamt etwas länger als die unbetonten, die leiser, schlaffer und ungenauer gesprochen werden. Nutzen Sie viele Hörbeispiele, um den TN die Unterscheidung zu verdeutlichen und ihnen ein Gefühl für die Sprache zu vermitteln.	AB-CD 1/31	
	b) Die TN verfahren hier genauso wie bei Übung a. Deutsche Wörter werden auf der ersten Silbe betont, viele Fremdwörter in der Regel auf der letzten Silbe.	AB-CD 1/32	

2 Zusammengesetzte Nomen

SOZIALFORM	ABLAUF	MATERIAL	ZEIT
Einzelarbeit	a) Die TN hören die Wörter und ergänzen sie.	AB-CD 1/33	
Plenum	b) Die TN „erlaufen" die Wörter: Alle betonten Wörter werden mit einem größeren Schritt durchgeführt. **TIPP:** Bei Komposita wird in der Regel der erste Teil, das Bestimmungswort, betont.	AB-CD 1/33	

3 „Brummen"

SOZIALFORM	ABLAUF	MATERIAL	ZEIT
Einzelarbeit Plenum	a) Die TN markieren die gebrummten Wörter. Schreiben Sie danach die Wörter an die Tafel, klatschen Sie die Wörter einmal allein vor und dann mit der Gruppe zusammen.	AB-CD 1/28	
Einzelarbeit	b) Die TN ordnen die Wörter den Betonungsmustern zu.		
Partnerarbeit Plenum	c) Die TN brummen sich gegenseitig etwas vor. **TIPP:** Für manche TN ist das Brummen nicht angenehm bzw. sie können es nicht gut. Geben Sie Alternativen: summen, mit *lalala* sprechen etc.		

LERNWORTSCHATZ (Arbeitsbuch → S. 82–83)

SOZIALFORM	ABLAUF	MATERIAL	ZEIT
Einzelarbeit	**LERNSTRATEGIE-TIPP 5:** Eine Möglichkeit, den Wortschatz zu erweitern und im Langzeitgedächtnis zu speichern, ist, die Adjektive immer gleich mit dem Gegenteil zu lernen, zum Beispiel *staatlich – privat, berufstätig – arbeitslos, anstrengend – leicht.* Geben Sie den TN ein paar Beispiele vor und lassen Sie die TN selbst weitere Beispiele finden.		

LEKTIONSTEST 5 (Arbeitsbuch → S. 84)

SOZIALFORM	ABLAUF	MATERIAL	ZEIT
Einzelarbeit	Mithilfe des Lektionstests haben die TN die Möglichkeit, ihr neues Wissen in den Bereichen Wortschatz, Grammatik und Redemittel zu überprüfen. Wenn die TN mit einzelnen Bereichen noch Schwierigkeiten haben, können sie gezielt noch einmal einzelne Module wiederholen.		

REFLEXION DER LEKTION

SOZIALFORM	ABLAUF	MATERIAL	ZEIT
Gruppenarbeit	Teilen Sie die TN in vier Gruppen zu folgenden Themen auf: 1. Redemittel zum Lebenslauf, 2. Small Talk-Redemittel über den eigenen Beruf, 3. Typische Formulierungen in Bewerbungsanschreiben, 4. Wortschatz „Ausbildung und Beruf". Die TN sammeln zunächst ohne, im zweiten Schritt dann mit dem Lehrbuch den Wortschatz, schreiben ihn auf ein Plakat und hängen es im Raum auf. Jedes Plakat sollte eine passende Überschrift haben. Die TN suchen sich ein Plakat aus und formulieren passende Gespräche.	Plakate	
	VERTIEFUNG: Die TN schreiben einen Wunsch für die nächste Stunde auf, der wie im Beispiel aufgebaut ist. Beispiel: *Hätten wir nächste Stunde etwas Zeit, könnten wir den Konjunktiv II wiederholen.*		

EINSTIEG

Vor dem Öffnen des Buches

SOZIALFORM	ABLAUF	MATERIAL	ZEIT
Plenum	Bringen Sie CDs mit verschiedenen Musikrichtungen mit (von Klassik bis Pop). Machen Sie zunächst Wortigel an der Tafel, um Redemittel zu sammeln: *Welche Musikformen gibt es? (Pop, Rock, Klassik, Volksmusik, Kinderlieder, Techno, Rap etc.) Wie kann Musik sein? (laut, aggressiv, entspannend, schrecklich etc.)*	CDs mit Musik-beispielen verschiedener Musikstile	
Gruppenarbeit	Teilen Sie den Kurs in Kleingruppen auf und spielen Sie die verschiedenen Musikstile nacheinander für alle ab. Geben Sie zwischen den Titeln Zeit zum Diskutieren und schreiben Sie die Fragen *Was für eine Musik ist das? Wie finden Sie die Musik (gefällt mir nicht/gut/total; mag ich überhaupt nicht; ist mir zu ...)? An was denken Sie, wenn Sie die Musik hören?* an die Tafel. Die TN besprechen in Kleingruppen. **TIPP:** Musik ist etwas sehr Individuelles. Was dem einen sehr gut gefällt, ist für den anderen furchtbar. Deshalb ist es wichtig, den Gruppen zu sagen, dass auch die Meinungsäußerung darüber individuell sein sollte (*Mir gefällt es nicht* – anstatt *Solche Lieder sind total doof.*). Auch aus diesem Grund sollte diese Diskussion nicht in der großen Runde geführt werden.		
Einzelarbeit	**AB 85/Ü1** Wortschatzwiederholung; diese Übung eignet sich gut als Vorentlastung der Aufgabe 1 (im Kursbuch).		

1 Über Musik sprechen

SOZIALFORM	ABLAUF	MATERIAL	ZEIT
Plenum	a) + b) Die TN sehen sich das Foto an und vermuten, welche Art von Musik die Band macht. Sie sagen danach, ob sie zu einem Konzert der Band gehen würden oder nicht. **TIPP:** Die Band wird in dieser Lektion zu einem späteren Zeitpunkt noch mit einem Videoclip vorgestellt. *Lösung: Bayerische Brass-Punkmusik*		
Plenum	c) Lesen Sie zunächst die Aufgabenstellung vor. **TIPP:** Lassen Sie sich von den TN noch einmal mit eigenen Worten erklären, was zu tun ist. Das ist besonders bei komplexeren Aufgabenstellungen wichtig. Erfahrungsgemäß bringt es nicht so viel, nur zu fragen, ob die Aufgabenstellung verstanden wurde. Die TN führen die Umfrage durch. Es ist besser, wenn alle TN dazu aufstehen und mit den Büchern durch den Raum gehen.		
Plenum	d) Die TN berichten von den Ergebnissen. Wird eine Band oder eine Musikerin / ein Musiker öfter als zweimal genannt, dann notieren Sie den Namen an der Tafel. Lassen Sie nach der Aktivität die beliebteste Kursband wählen. Fordern Sie die TN auf, Musik von dieser Band / der Musikerin / dem Musiker mitzubringen und diese vorzuspielen.	Musik der Lieblingsband	

HÖREN 1

1 Musikalische Wunderkinder

SOZIALFORM	ABLAUF	MATERIAL	ZEIT
Partnerarbeit Plenum	a) Die TN ordnen die Namen den Bildern zu. Wenn Sie die Personen gar nicht kennen, raten sie. Kontrolle im Plenum. *Lösung: A Mozart, B Schumann, C Bartholdy*		
Plenum Gruppenarbeit	b) Klären Sie zunächst den möglichen unbekannten Wortschatz: zum Beispiel: *komponieren, Orgel* etc., ggf. mithilfe von Fotos. Die TN ordnen die Informationen zu und tauschen sich aus. Je zwei Lernpaare vergleichen ihre Lösungen im Anschluss. Kontrolle im Plenum. *Lösung: 2 (D) Mutter, 3 (A) Mozart, 4 (B) Schumann*	Foto einer Orgel	
Plenum Einzelarbeit	c) Spielen Sie die Musikbeispiele vor. Die TN schreiben mit der **Ecriture automatique (Glossar → S. 154)** ihre Gedanken auf. Sprechen Sie im Plenum darüber, wie den TN die Musikstücke gefallen haben.	CD 2/11	
Plenum	d) Die TN berichten, was sie über musikalische Wunderkinder wissen.		
Einzelarbeit	**AB 85/Ü2** Wortschatzübung; auch als Hausaufgabe geeignet.		

2 „Als musikalisches Wunderkind wird man geboren."

SOZIALFORM	ABLAUF	MATERIAL	ZEIT
Einzelarbeit Plenum	Die TN hören und markieren, was richtig und was falsch ist. Kontrolle im Plenum. *Lösung: richtig: 2, 4, 6, 7, 8; falsch: 1, 3, 5*	CD 2/12	

3 Negationswörter

SOZIALFORM	ABLAUF	MATERIAL	ZEIT
Einzelarbeit Plenum	a) Die TN markieren alle Negationswörter. Kontrolle im Plenum. *Lösung: 3 nicht, 4 niemand, 5 nirgends, 6 – , 7 niemals, 8 nichts*		
Partnerarbeit Plenum	b) Die TN ergänzen das Gegenteil in Partnerarbeit. Kontrolle im Plenum. *Lösung: überall – nirgends; immer – nie, niemals; jeder/alle/jemand – niemand; alles/etwas – nichts* Weisen Sie die TN auf die Grammatik-Übersicht im Kursbuch (→ S. 74/1) hin und lesen Sie die Beispiele mit der **Echo-Methode (Glossar → S. 154)** vor: Lesen Sie den Satz, und alle TN sagen danach noch einmal das Negationswort, zum Beispiel „Man darf Wunderkindern nichts von ihrer Kindheit rauben." – „Nichts." Diese Aktivität sollte im Stehen mit Betonung und Pausen erfolgen.		
Einzelarbeit	**AB 86/Ü3** Grammatikwiederholung zu aus A2 bekannten Negationswörtern; auch als Hausaufgabe geeignet.		
Einzelarbeit	**AB 86/Ü4–5** Grammatikübungen zu den Negationswörtern; auch als Hausaufgabe geeignet.		

Ich kann jetzt ...

SOZIALFORM	ABLAUF	MATERIAL	ZEIT
Einzelarbeit	Die TN markieren, was auf sie zutrifft.		
Plenum	**VERTIEFUNG:** Malen Sie eine **Zielscheibe (Glossar → S. 158)** an die Tafel und schreiben Sie darüber *Kurzinformationen verstehen.* Die TN markieren in der Zielscheibe, wie gut sie diese Fertigkeit nun beherrschen. Je näher am Zentrum der Scheibe, umso sicherer fühlen sie sich mit dem Neugelernten. Verfahren Sie mit den beiden anderen *Ich kann jetzt ...*-Beschreibungen genauso. So sehen Sie auf einen Blick, wo es noch einmal Übungsbedarf gibt.		

WORTSCHATZ

1 Musikinstrumente

SOZIALFORM	ABLAUF	MATERIAL	ZEIT
Einzelarbeit Plenum	a) Die TN schreiben die passenden Musikinstrumente auf. Erfragen Sie danach auch Artikel und Plural. Kontrolle im Plenum. *Lösung: Geige, Gitarre, Schlagzeug, Flöte, Klavier*		
Plenum	b) Die TN berichten darüber, welches Instrument sie spielen oder gern spielen würden, wie lange sie schon üben und welche Musik sie am liebsten machen (würden). **TIPP:** Bitten Sie die TN, ihre Musikinstrumente, wenn möglich, zum Zeigen und ggf. Vorspielen mitzubringen. **VERTIEFUNG:** Schlagen Sie den TN vor, sich auf ein Lied zu einigen, das sie dann alle zusammen singen. Bitten Sie darum, Rasseln, Trommeln, Kochlöffel, Töpfe etc. von zu Hause mitzubringen, um das Lied musikalisch zu begleiten. Nehmen Sie das Stück auf. **TIPP:** Bei solchen Aktivitäten erfolgt sehr viel natürliche Kommunikation. Nutzen Sie sie, indem Sie heimlich zu diesen Zeiten zum Beispiel ein Band mitlaufen lassen, und korrigieren Sie Fehler zu einem späteren Zeitpunkt in anonymisierter Form.	eigene Instrumente Trommel, Rassel, Tamburin, Topf, ... Handy/Videokamera	
Einzelarbeit	**AB 87/Ü6** Wortschatzübung; auch als Hausaufgabe geeignet. **VERTIEFUNG:** Nach der Erarbeitung ist es möglich, mithilfe des sortierten Wortschatzes kleine Anzeigen zu verfassen, wie zum Beispiel *Neues Orchester sucht Sänger.*		

2 Musik genießen

SOZIALFORM	ABLAUF	MATERIAL	ZEIT
Plenum	Klären Sie, wenn nötig, wo die Stadt Essen liegt. Zeigen Sie sie auf einer Deutschlandkarte. Die TN nennen mithilfe der angegebenen Redemittel mögliche Aktivitäten. **VERTIEFUNG:** Suchen Sie im Plenum weitere Musikverben wie *rappen, jazzen* etc. Die TN schreiben ein Werbeplakat für ihre (Heimat)Stadt.	Deutschlandkarte	

3 Gemeinsam einen Abend planen

SOZIALFORM	ABLAUF	MATERIAL	ZEIT
Partnerarbeit	a) Die TN einigen sich mithilfe der Redemittel auf eine gemeinsame Aktivität am Abend. Weisen Sie die TN darauf hin, dass es im Kursbuch (→ S. 102/103) noch weitere Redemittel zum Thema „Vorschläge machen / Eine Aktivität planen" gibt.		
Partnerarbeit	b) Die TN planen die in a) ausgewählte Aktivität genauer und verwenden dabei die angegebenen Redemittel. Helfen Sie bei Schwierigkeiten. **TIPP:** Die Kommunikation verläuft lebendiger, wenn die TN sich wirklich zu einer Veranstaltung verabreden oder es zumindest konkrete Kulturangebote gibt. Bringen Sie deshalb Prospekte und aktuelle Kulturprogramme mit in den Kurs. Verteilen Sie alle Informationsbroschüren auf einem Tisch. Die Lernpartner wählen eine aus und sprechen miteinander, wo sie hingehen und was sie vorher und nachher noch tun könnten.	Prospekte, aktuelles Kulturprogramm	
Plenum	**VERTIEFUNG:** Machen Sie im Anschluss im Kurs einen Wochenplan: *Dienstag 20:00 Uhr Klezmer-Konzert (Selma und Karo)* etc. Betrachten Sie dann zusammen den Wochenplan und sprechen Sie mit den TN: *Was klingt interessant? Wer will sich noch wem anschließen?*		

Ich kann jetzt ...

SOZIALFORM	ABLAUF	MATERIAL	ZEIT
Einzelarbeit	Die TN markieren, was auf sie zutrifft.		
Plenum	**VERTIEFUNG 1:** Die TN nennen die Musikinstrumente, die ihre Kursnachbarin / ihr Kursnachbar spielt/spielen möchte.		
Plenum	**VERTIEFUNG 2:** Kugellager (Glossar → S. 156): Die TN beschäftigen sich noch einmal intensiv mit den Redemitteln aus Aufgabe 3. Sie stellen sich dann in einem Innen- und einem Außenkreis gegenüber auf. Die TN im Innenkreis stellen eine der Fragen aus den Redemitteln, die die gegenüberstehenden TN im Außenkreis mit einem der Redemittel beantworten sollen, zum Beispiel *Ich würde am liebsten in die Oper gehen. Was hältst du davon? – Ja, das klingt gut.* Ist die Frage beantwortet, bewegen sich nur die TN des Innenkreises und stehen nun einem anderen TN gegenüber. Hier stellen sie wieder eine Frage etc. Nach einer Weile wird gewechselt.		

HÖREN 2

1 Musik und Kultur in Essen

SOZIALFORM	ABLAUF	MATERIAL	ZEIT
Plenum Einzelarbeit	a) Spielen Sie den Aufgabenablauf anhand von Ansage 1 einmal mit den TN durch: Spielen Sie Ansage 1 einmal vor, die TN markieren bei Nr. 1 *Richtig* oder *Falsch*. Beim zweiten Hören konzentrieren sie sich auf die Detailfrage in Nr. 2. Verfahren Sie dann mit den Ansagen 2 bis 5 ebenso. *Lösung:* Ansage 1: *1 Richtig, 2 C;* Ansage 2: *1 Falsch (freitags), 2 B;* Ansage 3: *1 Richtig, 2 B;* Ansage 4: *1 Falsch (Salsa), 2 C;* Ansage 5: *1 Richtig, 2 B*	CD 2/13–17	

Plenum Gruppenarbeit	b) Die TN entscheiden sich spontan für eine Veranstaltung und begründen ihre Auswahl. **VERTIEFUNG:** Bereiten Sie fünf Farbgruppen vor. Jede Farbgruppe erhält die Transkription **einer** Ansage, (**Anhang** → S. 167). Die TN lesen sich die Ansage noch einmal durch und entscheiden dann in der Gruppe, was sie am Text noch Interessantes zum Lernen finden (Wortschatz, Grammatik, Inhalt). Sie einigen sich auf ein Thema, analysieren den Text und erstellen eine Aufgabe. Danach werden **Expertengruppen** (**Glossar** → S. 155) gebildet: Aus den ursprünglichen Farbgruppen geht jetzt jede/r in eine andere Gruppe, sodass in jeder Gruppe alle Farben sind. Die Expertin / der Experte stellt den anderen die Aufgabe und hilft bei der Lösung.	Kopien der Transkription	
Einzelarbeit	**AB 87/Ü7** Lesetext: Filmtipp „Pina" zum Leben der Tänzerin Pina Bausch; auch als Hausaufgabe geeignet.		
Einzelarbeit	**AB 88/Ü8** Hörtext mit telefonischen Ansagen; auch als Hausaufgabe geeignet.	AB-CD 1/35	
Einzelarbeit Gruppenarbeit	**AB 88/Ü9 LANDESKUNDE:** Festspiele und Festivals in deutschsprachigen Ländern: Salzburger Festspiele, Rock im Park, Züricher Festspiele. Die TN bilden Dreiergruppen. Jede Gruppe liest nur einen Text, ergänzt die Tabelle und informiert mithilfe der Tabelle die beiden anderen Gruppen.		

Ich kann jetzt …

SOZIALFORM	ABLAUF	MATERIAL	ZEIT
Einzelarbeit	Die TN markieren, was auf sie zutrifft.		
Plenum	**VERTIEFUNG:** Die TN notieren, was ihnen beim Verstehen der Telefonansagen schwergefallen ist. Besprechen Sie die Schwierigkeiten im Plenum und überlegen Sie mit den TN gemeinsam, warum das so war und wie man das Problem beheben kann.		

SCHREIBEN

1 Eine E-Mail schreiben

SOZIALFORM	ABLAUF	MATERIAL	ZEIT
Einzelarbeit	a) Die TN lesen die E-Mail und ergänzen ihren eigenen Namen und ihren Wohnort.		
Einzelarbeit Plenum	b) Die TN ordnen die Abschnitte der E-Mail zu. Kontrolle im Plenum. *Lösung: 1 Anrede, 2 Einleitung, 3 Hauptteil, 4 Schluss, 5 Gruß*		
Einzelarbeit Plenum	c) Danach ordnen sie die Redemittel den Abschnitten aus 1a zu. Kontrolle im Plenum. *Lösung: 1 Liebe Sandra/ Hi Sandy und Bert; 2 Vielen Dank für Deine/Eure Mail; 3 Ich finde es toll, dass Du/Ihr …; 4 Ich freue mich schon … / Bis dann 5 Liebe Grüße*		

2 Schreiben Sie nun eine Antwort auf Sandras E-Mail.

SOZIALFORM	ABLAUF	MATERIAL	ZEIT
Einzelarbeit	Die TN gehen vor, wie im Kursbuch beschrieben. Weisen Sie die TN dabei auch auf den Tipp „Richtig schreiben" hin. Am Ende der Aktivität tauschen die TN ihre Briefe untereinander aus und prüfen, ob zu allen Inhaltspunkten etwas geschrieben wurde, der Aufbau des Briefes inhaltlich stimmt und der Brief formal richtig geschrieben ist. *Lösung: Schritt 2: 2 … passt mir auch gut, denn …; 3 Ich habe eine Idee, wohin wir gehen könnten. … ; 4 Am besten kommst Du mit …*		
Einzelarbeit	**AB 89/Ü10** Übung zur Anwendung der Redemittel „Jemanden einladen" und „Eine Aktivität planen".		
Einzelarbeit	**AB 90/Ü11** Schreibübung: Anwendung der Redemittel im persönlichen Brief; auch als Hausaufgabe geeignet.		
Gruppenarbeit	**VERTIEFUNG:** Die TN berufen eine **Schreibkonferenz** (Glossar → S. 157) ein und besprechen in Kleingruppen die zum **AB 90/Ü11** verfassten Texte. Dabei liest zunächst ein TN ihren/seinen Text vor. Die anderen äußern sich anhand eines Fragenkatalogs, den Sie zuvor an die Tafel geschrieben haben: *1 Habe ich verstanden, worum es im Text geht?* *2 Sind die Inhalte korrekt?* *3 Ist die Anrede etc. passend?* *4 Was sollte ausführlicher beschrieben sein?* *5 Ist der Schreibstil passend?* Dann wird der Text auf grammatische und orthografische Fehler hin gemeinsam untersucht. Die Autorin / Der Autor des Textes macht sich zu allem Notizen und verbessert die E-Mail.		
Einzelarbeit			

Ich kann jetzt …

SOZIALFORM	ABLAUF	MATERIAL	ZEIT
Einzelarbeit	Die TN markieren, was auf sie zutrifft.		
Gruppenarbeit	**VERTIEFUNG:** Lassen Sie Gruppen bilden. Jede Gruppe erhält ein Thema: 1 Anrede, Gruß und Unterschrift; 2 Einleitung; 3 Hauptteil; 4 Schluss. Die Gruppen sammeln zu ihrem Thema passende Redemittel und machen Plakate, die sie im Raum aufhängen .	Plakate	

LESEN

1 Sehen Sie das Foto an. Kennen Sie diese Band? Was für eine Art von Musik macht sie wohl?

SOZIALFORM	ABLAUF	MATERIAL	ZEIT
Plenum	Die TN äußern ihre Vermutungen.		
Einzelarbeit	**AB 90/Ü12** Wortschatzübung; auch als Hausaufgabe geeignet.		

2 „Rammstein"

SOZIALFORM	ABLAUF	MATERIAL	ZEIT
Einzelarbeit Plenum	a) Die TN lesen die Reportage und schreiben sich zu den Punkten Stichworte auf. Wer fertig ist, unterstreicht im Text alle Wörter, die zum Thema „Musik" passen (*Konzerthalle, Gitarrist, Mikrophon, Band, Rockmusik, Album, Top 10, Musiker, Keyboarder, spielen, singen, melodisch, Gesang, vortragen, Bassist, Fan, Zeile, mitsingen*). Kontrolle im Plenum. *Lösung: 2 Ostdeutschland/DDR; 3 echt, singen Deutsch; 4 Theater, Feuer, Spektakel; 5 fast alle über 40, nur der Bassist ist noch nicht 40 Jahre alt*		
Plenum	b) Die TN sagen ihre Meinung, ob sie Rammstein interessieren könnte oder nicht. Wenn Sie möchten, fragen Sie im Kurs nach Rammstein-Fans und bitten Sie darum, eine CD mitzubringen, um ein Lied von Rammstein vorzuspielen.	Rammstein-CD	
Einzelarbeit Plenum	**LANDESKUNDE:** Die TN lesen die Informationen in *Wussten Sie schon?* Lassen Sie, wenn möglich, die fünf „neuen Bundesländer" auf einer Deutschlandkarte zeigen.	Deutschland-karte	
Einzelarbeit	**AB 91/Ü13** Erweiterungsübung zu *Wussten Sie schon?* mit dem Thema „Kunst in der DDR". Da der Text viel Landeskunde enthält, stellen Sie nach dem Erarbeiten weitere Fragen an die TN: *Warum war es für Liedermacher in der DDR schwierig, Kritik zu üben? Was wurde oft verboten? Wie heißt ein berühmter Liedermacher?*		

3 Etwas begründen – Konnektoren

SOZIALFORM	ABLAUF	MATERIAL	ZEIT
Einzelarbeit Plenum	a) Die TN ergänzen die passenden Konnektoren. Kontrolle im Plenum. *Lösung: 1 weil, 2 denn, 3 da, 4 daher, 5 nämlich*		
Einzelarbeit	**AB 91/Ü14** Grammatikwiederholung: *weil*-Sätze; auch als Hausaufgabe geeignet.		
Einzelarbeit Plenum	b) Die TN untersuchen die Sätze und unterstreichen die Verben. Danach machen sie die Übung „Grammatik entdecken" im **AB 91/Ü15**. Die TN sehen sich zuerst gemeinsam die Grammatik-Übersicht im Kursbuch (→ S. 74/2a + c) an. Lassen Sie danach den Unterschied zwischen Hauptsatz- und Nebensatzkonnektoren finden. *Lösung: Hauptsatzkonnektoren sind nebenordnende Konnektoren, d.h. das Verb bleibt im Konnektorensatz auf Position 2. Unterordnende Konnektoren / Nebensatzkonnektoren leiten einen Nebensatz ein mit Verbendstellung.*		
Plenum	c) Die TN sagen ihre Meinung. Korrigieren Sie nur die Verbstellung. **TIPP:** Diese Aufgabe können Sie auch würfeln lassen, damit die TN nicht immer die gleichen Formen benutzen. Schreiben Sie dazu an die Tafel, welcher Konnektor für welchen Würfelpunkt steht, zum Beispiel *1 = weil, 2 = denn, 3 = nämlich, 4 = daher, 5 = darum, 6 = da*	(großer Schaumstoff-) Würfel	
Einzelarbeit	**AB 92/Ü16–17** Weiterführende Übungen zu den kausalen Konnektoren; auch als Hausaufgabe geeignet.		

4 Lesen Sie den Beitrag in einem Musikforum zu „Rammstein".

SOZIALFORM	ABLAUF	MATERIAL	ZEIT
Einzelarbeit Plenum	a) Die TN überfliegen den Text und ordnen den passenden Titel zu. Kontrolle im Plenum. *Lösung: Verkaufsverbot von CDs …* Gehen Sie den Beitrag noch einmal gemeinsam durch und klären Sie den unbekannten Wortschatz, zum Beispiel *derzeit, umstritten sein, radikal, schrill, wiederum, angeblich, …*		
Einzelarbeit Plenum Gruppenarbeit	b) Die TN lesen die Aufgabenstellung. Sie markieren, welche Meinung die Teilnehmer im Forum haben. Kontrolle im Plenum. *Lösung: 1 Nein, 2 Ja, 3 Ja, 4 Nein* Gehen Sie mit den TN den Lerntipp „Meinungen verstehen" durch. Die TN wenden ihn gemeinsam auf die Texte 2 bis 4 an und unterstreichen, was für oder gegen ein Verbot spricht. **VERTIEFUNG:** Die TN arbeiten zu viert. Jede/r erhält einen Text, fasst ihn mit einem Satz zusammen und kommentiert ihn mit eigenen Worten.		

5 Die Präposition *wegen*

SOZIALFORM	ABLAUF	MATERIAL	ZEIT
Einzelarbeit	a) Die TN markieren den entsprechenden Satz. *Lösung: …, weil ihre Liveauftritte …* Weisen Sie die TN auf die Grammatikübersicht im Kursbuch (→ S. 74/2a) hin. **FOKUS GRAMMATIK:** Die Präposition *wegen* wird hier nur rezeptiv vorgestellt. Genitivattribute werden noch in Lektion 8 produktiv behandelt. An dieser Stelle reicht es, wenn die TN die Bedeutung von *wegen* verstehen und die Präpositionalausdrücke in einen kausalen Nebensatz umformen können.		
Einzelarbeit Plenum	b) Die TN formulieren die Sätze in *weil*-Sätze um. Kontrolle im Plenum. *Lösung: 1 Weil die Eintrittspreise hoch sind, kaufe ich mir keine Konzertkarten mehr. 2 Weil die Verkaufszahlen für die neue CD so gut sind, gibt der Bandmanager eine Party. 3 Das Konzert wird um eine Woche verschoben, weil der Sänger erkrankt ist.*		
Einzelarbeit	**AB 92–93/Ü18a+b** Umformungsübung von Sätzen mit *wegen* in *weil*-Sätze, Kontrolle über den Hörtext auf der eingelegten CD; auch als Hausaufgabe geeignet.	AB-CD 1/36	

Ich kann jetzt …

SOZIALFORM	ABLAUF	MATERIAL	ZEIT
Einzelarbeit	Die TN markieren, was auf sie zutrifft.		
Plenum Gruppenarbeit	**VERTIEFUNG 1:** Sammeln Sie mit den TN an der Tafel: *Was ist typisch an Zeitungstexten über Bands? Welche Informationen gibt es oft?* Die TN nennen Stichwörter, die Sie aufschreiben. Lassen Sie sie daraus Schlagzeilen machen. Beispiel: *Konzerttournee – Rammstein auf Konzerttournee in Bayern*		

Partnerarbeit	**VERTIEFUNG 2:** Wenn Sie die kausalen und konzessiven Konnektoren noch einmal üben möchten, dann können Sie die Kopiervorlage Lektion 6 in Partnerarbeit bearbeiten lassen. Kopieren Sie die Kopiervorlage dementsprechend oft und verteilen Sie je einen Satz „Kärtchen" an die Lernpaare. Die TN probieren aus, wie oft sie den Satz verändern können, ohne dass er inhaltlich und grammatikalisch falsch wird. Dazu legen sie Sätze mit jeweils nur EINER der	Kopiervorlage Lektion 6	
Plenum	markierten Karten. Besprechen Sie die Ergebnisse im Plenum.		
Gruppenarbeit	**VERTIEFUNG 3:** Drucken Sie die Beiträge der TN aus dem Forum über „Rammstein" aus. Die TN arbeiten in Gruppen und unterstreichen alle Meinungsäußerungen, die klar ein Pro oder Kontra darstellen. Die TN schreiben auf Kärtchen typische Redemittel, die eine positive bzw. negative Meinung ausdrücken und ordnen sie in die **Wiederholungskiste** (Glossar → S. 158) ein.	Forenbeiträge zu Rammstein; Kärtchen, Briefumschläge, Wiederholungskiste	

SEHEN UND HÖREN

1 Sehen Sie die Fotos auf dieser und der nächsten Seite an. Welche Band interessiert Sie am meisten?

SOZIALFORM	ABLAUF	MATERIAL	ZEIT
Plenum	Die TN sagen, welche Band sie am meisten interessiert und stellen Vermutungen darüber an, welche Band welche Art von Musik macht.		

2 Ein Videoclip von „Blumentopf"

SOZIALFORM	ABLAUF	MATERIAL	ZEIT
Plenum	a) Die TN sehen den Anfang und nennen den Musikstil. *Lösung: Hip-Hop*	DVD 23	
Plenum	b) Die TN nennen ihre Vermutung und begründen, warum sie das denken. Fragen Sie nach der Bedeutung von „so lala" und nennen Sie die drei Möglichkeiten aus dem Buch. Die TN antworten und sagen auch, ob sie „so lala" schon kennen/benutzen. *Lösung: ... alles mittelmäßig läuft.*		
Gruppenarbeit	c) Die TN sehen den Clip und sprechen darüber, was ihnen daran gefällt und was nicht. Lassen Sie die TN ihre Meinung begründen. **TIPP:** Greifen Sie die Körperbuchstaben gleich als **Energieaufbauübung** (Glossar → S. 155) auf. Energieaufbauübungen sind entweder Konzentrations- oder Körperübungen, die das Ziel haben, nach mental anstrengenden Phasen wieder körperlich aktiv zu werden. Hier versuchen die TN in den Gruppen, ein Wort aus dem Videoclip mit ihrem Körper zu schreiben. Die anderen raten.	DVD 24	

3   Ein Videoclip von „Revolverheld"

SOZIALFORM	ABLAUF	MATERIAL	ZEIT
Plenum	a) Die TN sehen den Anfang des Clips ohne Ton und entscheiden, welcher Musikstil dazu passen könnte. *Lösung: Pop-Rock*	DVD 25	
Plenum	b) Die TN sehen den Clip mit Ton und diskutieren dann, ob Film und Musik ihrer Meinung nach zusammenpassen.	DVD 26	
Einzelarbeit Plenum	c) Die TN markieren die Bedeutung von „chillen". **LANDESKUNDE:** Chillen ist ein Wort aus der Jugend-/Umgangs-sprache und kommt aus dem amerikanischen Slang *to chill* für abhängen, sich entspannen. Beispiel: *Lass uns heute Abend einfach nur chillen.* Kontrolle im Plenum. *Lösung: gemeinsam die Freizeit genießen*		
Einzelarbeit	d) Die TN lesen die Kommentare. Fragen Sie sie, was ein Ohrwurm ist. Während die TN einen eigenen Kommentar schreiben, können Sie den Song noch einmal ohne Bild abspielen.		

4   Ein Videoclip von „LaBrassBanda"

SOZIALFORM	ABLAUF	MATERIAL	ZEIT
Einzelarbeit Plenum	a) Die TN sehen das Bild an und lesen den Kommentar über ein Konzert der Band. Über die Band wurde zum Einstieg in die Lektion bereits gesprochen. Fragen Sie die TN noch einmal nach dem Musikstil. *Lösung: Bayerische Brass Band*		
Plenum	b) Die TN sehen den Videomitschnitt an und sagen, ob sie gern bei dem Live-Auftritt dabei gewesen wären. **VERTIEFUNG:** Tanzen Sie gemeinsam zur Musik: Immer vier Perso-nen denken sich zusammen eine Bewegung aus (Drehung, Arme hoch, klatschen, Bein rechts und links etc.) und geben der Bewe-gung einen Namen. Die anderen machen es nach. Dann wird der Song abgespielt und eine/r ist Animateur/in und nennt die Namen der Bewegungen. Alle machen mit.	DVD 27	
Einzelarbeit	AB 95/Ü26 Erweiterungsübung zu *Wussten Sie schon?*: weitere aktuelle deutschsprachige Bands. **LANDESKUNDE:** Die Neue Deutsche Welle (NDW) steht für den Punk und New Wave der 1980er-Jahre. Die NDW stellte keinen einheitlichen Musikstil dar. Die Bands sangen auf Deutsch und waren damit weltweit sehr erfolgreich. Bekannte Musiker aus der Zeit sind: Nena (99 Luftballons), Trio (Da Da Da), Falco (Rock me Amadeus), Peter Schilling (Major Tom).		

5 Kontroverses ausdrücken

SOZIALFORM	ABLAUF	MATERIAL	ZEIT
Einzelarbeit Plenum	a)+b) Die TN lesen die Sätze und markieren die Bedeutung. Kontrolle im Plenum. *Lösung: 1 ..., aber ... ; 2 Obwohl ...; b) Wir hatten schlechte Plätze. Trotzdem ...*		
Einzelarbeit	AB 93/Ü19 Grammatik entdecken: Verbstellung bei *trotz, trotzdem, obwohl;* auch als Hausaufgabe geeignet.		
Einzelarbeit	AB 93/Ü20 Übung zur Satzstellung bei *aber, obwohl* und *trotzdem;* auch als Hausaufgabe geeignet.		
Einzelarbeit	AB 93–94/Ü21–24 Weiterführende Übungen zu kausalen/konzessiven Konnektoren und Präpositionen; auch als Hausaufgabe geeignet.		
Plenum	AB 95/Ü25 Spiel: freie Anwendung der Konnektoren.		

Ich kann jetzt ...

SOZIALFORM	ABLAUF	MATERIAL	ZEIT
Einzelarbeit	Die TN markieren, was auf sie zutrifft.		
Gruppenarbeit	**VERTIEFUNG:** Jede Gruppe schreibt *deshalb, obwohl, trotzdem, weil, aber* etc. auf Kärtchen. Ein TN der Gruppe nimmt ein Kärtchen auf und sagt ihre/seine Meinung zu einem der Videoclips im Buch oder zu einem anderen, das sie/er in letzter Zeit gesehen hat: *Warum war der Clip schön/langweilig/doof* etc.? Dabei verwendet sie/er den jeweiligen Konnektor. Wurde der Konnektor richtig benutzt, kann sie/er das nächste Kärtchen nehmen, wenn nicht, ist die/der Nächste an der Reihe. Wer ist am schnellsten? Helfen Sie bei Schwierigkeiten.	Kärtchen	

SPRECHEN

1 Deutschsprachige Musiker und Bands präsentieren

SOZIALFORM	ABLAUF	MATERIAL	ZEIT
Partnerarbeit	a) Die TN wählen eine Musikerin / einen Musiker oder eine Band aus der Liste oder wählen jemanden aus, den sie selbst kennen. Wenn sie mit den Namen nichts anfangen können, helfen Sie mit der Musikrichtung: Annett Louisan: *Pop, Chansons;* Die fantastischen Vier: *deutscher Hip-Hop;* Ich und ich: *Pop;* Nena: *Neue deutsche Welle, Pop;* Peter Fox: *Hip-Hop;* Die Prinzen: *Acapella;* Culcha Candela: *Techno;* Die Toten Hosen: *Punk;* Wir sind Helden: *Rock;* Wise Guys: *Acapella;* Xavier Naidoo: *Soul, Rhythm and Blues;* Rosenstolz: *Pop, Chanson, Rock* **TIPP 1:** Wenn zu viele Lernpartner die gleiche Band wählen, wird es langweilig. Versuchen Sie Alternativen zu bieten oder einen Wettbewerb daraus zu machen: Wer weiß schon jetzt mehr über die Band? **TIPP 2:** Wenn Sie im Unterricht keine Möglichkeit haben, den Computer zu benutzen, kann die Auswahl zum Beispiel am Ende des Unterrichts erfolgen und die Recherche als Hausaufgabe. Die weiteren Aufgaben auf dieser Seite werden dann in der nächsten Kursstunde bearbeitet.		

Partnerarbeit	b) Die TN suchen die Informationen im Internet und machen Notizen zu den einzelnen Stichpunkten.	Internet-anschluss	
Partnerarbeit Plenum	c) Die TN ordnen die passenden Redemittel jedem Punkt zu. Kontrolle im Plenum. *Lösung: Gründung – existiert erst; aktuelle Daten – der nächste öffentliche Auftritt; erste große Erfolge – hat mit dem Album; Bandmitglieder – Zur Band; Themen der Texte – Sie/ Er singt; Internetauftritt – Auf der Homepage* Weisen Sie die TN auch auf den Tipp „Richtig recherchieren" hin. **LANDESKUNDE:** Für die TN ist es wichtig zu wissen, dass es nicht generell erlaubt ist, Inhalte aus dem Internet kostenlos zu übernehmen und zu verbreiten. Bei Veröffentlichungen muss immer die Quelle genannt werden und im Falle einer Vervielfältigung sogar beim Autor oder dessen Vertreter angefragt werden, ob man die Rechte dazu bekommt.		
Partnerarbeit	d) Die TN wählen ein passendes Video und machen Notizen zu den aufgeführten Punkten.	Internet-anschluss	

2 Vorbereitung der Präsentation

SOZIALFORM	ABLAUF	MATERIAL	ZEIT
Partnerarbeit Einzelarbeit	a) Die TN entscheiden, wer zu welchem Thema spricht. Sie teilen die Punkte auf. Nun arbeitet zunächst jede/r für sich, macht sich eine Gliederung und einen Zettel/Karteikärtchen mit Stichworten. Geben Sie den TN den Tipp, auf den Zettel / auf die Karteikärtchen nur Erinnerungshilfen zu schreiben und die Stellen deutlich zu machen, wo ein Foto oder der Videoclip präsentiert werden soll. Auf keinen Fall sollten ganze Sätze auf dem Zettel stehen, damit die TN nicht in die Versuchung kommen, alles abzulesen.	Zettel/Karteikärtchen	
Partnerarbeit	b) Die TN überlegen sich eine Einleitung und einen Schluss. Weisen Sie die TN noch einmal auf die Redemittel „Eine Präsentation formulieren" im Kursbuch (→ S. 27/3 bzw. S. 100) und „Jemanden oder etwas präsentieren" (→ S. 103) hin. Schnelle TN können dann die komplette Präsentation schon einmal (im Stehen) üben und sich gegenseitig Feedback geben.		

3 Stellen Sie die Musikerin / den Musiker / die Band im Kurs vor.

SOZIALFORM	ABLAUF	MATERIAL	ZEIT
Plenum	Die Lernpartner stellen ihre Bands den anderen vor. **TIPP 1:** Lassen Sie nicht alle an einem Unterrichtstag sprechen, damit das Thema nicht langweilig wird. Nennen Sie aber zuvor den Lernpartnern den genauen Präsentationstermin. **TIPP 2:** Wenn die TN einverstanden sind, nehmen Sie sie mit der Kamera auf und nutzen Sie das Video zu einem späteren Zeitpunkt für ein individuelles Feedback. **TIPP 3:** Schreiben Sie keine Fehler mit, um den TN nicht zusätzlich das Gefühl von einer Prüfung zu geben.	Videokamera/ Handy	
Einzelarbeit	**AB 96/Ü27** Schreibübung zum Thema „Musik"; auch als Hausaufgabe geeignet.		

Mein Dossier

SOZIALFORM	ABLAUF	MATERIAL	ZEIT
Einzelarbeit	**AB 96/Ü28** Die TN beschreiben ihr Lieblingslied; wo, wann und warum hören sie es gern? **TIPP:** Die TN müssen das Lied nicht komplett übersetzen, aber vielleicht können sie mit ihren eigenen Worten sagen, worum es geht; auch als Hausaufgabe geeignet.		

Ich kann jetzt ...

SOZIALFORM	ABLAUF	MATERIAL	ZEIT
Einzelarbeit	Die TN markieren, was auf sie zutrifft.		
Plenum	**VERTIEFUNG 1:** Fragen Sie die TN, was ihnen beim Recherchieren im Internet schwergefallen ist, wo sie Verständnisprobleme hatten und ob es schwer war, die passenden deutschen Suchbegriffe einzugeben. Die TN erzählen von ihren Erfahrungen. **TIPP:** Machen Sie an dieser Stelle sehr deutlich, wie komplex die TN gearbeitet haben und wie gut sie bereits auch ungesteuert in der Fremdsprache klarkommen.		
Plenum	**VERTIEFUNG 2:** Die TN erzählen, auf welche Band sie durch die Präsentationen aufmerksam geworden sind und von welcher Band sie gern mehr hören wollen.		
Einzelarbeit	**VERTIEFUNG 3:** Die TN schreiben einer Freundin / einem Freund eine E-Mail und berichten ihr/ihm von einer Band, die sie im Unterricht kennengelernt haben.		

AUSSPRACHE: Satzakzent und Satzmelodie (Arbeitsbuch → S. 97)

1 Satzakzent

SOZIALFORM	ABLAUF	MATERIAL	ZEIT
Plenum	a) Die TN hören und markieren das betonte Wort. **TIPP:** Weisen Sie die TN darauf hin, dass es in jedem Satz Wörter gibt, die besonders stark betont werden, weil sie für den Inhalt wichtig sind und auch die Aussage verändern können. Deshalb ist oft die richtige Betonung für das Verstehen von Aussagen ausschlaggebend.	AB-CD 1/37	
Plenum	b) Die TN hören und sprechen nach. **TIPP:** Machen Sie diese Übung in Bewegung: Die TN laufen durch den Raum und hören die Sätze. Wenn etwas betont wird, machen sie eine bestimmte Bewegung: klatschen, springen, Arme in die Luft etc.	AB-CD 1/38	

2 Satzmelodie

SOZIALFORM	ABLAUF	MATERIAL	ZEIT
Plenum	a) Die TN hören und setzen die richtigen Pfeile. **TIPP:** Auch diese Übung geht gut in Bewegung und wird dadurch klarer: Geht die Stimme hoch, heben die TN die Arme, bleibt sie gleich, haben die TN die Arme seitlich gestreckt, und geht sie nach unten, hängen die Arme nach unten.	AB-CD 1/39	
Plenum	b) Die TN hören und sprechen nach. **TIPP:** Lassen Sie die TN im **Mönchsgang** (Glossar → S. 156) durch den Raum laufen und nachsprechen.	AB-CD 1/40	

LERNWORTSCHATZ (Arbeitsbuch → S. 98–99)

SOZIALFORM	ABLAUF	MATERIAL	ZEIT
Einzelarbeit	**LERNSTRATEGIE-TIPP 6:** Die TN beschreiben die Nomen aus der Wortschatzliste jeweils mit einem Relativsatz, zum Beispiel *Eine Geige ist ein Instrument, das man in einem Orchester braucht. Der Tanz, den ihr gezeigt habt, ist schön.*		

LEKTIONSTEST 6 (Arbeitsbuch → S. 100)

SOZIALFORM	ABLAUF	MATERIAL	ZEIT
Einzelarbeit	Mithilfe des Lektionstests haben die TN die Möglichkeit, ihr neues Wissen in den Bereichen Wortschatz, Grammatik und Redemittel zu überprüfen. Wenn die TN mit einzelnen Bereichen noch Schwierigkeiten haben, können sie gezielt noch einmal einzelne Module wiederholen.		

REFLEXION DER LEKTION

SOZIALFORM	ABLAUF	MATERIAL	ZEIT
Plenum	Sammeln Sie mit den TN Musikwortschatz an der Tafel: *Lösung:* Nomen: *Konzert, Oper, Festival, Band, Sänger, Gitarrist, Bassist, Keyboarder, Geiger, Trompete, Trommel, Schlagzeug, Flöte, Chor, Disco, Noten, Instrument, Mikrofon, Album, Melodie, CD, Klavier, Orgel, Musikstück, Klassik, Pop, Rock;* Verben: *auftreten, komponieren, dirigieren, spielen, singen*		
Plenum Gruppenarbeit	**VERTIEFUNG:** Sammeln Sie verschiedene Fragen an der Tafel: *Was machen Sie gern in Ihrer Freizeit? Welches Instrument gefällt Ihnen besonders gut? Welcher Musikstil gefällt Ihnen (gar nicht)? Wo hören Sie Musik? Welche deutschsprachigen Bands haben Sie kennengelernt?* etc. Die TN bilden mithilfe des Wortschatzes und der Fragen verschiedene Minigespräche. Beispiel: *Was machen Sie/Was machst du gern in Ihrer/deiner Freizeit? – Ich gehe gern in die Oper. – Echt? Ich überhaupt nicht.*		
Plenum	Wählen Sie gemeinsam ein deutschsprachiges Lied aus und machen Sie **Liedtextpflücken** (Glossar → S. 156).	Kopien eines Liedtextes	

EINSTIEG

Vor dem Öffnen des Buches

SOZIALFORM	ABLAUF	MATERIAL	ZEIT
Plenum	Malen Sie einen Geldschein an die Tafel oder/und bringen Sie verschiedene Münzen und Geldscheine mit in den Kurs. Schreiben Sie an zwei Flipcharts das Alphabet von A bis Z und teilen Sie den Kurs in zwei Gruppen. Geben Sie eine Zeit vor und lassen Sie die TN so viele Assoziationen wie möglich zum Thema finden. Das können auch Kollokationen und Redewendungen sein wie *Geld ausgeben* und *Geld stinkt nicht*. Prüfen Sie danach gemeinsam: Welche Gruppe hat die meisten Assoziationen gefunden? Passen sie alle zum Thema?	Münzen, Geldscheine, Flipcharts	
Einzelarbeit Plenum	**AB 101/Ü1** Wortschatz-Quiz zum Thema „Geld". Diese Übung eignet sich gut zur Aktivierung des Wortfeldes der Lektion. Kontrolle im Plenum.		

1 Kennen Sie dieses Quiz? Berichten Sie.

SOZIALFORM	ABLAUF	MATERIAL	ZEIT
Plenum	Die TN schauen das Foto an und beantworten die Fragen. *Lösung: In Deutschland heißt das Spiel* Wer wird Millionär? *und ist die deutsche Ausgabe der britischen Quizshow* Who wants to be a Millionaire? *Inzwischen wird es weltweit gespielt.*		

2 Ihr Quiz!

SOZIALFORM	ABLAUF	MATERIAL	ZEIT
Einzelarbeit Gruppenarbeit	Die TN lesen die Spielanleitung. Lassen Sie eine/n TN mit eigenen Worten erklären, was zu tun ist. Die TN schreiben in Dreiergruppen Quizkarten. **TIPP:** Geben Sie nicht zu viele Rubriken vor wie zum Beispiel *Geld, Musik, Sport, Geografie*. Wenn die TN zu viel Entscheidungsfreiheit haben, sind sie oft blockiert und brauchen zu lange, um überhaupt anzufangen. Die TN spielen anhand der Spielanleitung im Kurs. Sie oder ein/e TN können die Rolle des Quizmasters übernehmen. Inszenieren Sie abschließend eine feierliche „Geldübergabe".	Papiergeld	

SPRECHEN 1

1 Spiele

SOZIALFORM	ABLAUF	MATERIAL	ZEIT
Plenum	Die TN berichten von ihren Spielerfahrungen, ihren Lieblingsspielen und den Spielen auf den Bildern.		
Einzelarbeit	**AB 102/Ü3** Landeskundlicher Text über den Verein „Spiel des Jahres", angelehnt an *Wussten Sie schon?* im Kursbuch.		

2 Lesen Sie die Spielanleitung.

SOZIALFORM	ABLAUF	MATERIAL	ZEIT
Einzelarbeit	Die TN lesen die Spielanleitung und äußern ihre Vermutungen. *Lösung: Monopoly*		

3 Was ist richtig? Markieren Sie.

SOZIALFORM	ABLAUF	MATERIAL	ZEIT
Einzelarbeit Plenum	Die TN markieren die richtige Antwort. Kontrolle im Plenum. *Lösung: 1 Strategiespiel; 2 den anderen Spielern das Geld abzunehmen. 3 Spielgeld, Karten, Würfel, Brett und Figuren. 4 alle bis auf einen Spieler kein Geld mehr haben.*		
Einzelarbeit	**AB 101/Ü2** Wortschatzübung zum Wortfeld „Spielen"; auch als Hausaufgabe geeignet.	AB-CD 1/41	

4 Passiv

SOZIALFORM	ABLAUF	MATERIAL	ZEIT
Einzelarbeit	a) Die TN lesen die Sätze und ergänzen, bei welcher Form es sich um den Nominativ bzw. Akkusativ handelt. Kontrolle im Plenum. *Lösung: Aktiv: dieses Brettspiel = Akkusativ; Passiv: Dieses Brettspiel = Nominativ*		
Einzelarbeit Plenum	b) Die TN ergänzen die Regeln zum Passiv. Kontrolle im Plenum. *Lösung: ... Verb werden und dem Partizip II des Verbs / ... mit der Präposition von ...* Weisen Sie die TN auf die Grammatikübersicht im Kursbuch (→ S. 86a+b) hin. **VERTIEFUNG:** Fordern Sie die TN auf, Tätigkeiten zu nennen, die passieren, ohne dass man üblicherweise die Person kennt, die diese Tätigkeit ausübt, wie zum Beispiel *Bus fahren, eine Zeitung drucken, das Auto reparieren* etc. Legen Sie dafür an der Tafel einen Wortigel an. Dadurch können Sie noch einmal die Intention des Passivs verdeutlichen.		

5 Wie lauten die Sätze im Passiv? Ergänzen Sie.

SOZIALFORM	ABLAUF	MATERIAL	ZEIT
Plenum Partnerarbeit Einzelarbeit	Die TN formen die Sätze ins Passiv um. Kontrolle im Plenum. *Lösung: 2 ... werden gezogen. 3 ... werden gekauft. 4 ... werden auch verkauft. 5 ... wird von den Spielern bezahlt.* **VERTIEFUNG:** Die TN lesen oder schreiben (Binnendifferenzierung) die Spielanleitung von S. 76/2 im Passiv, soweit möglich.		
Einzelarbeit	**AB 102/Ü4** Grammatikwiederholung: *werden* als Vollverb und *werden* + Infinitiv.		
Einzelarbeit	**AB 103/Ü5** Grammatik entdecken: das Passiv.		
Einzelarbeit	**AB 104/Ü6–9** Übungen zum Passiv; Übung 9 ist auch als Hausaufgabe geeignet.		

6 Arbeiten Sie zu viert. Erklären Sie ein Spiel, das Sie gern mögen. Sprechen Sie.

SOZIALFORM	ABLAUF	MATERIAL	ZEIT
Gruppenarbeit Plenum	Jede/r in der Gruppe nennt den Namen des Spiels, das Zubehör etc. Achten Sie darauf, dass die TN die Redemittel im Kursbuch (→ S. 77) anwenden. **VERTIEFUNG:** Fordern Sie die TN im Plenum auf, ihre Lieblingsspiele (soweit Spielsteine etc. notwendig sind) mitzubringen. Die TN teilen sich in vier „Farbgruppen" auf. Jede Gruppe einigt sich auf ein Spiel, das nicht so kompliziert ist. Der TN, der das Spiel mitgebracht hat, erklärt das Spiel. Weisen Sie die TN darauf hin, dass sie dabei möglichst oft das Passiv verwenden. Jede/r TN sollte die Regeln genau verstehen (ggf. ist ein Spieldurchlauf notwendig). Das Spiel wird so lange wiederholt, bis alle in der Gruppe verstanden haben, wie es funktioniert. Dann werden **Expertengruppen** (Glossar → S. 155) gebildet: In jeder Expertengruppe ist jeweils ein Mitglied einer Farbe vertreten. Diese erklären sich nun gegenseitig ihre Spiele. Danach einigen sich die TN in der neuen Gruppe wieder auf ein Spiel und spielen es zusammen.	Spiele	

Ich kann jetzt ...

SOZIALFORM	ABLAUF	MATERIAL	ZEIT
Einzelarbeit	Die TN markieren, was auf sie zutrifft.		

LESEN 1

1 Beschreiben Sie die Fotos.

SOZIALFORM	ABLAUF	MATERIAL	ZEIT
Partnerarbeit Plenum	a)+b) Die TN gehen zu zweit zusammen und beantworten und begründen die Fragen. Sprechen Sie im Plenum darüber. *Lösung: a. A: Die Frau ist im Supermarkt und wählt Produkte aus, die sie einkaufen möchte. B: Das ist im Kaufhaus/Bekleidungsgeschäft und die Verkäuferin berät den Kunden bei der Wahl der richtigen Krawatte.* *b. A: Die Schokolade liegt verführerisch in Augenhöhe. B: Die Verkäuferin sagt dem Kunden, wie gut ihm die Krawatte steht. Sie macht ihm generell Komplimente.*		

2 Machen Sie einen Test.

SOZIALFORM	ABLAUF	MATERIAL	ZEIT
Plenum Einzelarbeit	Klären Sie zunächst unbekannten Wortschatz wie *sich verführen lassen, Augenhöhe, sich überreden lassen, ...* im Plenum. Dann machen die TN den Test.		

3 Ihr Testergebnis

SOZIALFORM	ABLAUF	MATERIAL	ZEIT
Plenum Einzelarbeit	Klären Sie auch hier ggf. unbekannten Wortschatz wie *unüberlegt einkaufen* etc. im Plenum. a) Die TN zählen ihre Punkte zusammen und lesen, welcher Einkaufstyp sie sind. Danach können sie die anderen Punkte lesen.		
Plenum	b) Die TN sprechen über ihr Ergebnis und über ihre Einkaufsgewohnheiten generell. **VERTIEFUNG:** Kopieren Sie die Kopiervorlage Lektion 7/1 für jeden TN. Die TN befragen sich gegenseitig nach ihrem Einkaufsverhalten. Wer als Erstes zu jedem Punkt einen Namen aus dem Kurs findet, ruft laut „Fertig!" und hat gewonnen. Jeder Name aus der Gruppe darf aber nur einmal auf der Kopiervorlage erscheinen, um zu verhindern, dass die TN sich nur mit einer Person unterhalten.	Kopiervorlage Lektion 7/1	
Einzelarbeit	**AB 105/Ü10** Wortschatzübung zum Thema „Einkaufsgewohnheiten"; auch als Hausaufgabe geeignet.		

Ich kann jetzt …

SOZIALFORM	ABLAUF	MATERIAL	ZEIT
Einzelarbeit	Die TN markieren, was auf sie zutrifft.		

SPRECHEN 2

1 Flohmarkt

SOZIALFORM	ABLAUF	MATERIAL	ZEIT
Partnerarbeit Plenum Partnerarbeit	a) Die TN überlegen, was sie verkaufen könnten, und machen eine Liste. **TIPP:** Bei so vielen Gegenstandslisten lohnt es sich, die Artikel zu überprüfen, zum Beispiel mit **Artikelgymnastik** (Glossar → S. 154). Lesen Sie dazu jede Liste vor. Anschließend wählen die TN einen Gegenstand aus ihrer Liste aus.		
Partnerarbeit	b) Die TN beschreiben auf einer Karte / einem Stück Papier den Gegenstand wie im Beispiel. Sie können dazu ein Bild malen und es im Raum aufhängen. Auf diese Beschreibungen wird in Aufgabe 4 noch einmal zurückgegriffen.	evtl. Karten aus festem Papier	

2 Verkaufsgespräch

SOZIALFORM	ABLAUF	MATERIAL	ZEIT
Einzelarbeit	a) Die TN hören das Gespräch und markieren, was nicht passt. *Lösung: Der Verkäufer bietet einen hohen Preis. / Der Käufer verlangt einen hohen Preis.*	CD 2/18	
Einzelarbeit	b) Die TN hören das Gespräch noch einmal und notieren, wer was sagt. *Lösung: 1 V; 3 K; 4 K; 5 V; 6 K*	CD 2/18	
Einzelarbeit	**AB 105/Ü11** Hörübung zu den Redemitteln „Ein privates Verkaufsgespräch führen"; auch als Hausaufgabe geeignet.	AB-CD 1/42	

3 Passiv in der Vergangenheit

SOZIALFORM	ABLAUF	MATERIAL	ZEIT
Einzelarbeit Plenum	Die TN suchen Passivsätze in Aufgabe 2b) und ergänzen die Tabelle. Kontrolle im Plenum. Weisen Sie die TN dann auf die Grammatikübersicht im Kursbuch (→ S. 86/1c) hin. *Lösung:* <table><tr><td>Position 1</td><td>Position 2</td><td></td><td>Satzende</td></tr><tr><td>Von diesen Schuhen</td><td>*sind*</td><td>nur wenige</td><td>*hergestellt worden.*</td></tr><tr><td>Die</td><td>*wurden*</td><td>doch überall ganz günstig</td><td>*verkauft!*</td></tr><tr><td>Sie</td><td>*wurden*</td><td>nie</td><td>*getragen.*</td></tr></table>		
Einzelarbeit	**AB 106/Ü12** Grammatik entdecken: Passiv in der Vergangenheit; auch als Hausaufgabe geeignet.		
Einzelarbeit	**AB 106–107/Ü13** Anwendungsübung zum Passiv in der Vergangenheit; auch als Hausaufgabe geeignet.		

4 Verkaufsgespräch auf dem Flohmarkt

SOZIALFORM	ABLAUF	MATERIAL	ZEIT
Einzelarbeit	a) Teilen Sie den Kurs in zwei Gruppen auf: Verkäufer und Käufer. Die Verkäufer sehen sich die Gegenstände aus Aufgabe 1 an und wählen eine Karte mit einem Gegenstand aus.	Karten aus Aufgabe 1 b	
Einzelarbeit	b) Zur Vorbereitung des Rollenspiels schreiben die TN die Redemittel aus Aufgabe 2b auf Papierstreifen.	Papierstreifen	
Partnerarbeit	c) Wandeln Sie die Tische in Verkaufstische um. Die Verkäufer stellen sich hinter ihre Produkte und legen die Papierstreifen auf den Tisch, während die Käufer sich ein Produkt aussuchen, das sie gern kaufen möchten. Käufer und Verkäufer führen mithilfe der Redemittel Verkaufsgespräche. Helfen Sie bei Schwierigkeiten. Die TN tauschen auch mal die Rollen.	Karten aus Aufgabe 1 b, Papierstreifen aus Aufgabe 4b	
Partnerarbeit	**AB 107/Ü14** Sprechübung zu Einkäufen im Internet, Anwendung der Passivformen in der Vergangenheit.		

Ich kann jetzt ...

SOZIALFORM	ABLAUF	MATERIAL	ZEIT
Einzelarbeit	Die TN markieren, was auf sie zutrifft.		
Plenum	**VERTIEFUNG:** Spielen Sie nicht nur Flohmarkt, sondern *machen* Sie einen Flohmarkt. Fordern Sie die TN auf, Gegenstände, die sie *wirklich* verkaufen wollen, mitzubringen, wie in Aufgabe 1 anzubieten und Verkaufsgespräche durchzuführen. Danach können Sie „Kommissare" festlegen, die herumlaufen und überprüfen, ob die Gegenstände wirklich verkauft worden sind: *Wie viel ist geboten worden? Wie viel ist bezahlt worden? Ist in bar gezahlt worden? Sind alle zufrieden?* etc.	Gegenstände für einen echten Verkauf	

LESEN 2

1 Lesen Sie die Überschrift des Artikels in Aufgabe 2.

SOZIALFORM	ABLAUF	MATERIAL	ZEIT
Einzelarbeit Plenum	Die TN lesen die Überschrift und den Lerntipp, schlagen das Wort *Beute* im Wörterbuch nach und äußern dann ihre Vermutungen im Plenum. **TIPP:** Der Lerntipp soll den TN helfen, Texte durch Aktivierung des Vorwissens besser zu verstehen. Je besser man sich durch sein Vorwissen auf den Inhalt „vorbereiten" kann, desto besser kann die neue Information mit dem bereits Bekannten verknüpft werden. Lernen ist dann umso erfolgreicher, je mehr inhaltsbezogenes Vorwissen zur Verfügung steht, d.h., diese Strategie bleibt bis in die oberen Niveaustufen interessant!	Wörterbuch	

2 Lesen Sie jetzt einige Interviewfragen.

SOZIALFORM	ABLAUF	MATERIAL	ZEIT
Partnerarbeit Plenum	a) Die TN lesen die Interviewfragen und überlegen sich zu zweit mögliche Antworten von Herrn Schneider. Notieren Sie die Antworten im Plenum an der Tafel.		
Plenum	b) Die TN lesen das Interview und überprüfen gemeinsam ihre Vermutungen.		

3 Was sagt der Experte?

SOZIALFORM	ABLAUF	MATERIAL	ZEIT
Plenum	a) Die TN suchen die passenden Absätze zu den Fragen. *Lösung: Unterschied Männer / Frauen: Absatz 4; Wünsche: Absatz 3*		
Plenum	b) Sie versuchen, die Erklärungen von Herrn Schneider mit eigenen Worten auszudrücken. **VERTIEFUNG:** In diesem Zusammenhang können Sie mit den TN auch das „suchende Lesen" üben. Zeigen Sie ihnen für wenige Sekunden zum Beispiel einen Medikamentenbeipackzettel über Overhead oder Beamer mit nur einem Arbeitsauftrag (zum Beispiel *Wie hoch ist die tägliche Dosierung des Medikaments?*). Es ist normal, dass die TN die Lösung nicht gleich finden. Üben Sie diese Methode auch mit anderen Textsorten, Gebrauchsanweisungen etc. und jeweils einer Aufgabe dazu. Geben Sie den Hinweis, wie man suchend liest: *Schauen Sie nach Schlüsselwörtern wie Namen oder Datumsangaben, Uhrzeiten und mathematischen Formeln. Wer hat die Lösung als Erstes gefunden?*	verschiedene Textsorten wie Gebrauchs-anweisung, Medikamenten-beipackzettel etc. Beamer/Over-head	

4 Welche dieser Tipps gibt Herr Schneider <u>nicht</u>? Streichen Sie.

SOZIALFORM	ABLAUF	MATERIAL	ZEIT
Einzelarbeit	Die TN streichen Tipps, die Herr Schneider nicht gibt. *Lösung: zusammen mit Freunden einkaufen, Sonderangebote kaufen, wenig Geld mitnehmen*		

5 Passiv mit Modalverb

SOZIALFORM	ABLAUF	MATERIAL	ZEIT
Einzelarbeit	a) Die TN lesen das Beispiel und formulieren die Tipps um. *Lösung: Sonderangebote sollen nicht sofort gekauft werden. Einkäufe müssen geplant werden. Als Vorbereitung kann eine Einkaufsliste geschrieben werden.*		
Einzelarbeit	b) Die TN ergänzen die Tabelle. Weisen Sie die TN auch auf die Grammatikübersicht im Kursbuch (→ S. 86/1d) hin. *Lösung:* 	Position 1	Position 2		Satzende	 	---	---	---	---	 	Sonderangebote	*sollen*	nicht sofort	*gekauft werden.*	 	Einkäufe	*müssen*		*geplant werden.*	 	Als Vorbereitung	*kann*	eine Einkaufsliste	*geschrieben werden.*			
Einzelarbeit	**AB 107/Ü15** Grammatikübung zum Passiv mit Modalverben.		

Ich kann jetzt ...

SOZIALFORM	ABLAUF	MATERIAL	ZEIT
Einzelarbeit	Die TN markieren, was auf sie zutrifft.		
Gruppenarbeit	Die TN geben Tipps für den Kursraum, zum Beispiel *Die Küche muss jeden Tag aufgeräumt werden. Die Tische sollen geputzt werden. Die Wände können neu gestrichen werden.* etc. Welche Tipps könnten umgesetzt werden? Sprechen Sie darüber mit den TN.		

WORTSCHATZ

1 Einkaufsgewohnheiten

SOZIALFORM	ABLAUF	MATERIAL	ZEIT
Partnerarbeit Plenum	a)+b) Die TN machen Wortigel zu Einkaufsgewohnheiten und sprechen anschließend über ihre eigenen. Schön ist es, wenn die Wortigel auf Plakate geschrieben und danach im Raum aufgehängt werden können.	Plakate	
Einzelarbeit	**AB 108/Ü16a+b** Erweiternde Hörverstehensübung; auch als Hausaufgabe geeignet.	AB-CD 1/43	

2 Kennen Sie diese beiden?

SOZIALFORM	ABLAUF	MATERIAL	ZEIT
Partnerarbeit	a) Die TN sprechen über ihre Vermutungen bzw. über das, was sie über die Figuren wissen (zum Beispiel *dass Dagobert zwar viel Geld hat, sich aber immer um sein Geld sorgt.*) *Lösung: A = Donald Duck: hat immer Geldprobleme / B= Dagobert Duck: ist geizig und spart, hat viel Geld*		

	b)+c) Die TN ordnen die Aussagen zu und berichten dann von einer der Figuren.	Rammstein-CD	
Einzelarbeit Plenum	*Lösung: A: seine Kreditkarte ist gesperrt, gibt viel aus, überzieht sein Konto, muss sparen, bekommt wenig Zinsen, muss einen Kredit aufnehmen; B: kann die Miete überweisen, kann seine Rechnungen bezahlen, spart gerne Geld, hat immer Geld auf seinem Sparbuch.*		
	VERTIEFUNG: Wenn die Atmosphäre im Kurs stimmt, können die TN auch unterstreichen, welche der Aussagen gut, welche überhaupt nicht auf sie selbst zutrifft.		
Einzelarbeit	**AB 108/Ü17** Übung zu Kollokationen rund ums Geld; auch als Hausaufgabe geeignet.		

3 Nachsilben

SOZIALFORM	ABLAUF	MATERIAL	ZEIT
Partnerarbeit	Die TN ergänzen und vergleichen die Artikel mit ihrer Lernpartnerin / ihrem Lernpartner.		
	Lösung: der Banker, die Bäckerei, die Elektronik, der Elektronikhändler, die Garantie, die Industrie, das Kästchen, der Praktikant, der Student, die Mehrheit, das Päckchen, die Quittung, die Rechnung, die Sicherheit, der Verkäufer, die Werbung		
Einzelarbeit	b) Die TN markieren die Nachsilben und ergänzen die Tabelle. Kontrolle im Plenum. Weisen Sie die TN auch auf die Grammatikübersicht im Kursbuch (→ S. 86/2) hin.		
	Lösung: -er, ... → der; -chen → das; -ung, ... → die		
Einzelarbeit	**AB 108–109/Ü18–19** Wortbildungsübungen zu Nomen; auch als Hausaufgabe geeignet.		
Einzelarbeit	**AB 109/Ü20** Leseübung zum Filmtipp „Soul Kitchen"; auch als Hausaufgabe geeignet.		

Ich kann jetzt ...

SOZIALFORM	ABLAUF	MATERIAL	ZEIT
Einzelarbeit	Die TN markieren, was auf sie zutrifft.		
Plenum	**VERTIEFUNG:** Lassen Sie die TN eine **Merkkette** (Glossar → S. 156) zum Wortfeld *Geld* wie im Beispiel machen: *Ich kann Geld sparen./ Max kann Geld sparen und ich kann Geld überweisen. Max kann Geld sparen, Moritz kann Geld überweisen und ich kann Geld abheben. ...*		
	TIPP: Beginnen Sie nach einer Weile eine neue Merkkette, zum Beispiel zum Wortfeld „Konto" oder „Münzen".		
Plenum	**VERTIEFUNG:** Nennen Sie Nomen (verstärkt mit Nachsilben aus 3b) und fordern Sie die TN auf, den richtigen Artikel zu nennen und ggf. die Begründung dafür, falls es eine gibt. Ggf. können Sie hier die Kopiervorlage Lektion 1/2 auf den neuen Wortschatz hin bearbeiten und noch einmal zum Einsatz bringen.	Kopiervorlage Lektion 1/2	

HÖREN

1 Eine Radiosendung

SOZIALFORM	ABLAUF	MATERIAL	ZEIT
Partnerarbeit	a) Die TN sehen die Fotos an und lesen die Aufgabenstellung. Sie sprechen über ihre Vermutungen und schreiben zwei Sätze dazu auf.		
Partnerarbeit Plenum	b) Die TN hören den Anfang der Sendung und überprüfen ihre Vermutungen. Kontrolle im Plenum.	CD 2/19	

2 Hören Sie jetzt die Sendung.

SOZIALFORM	ABLAUF	MATERIAL	ZEIT
Einzelarbeit	Die TN hören die Sendung in drei Abschnitten. Lassen Sie zwischendurch immer eine Pause, damit die TN die Antworten markieren können. *Lösung:* Beate & Ludwig: *1, 2, 4: Übersetzer;* Karin & Stefan: *4: Computerfachmann;* Michaela & Robbie: *1, 2, 3, 4: Elektriker*	CD 2/20–22	

3 Hören Sie jetzt die Sendung noch einmal.

SOZIALFORM	ABLAUF	MATERIAL	ZEIT
Einzelarbeit Plenum	Die TN hören die Sendung noch einmal und markieren, welche Aussage zu welchem Paar passt. Kontrolle im Plenum. *Lösung: 1 Ludwig; 2 Beate; 4 Karin; 5 Michaela; 6 Robbie*	CD 2/23	

4 Ihre Meinung zu den Interviews

SOZIALFORM	ABLAUF	MATERIAL	ZEIT
Gruppenarbeit	**INTERKULTURELLES:** Da diese Rollenverteilung – ob nun gewollt oder nicht – in vielen Ländern sehr unüblich ist, eignet sich das Thema auch für einen interkulturellen Vergleich. Schreiben Sie also weitere Diskussionspunkte an die Tafel: zum Beispiel *Was würde die Familie des Mannes in Ihrem Heimatland dazu sagen, wenn die Frau die Verdienerin wäre und der Mann putzen würde?* etc.		
Einzelarbeit	**AB 110/Ü21** Wortschatzübung zum Thema „Rollentausch"; auch als Hausaufgabe geeignet.		

Ich kann jetzt ...

SOZIALFORM	ABLAUF	MATERIAL	ZEIT
Einzelarbeit	Die TN markieren, was auf sie zutrifft.		

SCHREIBEN

1 Online einkaufen

SOZIALFORM	ABLAUF	MATERIAL	ZEIT
Partnerarbeit Plenum	Die TN gehen zu zweit zusammen und befragen sich anhand der Fragen zu ihren letzten Interneteinkäufen. Anschließend präsentieren sie die Antworten ihrer Lernpartnerin / ihres Lernpartners im Plenum.		
Plenum	**LANDESKUNDE:** Im deutschsprachigen Raum nimmt das Internetshopping zu. Für 2012 rechnet der Handelsverband Deutschland (HDE) mit täglich 81 Millionen Euro, die die Deutschen im Internet ausgeben. Insgesamt wird für das Jahr ein Umsatz von 29,5 Milliarden Euro erwartet. Das ist im Vergleich zum Vorjahr ein Plus von 13 Prozent. Besonders stark gefragt bei Internet-Käufern sind Bücher, Bild- und Tonträger, Unterhaltungselektronik, Bekleidung und Schuhe. **INTERKULTURELLES:** Fragen Sie: *Wie üblich ist das Internet-Shopping in Ihrem Land?*		

2 Wie funktioniert Online-Shopping?

SOZIALFORM	ABLAUF	MATERIAL	ZEIT
Partnerarbeit Plenum	a)+b) Die TN finden die richtige Reihenfolge und erklären dann mithilfe der Konnektoren den Ablauf. Kontrolle im Plenum. *Lösung: 2 im Online-Katalog die Ware aussuchen; 3 ein Online-Bestellformular ausfüllen; 4 meine persönlichen Daten im Formular eingeben; 5 per Karte oder Überweisung bezahlen; 6 die Warensendung annehmen*		

3 Einen Diskussionsbeitrag schreiben

SOZIALFORM	ABLAUF	MATERIAL	ZEIT
Einzelarbeit	a) Die TN markieren die positiven Meinungen zum Online-Shopping. *Lösung: Ina Hauschild; Jörg Hoppe*		
Einzelarbeit Plenum	b) Die TN schreiben die passenden Zeichen hinter die Stichworte. Kontrolle im Plenum. *Lösung: nötige Technik -, Verhalten der Käufer -; Zeitaufwand +*		
Einzelarbeit	c) Weisen Sie die TN noch einmal auf alle Redemittel hin und lassen Sie sie dann einen Text für das Forum schreiben. Wenn möglich, sammeln Sie die Texte ein und bereiten Sie eine individuelle Fehlerkorrektur vor.		
Einzelarbeit Plenum	AB 110/Ü22 Übung zur Anwendung der Redemittel „Die eigene Meinung äußern", siehe auch Kursbuch (→ S. 102). Fordern Sie die TN nach Abschluss der Übung auf, ihre eigene Meinung zu dem Thema zu sagen.		

Ich kann jetzt …

SOZIALFORM	ABLAUF	MATERIAL	ZEIT
Einzelarbeit	Die TN markieren, was auf sie zutrifft.		
Plenum	Die TN sagen im **Blitzlicht** (Glossar → S. 154) ihre Meinung zu dem Thema „Online-Shopping": Die TN werden dabei gebeten, nur einen Satz, der ihnen blitzartig zu dem Thema einfällt, zu sagen.		

SEHEN UND HÖREN

1 Genre des Films „Kleingeld"

SOZIALFORM	ABLAUF	MATERIAL	ZEIT
Plenum Gruppenarbeit	Die TN hören die Musik und sprechen über ihre Vermutungen. **VERTIEFUNG:** Die TN sehen sich das Foto an und überlegen, worum es in diesem Film, der „Kleingeld" heißt, gehen könnte. Sie schreiben eine kleine Geschichte dazu.	DVD 28	

2 Sehen Sie den Film in Abschnitten an.

SOZIALFORM	ABLAUF	MATERIAL	ZEIT
Partnerarbeit	<u>Abschnitt 1:</u> Die TN sehen den Abschnitt an und machen zunächst eine Liste. Dann beschreibt jede/r TN einen der beiden Männer. *Lösung:* der Geschäftsmann: *gesund, sehr beschäftigt, glatt rasiert, hell, reich, sauber, mit Brille, gut verdienend, gut gekleidet;* der Bettler: *krank, arbeitslos, arm, ungeduscht, die Haare nicht geschnitten, mit Bart, schmutzig, behindert, dunkel, …* *1 Der Geschäftsmann gibt dem Bettler jeden Tag auf dem Weg zur Arbeit Kleingeld. 2 Der Bettler will sich dafür revanchieren und putzt dessen Auto. 3 Der Geschäftsmann macht sein Auto extra schmutzig und beobachtet den Bettler.*	DVD 29	
Plenum	<u>Abschnitt 2:</u> Die TN sehen den zweiten Abschnitt und sprechen danach über die Fragen im Kursbuch. *Lösung: 1 Er versucht, sich hinter einer Frau zu verstecken, um an dem Bettler ungesehen vorbeizukommen. 2 Der Bettler hat den Geschäftsmann jedoch gesehen und folgt ihm auf den Parkplatz. Der Geschäftsmann fährt den Bettler unbeabsichtigt an.*	DVD 30	
Partnerarbeit	**VERTIEFUNG:** Teilen Sie den Kurs in zwei Gruppen: Eine Gruppe erarbeitet ein Fantasie-Gespräch zwischen dem Bettler und einem Freund, die andere zwischen dem Geschäftsmann und seiner Frau. Die TN gehen innerhalb der Gruppen zu zweit zusammen. Paarweise überlegen die TN innerhalb ihrer Gruppen, wie sie jeweils von der Begegnung mit dem anderen erzählen: a) bei den ersten Begegnungen, b) nach dem Erlebnis auf dem Parkplatz und c) als der Geschäftsmann dem Bettler das Geld anbietet. Wer möchte,		
Plenum	kann den Dialog im Plenum vorspielen.		
Einzelarbeit	**AB 111/Ü23a+b** Wortschatzübung: Synonyme zu Adjektiven finden; auch als Hausaufgabe geeignet.	einsprachiges Wörterbuch	

3 Erzählen Sie die Geschichte mithilfe Ihrer Notizen in eigenen Worten.

SOZIALFORM	ABLAUF	MATERIAL	ZEIT
Partnerarbeit Plenum	Die TN gehen zu zweit zusammen und erzählen sich gegenseitig die Geschichte mit ihren eigenen Worten. Dabei können die TN auch ihre Meinung zu dem Gesehenen abgeben. **TIPP:** Als KL ist das für Sie wieder eine gute Möglichkeit, herumzugehen und sich fehlerhafte Sätze zu notieren. Diese können Sie zu Hause für die jeweilige Person abtippen, die Fehlerstellen markieren und den TN in der nächsten Stunde zur Verbesserung aushändigen.	CD 2/23	
	AB 111/Ü24 Inhaltsangabe zum Film; auch als Hausaufgabe geeignet.		
	AB 112/Ü25 Lesetext zu Geldbeuteln von bekannten Personen. **VERTIEFUNG:** Fragen Sie die TN, ob sie schon einmal einen Geldbeutel verloren/gefunden haben und lassen Sie sie die Geschichte dazu erzählen: Geldbeutel verloren: Was war alles im Geldbeutel? / Hat die/der TN alles wiederbekommen? / Wie? / Was musste sie/er alles unternehmen, um den Pass etc. neu zu beantragen? ... Geldbeutel gefunden: Was war alles im Geldbeutel? / Wo haben die TN ihn gefunden? / Haben sie die dazugehörige Person gefunden? / Hat die Person sich bedankt? / Wie?		

Mein Dossier

SOZIALFORM	ABLAUF	MATERIAL	ZEIT
Einzelarbeit	**AB 112/Ü26** Mein Geldbeutel: Fordern Sie die TN auf, doch ihre persönlichen Geldbeutel mal zu zeigen und darüber zu sprechen, was das Besondere daran ist; auch als Hausaufgabe geeignet.		

Ich kann jetzt ...

SOZIALFORM	ABLAUF	MATERIAL	ZEIT
Einzelarbeit	Die TN markieren, was auf sie zutrifft.		

AUSSPRACHE: Kurze und lange Vokale (Arbeitsbuch → S. 113)

1 Spiel: Namen mit kurzen und langen Vokalen

SOZIALFORM	ABLAUF	MATERIAL	ZEIT
Plenum	a) Kopieren Sie die Kopiervorlage Lektion 7/2a je nach Kursgröße ein- bis zweimal und schneiden Sie Namenskärtchen aus. Jeder TN erhält ein Namenskärtchen. Ein/e TN beginnt, sagt den „neuen" Namen und ruft einen anderen Namen auf. **FOKUS PHONETIK:** Im Deutschen sind Vokale in offenen Silben (ohne nachfolgenden Konsonanten) meist lang. Das trifft auch dann zu, wenn die Silbe in der aktuellen Wortform nicht offen ist, aber geöffnet werden kann: *Weg → We-ge, Hut → Hü-te, Tag → Ta-ge.* In geschlossenen Silben – die nicht geöffnet werden können – kommen meist kurze Vokale vor: *weg, Hun-de, Näch-te.* **VERTIEFUNG:** Jede/r TN erhält ein Kärtchen der Kopiervorlage Lektion 7/2b und sucht ihre/seine Familie, indem jede/r sich vorstellt und so lange mit den anderen TN spricht, bis die Familien komplett sind. **TIPP:** Diese Übung eignet sich auch als Gruppenfindung in einer anderen Lernphase.	Kopiervorlage Lektion 7/2	
Einzelarbeit	b) Die TN hören die Wörter und markieren, wo sie lange Vokale hören.	AB-CD 1/44	

2 Hördiktat

SOZIALFORM	ABLAUF	MATERIAL	ZEIT
Einzelarbeit	a)+b) Die TN hören und ergänzen. Im Anschluss sprechen sie die Wörter nach. **TIPP:** Es ist hilfreich, wenn Sie bei der Einführung von neuem Vokabular einen Punkt unter kurze Vokale und einen Strich unter lange Vokale setzen (zum Beispiel: *rate – Ratte*). So sehen die TN von Anfang an, wie das Wort richtig betont wird und können es sich dementsprechend merken. Weisen Sie die TN auch darauf hin, dass scheinbar geringfügige lautliche Unterschiede zu Missverständnissen führen können: *Fühler – Füller, Ruhm – Rum, Röslein – Rösslein* etc.	AB-CD 1/45	

3 Flohmarkteinkäufe

SOZIALFORM	ABLAUF	MATERIAL	ZEIT
Einzelarbeit	a) Die TN hören und ergänzen.	AB-CD 1/46	
Plenum Einzelarbeit	b) Die TN hören ggf. noch einmal und umkreisen die langen Vokale. Machen Sie das erste Beispiel gemeinsam im Plenum, wenn nötig.	AB-CD 1/46	
Gruppenarbeit	c) Teilen Sie den Kurs in mehrere Gruppen. Die TN in ihrer Gruppe schreiben eine Geschichte aus den Wörtern aus a. Dann lesen sie den anderen Gruppen ihre Geschichte vor. Diese heben den linken Arm, wenn sie einen kurzen Vokal hören, und den rechten Arm, wenn sie einen langen Vokal hören. Helfen Sie bei Schwierigkeiten. **TIPP:** Diese Dreifachverbindung aus Hören, Bewegung und Koordination ist sehr anspruchsvoll. Manchmal hört man zwar richtig, ob der Vokal kurz oder lang ist, entscheidet sich aber für den falschen Arm oder umgekehrt. Animieren Sie die TN dazu, sich bei dieser Aufgabe gut zu konzentrieren.		

LERNWORTSCHATZ (Arbeitsbuch → S. 114–115)

SOZIALFORM	ABLAUF	MATERIAL	ZEIT
Einzelarbeit	**LERNSTRATEGIE-TIPP 7:** Regen Sie an, dass die TN Kollokationen immer als komplette Wortverbindungen aufschreiben und lernen, zum Beispiel *an die Reihe kommen, einen Kredit aufnehmen* etc.		

LEKTIONSTEST 7 (Arbeitsbuch → S. 116)

SOZIALFORM	ABLAUF	MATERIAL	ZEIT
Einzelarbeit	Mithilfe des Lektionstests haben die TN die Möglichkeit, ihr neues Wissen in den Bereichen Wortschatz, Grammatik und Redemittel zu überprüfen. Wenn die TN mit einzelnen Bereichen noch Schwierigkeiten haben, können sie gezielt noch einmal einzelne Module wiederholen.		

REFLEXION DER LEKTION

SOZIALFORM	ABLAUF	MATERIAL	ZEIT
Gruppenarbeit	**VERTIEFUNG 1:** Die TN wählen ein Wortfeld aus: *Geld, Einkaufen im Internet, Flohmarkt, Einkaufsverhalten*. Sie blättern in Gruppen noch einmal durch die Lektion und formulieren dann jeweils eine Aufgabe zum Wortschatz, zum Passiv, zu Nachsilben. Diese Aufgaben stellen sie dann den anderen Gruppen, ggf. wieder über die Expertengruppen-Methode (Glossar → S. 155). **VERTIEFUNG 2:** Denken Sie sich Themen und Situationen aus (zum Beispiel Lebensmittel, Kleidungsstücke, Städtenamen, …), mit denen man spezifische phonetische Probleme üben kann. Sammeln Sie zum Beispiel mit den TN Wortmaterial für lange und kurze Vokale. Lassen Sie die TN die gesammelten Wörter aufschreiben und fordern Sie sie auf, lange und kurze Vokale zusätzlich zu Punkten und Strichen mit unterschiedlichen Farben zu markieren. Zum Beispiel Lebensmittel (lassen sich gut mit einem Wortigel darstellen): Brot, Brötchen, Kuchen, Butter, Ei, Käse, Wurst, Salat, Kaffee, Müsli, Quark, Apfel.		

EINSTIEG

1 Lernphasen im Leben

SOZIALFORM	ABLAUF	MATERIAL	ZEIT
Einzelarbeit	a) Die TN überlegen, in welchem Alter ein Mensch etwas lernt und ergänzen. Sie können auch noch weitere typische Aktivitäten hinzufügen: *Auto fahren, einen Beruf erlernen, eine Ausbildung machen, ...*		
Partnerarbeit Plenum	b) Die TN sprechen zunächst zu zweit, dann im Plenum über ihre Ergebnisse.		
Plenum	c) Die TN diskutieren darüber, was man weltweit im gleichen Alter lernt und wo es Unterschiede gibt und warum das so sein könnte.		
Plenum	d) Die TN nennen ihre Vermutungen. Schreiben Sie sie an die Tafel. Sprechen Sie im Plenum darüber. Geben Sie den TN dann noch mehr Hintergrundwissen: Bis zur Pubertät hat jeder Mensch eine Fülle von Synapsenverbindungen, das heißt, wenn eine Information das Gehirn erreicht, kann sie schnell verarbeitet werden. Nach der Pubertät nimmt die Zahl der Synapsenverbindungen stark ab. Dann kann man „nur" noch schnell auf den „Straßen" im Kopf fahren, die schon vorher gebaut wurden. Hat man als Kind also ganz unterschiedliche Dinge gelernt, sind viele „Straßen" schon angelegt; ist das nicht der Fall, ist es mühseliger, weil es nicht mehr so viele Synapsenverbindungen gibt. Der Vorteil eines Erwachsenen gegenüber einem Kind ist, dass sie/er weiß, wie die „gebauten Straßen" zu vernetzen sind, und somit „logischer" ans Ziel kommt. Deshalb lernen Erwachsene eine Fremdsprache auch mit grammatischen Regeln, ein Kind über Ausprobieren und Wiederholen. Ein großes Problem im Erwachsenenalter ist die Aussprache. Jedes Baby ist in der Lage, jede Sprache der Welt artikulieren zu können, aber schon nach zwölf Monaten lässt diese Fähigkeit stark nach und fokussiert sich auf die Artikulation der Muttersprache(n). Aktuelle Studien beweisen, dass Lernen aber bis ins hohe Alter möglich ist, weil immer wieder neue Synapsenverbindungen hergestellt werden können, wenn auch nicht in dem Maße wie im Kindesalter.		
Einzelarbeit	**AB 117–118/Ü3a+b** Hör-/Wortschatzübung zum Thema „Was lernt man in welchem Alter?"	AB-CD 1/47	
Einzelarbeit Plenum	**AB 117/Ü1–2** Wortschatzwiederholung zum Thema „Lernen". Nach dem Lösen der Übungen ist eine gemeinsame Vertiefung sinnvoll. Jede/r TN macht zunächst eine **Wörterbörse (Glossar → S. 158)** zum Thema „Lernen". Die TN suchen dabei fünf Wörter aus dem Arbeitsbuch (→ S. 117/1+2) heraus und machen mit diesen Wörtern einen Wortigel. Dieser wird mit einer anderen / einem anderen TN getauscht. Zu den neuen Wörtern schreibt jede/r TN spontan eine Geschichte, hier zum Thema „Lernen".		

LESEN

1 Was ich gern lernen oder erfahren möchte

SOZIALFORM	ABLAUF	MATERIAL	ZEIT
Partnerarbeit	Die TN lesen die Themenbereiche und nennen, wofür sie sich am meisten interessieren würden. **VERTIEFUNG:** Bringen Sie aktuelle Programme einer VHS mit und lassen Sie die TN darin blättern oder sogar einen Kurs auswählen. Oder machen Sie mit dem Kurs sogar einen Ausflug in die VHS und lassen Sie sich dort direkt beraten; umso authentischer Kommunikation abläuft, desto besser ist es für die Sprachentwicklung.	VHS-Programme	
Einzelarbeit	**AB 118/Ü4** Internetrecherche zu VHS-Kursangeboten, angelehnt an *Wussten Sie schon?* im Kursbuch (→ S. 88/1). Weisen Sie die TN auch auf die Redemittel „Über einen Kurs sprechen" im Kursbuch (→ S. 104) hin.	VHS-Angebote im Internet	

2 Kursangebote der Volkshochschule

SOZIALFORM	ABLAUF	MATERIAL	ZEIT
Plenum	a) Die TN lesen die Überschriften der Kursangebote und ordnen zu. *Lösung: Mensch, …: E; Kultur …: C, F; Gesundheit …: C, H; Berufliche Weiterbildung …: A, B, D, G;*		
Plenum Einzelarbeit Plenum	b) Lesen Sie zunächst gemeinsam den Tipp. Fragen Sie die TN, was Schlüsselwörter sind und suchen Sie sie gemeinsam in Anzeige A. **TIPP:** Schlüsselwörter sind Reizwörter, die für das Nacherzählen eines Textes notwendig sind. Es sind meistens Nomen oder Verben, seltener Adjektive und fast nie andere Wortgruppen. Die TN sollen dann für zwei bis drei Texte die Schlüsselwörter unterstreichen und die Angebote den Situationen zuordnen. Kontrolle im Plenum. *Lösung: 1 C, 2 G, 3 A, 4 F, 5 -, 6 E* Wer schneller fertig ist, unterstreicht alle Verben zum Thema „Lernen". Fragen Sie danach diese TN, welche Verben häufig vorkommen (zum Beispiel *erfahren, erhalten*).		
Einzelarbeit	**AB 119/Ü5a+b** Lesetext über einen außergewöhnlichen Sprachkurs und Wortschatzübung; auch als Hausaufgabe geeignet.		
Einzelarbeit	**AB 120/Ü6** Wortschatzübung; auch als Hausaufgabe geeignet.		

3 Welcher der angebotenen Kurse würde Sie interessieren? Warum?

SOZIALFORM	ABLAUF	MATERIAL	ZEIT
Plenum Partnerarbeit	Die TN nennen ihre Favoriten. **VERTIEFUNG:** Mithilfe des VHS-Kursprogramms vor Ort können Sie gemeinsam „richtige" Kurse für die TN suchen, Informationen am Telefon erfragen und ggf. sogar eine Anmeldung durchführen.		

4 Genitiv

SOZIALFORM	ABLAUF	MATERIAL	ZEIT
Einzelarbeit	a) Die TN sehen sich die Beispiele aus dem Kursprogramm an und markieren die Genitivsignale. Weisen Sie die TN dann auf die Grammatikübersicht im Kursbuch (→ S. 98/1) hin. *Lösung: Plätze der näheren Region, Anleitung eines Expertenteams, Anleitung eines professionellen Schauspielers, Ausdruckskraft Ihrer Stimme, Verschönerung einer Wohnung, Austausch Ihrer eigenen Geheimrezepte, Unterlagen des Kurses*		
Partnerarbeit	b) Die TN ordnen die Beispiele zu und ergänzen eigene. Kontrolle im Plenum. (Vorschläge in der Tabelle.) *Lösung:* (siehe Tabelle unten)		

Singular				Plural
	Maskulinum	*Neutrum*	*Femininum*	
Definiter Artikel	*Unterlagen des Kurses*	**Berichte des Internets**	*Plätze der näheren Region*	**Methoden der strengen Trainer**
Indefiniter Artikel	**Anleitung eines professionellen Schauspielers**	*Anleitung eines Expertenteams*	*Verschönerung einer Wohnung*	**Hinweise netter Lehrer**
Possessivartikel	**das Haus meines besten Freundes**	**das Zimmer ihres einzigen Kindes**	*Ausdruckskraft Ihrer Stimme*	*Austausch Ihrer eigenen Geheimrezepte*

SOZIALFORM	ABLAUF	MATERIAL	ZEIT
Einzelarbeit	**AB 120/Ü7a–c** Grammatik entdecken: Genitive im Text suchen, in der Tabelle ordnen und systematisieren.		
Einzelarbeit	**AB 120/Ü8** Grammatikübung: Artikel im Genitiv; auch als Hausaufgabe geeignet.		
Einzelarbeit	**AB 121/Ü9** Grammatikübung: Präpositionen im Dativ, Akkusativ und Genitiv, dann Systematisierung.		
Einzelarbeit	**AB 121/Ü10** Grammatik entdecken: Adjektive im Genitiv, Tabelle mit Signalen.		
Einzelarbeit	**AB 122/Ü11** Grammatikübung: Adjektivdeklination im Genitiv; auch als Hausaufgabe geeignet.		

Ich kann jetzt ...

SOZIALFORM	ABLAUF	MATERIAL	ZEIT
Plenum	Die TN markieren, was auf sie zutrifft.		
Plenum	**VERTIEFUNG:** Die TN geben an, für welchen Kurs sie sich entschieden haben und warum, falls noch nicht im Unterricht behandelt.		

SPRECHEN

1 Lebenslanges Lernen

SOZIALFORM	ABLAUF	MATERIAL	ZEIT
Einzelarbeit Plenum	a)+b) Die TN schreiben Fertigkeiten auf und vergleichen im Kurs. **TIPP:** Interessanter wird die Aktivität, wenn die TN irgendwo eine Lüge (Glossar → S. 156) unterbringen, und die anderen raten müssen, was falsch ist. Das kann sowohl die Fertigkeit selbst sein als auch, von wem man etwas gelernt hat.		

Plenum	c) Fragen Sie die TN nach den Ergebnissen und machen Sie an der Tafel eine Kursstatistik. Die TN werten diese dann sprachlich mithilfe der Redemittel aus. Weisen Sie die TN auch auf die Redemittel „Über eine einfache Statistik sprechen" im Kursbuch (→ S. 104) hin.		
Einzelarbeit	**AB 122/Ü12** Sprichwörter und Zitate zum Thema „Lernen"; sprechen Sie im Kurs über die Aussagen. Fragen Sie, welche Sprichwörter/Zitate die TN besonders ansprechen und warum.		

2 Fortbildungsangebote

SOZIALFORM	ABLAUF	MATERIAL	ZEIT
Plenum	Die TN ordnen die Bilder den Kursen zu und sprechen dann darüber, was sie interessieren könnte bzw. für sie nützlich wäre. *Lösung: A Videoclip selbst drehen und schneiden; B Comic-Zeichenkurs; C Basiszertifikat in Betriebswirtschaft*		

3 Verschiedene Kursarten

SOZIALFORM	ABLAUF	MATERIAL	ZEIT
Plenum	a) Die TN ordnen die Kursarten zu. *Lösung: A Online-Kurs; B Seminar / Kurs; C Lernen mit einer Lernpartnerin / einem Lernpartner*		
Gruppenarbeit	b) Die TN überlegen sich Vor- und Nachteile der einzelnen Kursarten und schreiben sie in die Tabelle. *Lösung: Seminar: Vorteil: Lernen mit anderen motiviert, man ist an feste Zeiten gebunden, man lernt voneinander; Nachteil: man kann nicht im eigenen Tempo lernen, ist zeitlich und räumlich gebunden, wird womöglich abgelenkt; Online-Kurs: s. AB 123/13; Lernen mit einem Lernpartner: Vorteil: man kann das Lernen nicht aufschieben; man bekommt evtl. Anregungen von der anderen Person, kann ggf. etwas erklären und dadurch merken, ob man etwas verstanden hat bzw. sich etwas erklären lassen; Nachteil: s. Seminar*		
Einzelarbeit	**AB 123/Ü13** Vor- und Nachteile beim Online-Lernen. Diese Übung eignet sich gut, um die Lösung im Kursbuch 3b zu überprüfen; auch als Hausaufgabe geeignet.		

4 Diskussion

SOZIALFORM	ABLAUF	MATERIAL	ZEIT
Gruppenarbeit	a) Die TN wählen einen Kurs aus.		
Gruppenarbeit	b) Jede/r TN wählt eine Kursart und diskutiert mit den anderen, was am besten für sie alle wäre. Sie einigen sich mithilfe der Redemittel „Über Vor- und Nachteile sprechen" auf eine Kursart.		
Einzelarbeit	**AB 123/Ü14** Übung zur Anwendung der Redemittel; auch als Hausaufgabe geeignet.		

Ich kann jetzt …

SOZIALFORM	ABLAUF	MATERIAL	ZEIT
Einzelarbeit	Die TN markieren, was auf sie zutrifft.		
Gruppenarbeit	**VERTIEFUNG:** Die Redemittel „Über Vor- und Nachteile sprechen" im Kursbuch (→ S. 91 bzw. → S. 104) werden jeweils auf Kärtchen geschrieben und in die **Wiederholungskiste (Glossar → S. 158)** gesteckt. Sie können zu einem späteren Diskussionszeitpunkt wieder benutzt werden.	Kärtchen, Briefumschläge, Wiederholungskiste	

HÖREN 1

1   Kosten für Bildung

SOZIALFORM	ABLAUF	MATERIAL	ZEIT
Partnerarbeit	a) Die TN überlegen, wie hoch die Bildungskosten sein könnten. **INTERKULTURELLES:** Fragen Sie die TN nach den Bildungskosten in ihren Heimatländern: *Welche Schulformen sind üblich? Was kostet wie viel?*		
Plenum	b) Die TN hören den Anfang der Gesprächsrunde und überprüfen ihre Vermutungen aus a). *Lösung:* Kindergärten: *ca. 1000 – 4000 €,* staatliche Schulen: *kostenlos,* Privatschulen: *5000 – 12000 €,* Staatliche Universitäten …: *0 – 1000 €*	CD 2/24	
Einzelarbeit	AB 124/Ü15 Wortschatzübung zum Bildungssystem in Deutschland. **LANDESKUNDE:** In der Schweiz gehen die Kinder mit sechs Jahren in die Primarschule, nach sechs Jahren in die Sekundarstufe I. Danach gibt es mehrere Möglichkeiten: Fachmittelschule, Maturitätsschule oder Berufsschule. Die Schule in Österreich beginnt mit sechs Jahren mit der Volksschule. Nach vier gemeinsamen Jahren dort können die Kinder danach zwischen der Hauptschule und der AHS (Allgemeinbildende Höhere Schule)-Unterstufe wählen. Diese schließt man dann nach der AHS-Oberstufe ab (wird auch Gymnasium genannt). Dort kann man nach weiteren vier Jahren die Matura machen. Es gibt aber auch das Polytechnikum, welches viele nach der AHS-Unterstufe wählen, um dann nach einem Jahr eine Berufsschule anzufangen.		

2   Eine Gesprächsrunde im Radio

SOZIALFORM	ABLAUF	MATERIAL	ZEIT
Plenum	a) Schreiben Sie die Tabelle an die Tafel und gehen Sie gemeinsam die Begriffe durch. Die TN entscheiden, in welche Spalte Sie sie schreiben sollen. Suchen Sie bei der Erklärung gemeinsam nach Synonymen, zum Beispiel *anregend* = intensiv, spannend, auf neue Ideen bringend; *Gebühren* = Kosten; *Betreuung* = Versorgung, aufpassen auf; *Lebenshaltung* = Unterhalt: Essen, Wohnen, Kleidung; *rechnen mit etwas* = schätzen; *Unterstützung* = Hilfe *Lösung:* Menschliche Beziehungen: *anregender Meinungsaustausch, für ein gutes Kinder-Betreuungsangebot sorgen, zweifacher Vater;* Finanzielles: *Studiengebühren, Lebenshaltungskosten, mit einer hohen Summe rechnen, finanzielle Unterstützung, Taschengeld*		

SOZIALFORM	ABLAUF	MATERIAL	ZEIT
Einzelarbeit	b) Die TN hören die Gesprächsrunde und ordnen zu, wer was gesagt hat. *Lösung:* C. Seifert: *3, 5;* P. Ludwig: *6;* Dr. Franke: *(2), 4, 7*	CD 2/25	

3 Zusammenfassung der Gesprächsrunde

SOZIALFORM	ABLAUF	MATERIAL	ZEIT
Einzelarbeit	a) Die TN bringen die Sätze in die richtige Reihenfolge. Kontrolle im Plenum. *Lösung: G, A, E, F, D, C, B*		
Einzelarbeit Gruppenarbeit Plenum	b) Die TN hören die Gesprächsrunde noch einmal und kontrollieren ihre Reihenfolge. **VERTIEFUNG:** Bilden Sie drei Gruppen: Jede Gruppe erhält ein Thema: Kindergarten, Schule, Universität. Zu jedem Thema werden die Fakten der Bildungskosten aus der Gesprächsrunde noch einmal aufgeschrieben und im Kurs vorgestellt.	CD 2/25	

4 Position von *nicht*

SOZIALFORM	ABLAUF	MATERIAL	ZEIT
Einzelarbeit	a) Die TN markieren die Position von *nicht*.		
Einzelarbeit	b) Die TN ordnen den Sätzen die passenden Regeln zu.		
Einzelarbeit	**AB 124/Ü16** Wiederholungseinsetzübung aus Lektion 6 zu den Negationswörtern *kein, nichts, niemals, niemand, nirgends;* auch als Hausaufgabe geeignet.		
Einzelarbeit	**AB 124/Ü17** Grammatik entdecken: Die Position von *nicht*.		
Partnerarbeit	c) Die TN bilden Sätze mit *nicht* und sagen die passende Regel. Weisen Sie die TN auch auf die Grammatikübersicht im Kursbuch (→ S. 98/2) hin. *Lösung:* *in den Semesterferien nicht jobben müssen = Regel 2* *ihre Kinder nicht unterstützen = Regel 2* *nicht Betriebswirtschaft studieren = Regel 6* *nicht mit hohen Kosten rechnen = Regel 3* *nicht preiswert sein = Regel 5* *den Eltern das pädagogische Konzept nicht erklären = Regel 2* *den Kindergarten nicht gern besuchen = Regel 6* *nicht in eine Privatschule gehen = Regel 4* *nicht zu teuer werden = Regel 5*		
Einzelarbeit	**AB 125/Ü18–19** Weiterführende Übungen zu *nicht;* auch als Hausaufgabe geeignet.		

Ich kann jetzt …

SOZIALFORM	ABLAUF	MATERIAL	ZEIT
Einzelarbeit	Die TN markieren, was auf sie zutrifft.		

SCHREIBEN

1 Sehen Sie sich das Titelblatt des Jugendmagazins an.

SOZIALFORM	ABLAUF	MATERIAL	ZEIT
Plenum Gruppenarbeit	Die TN äußern ihre Vermutungen. **VERTIEFUNG:** Lassen Sie die TN für die beiden Mädchen auf dem Titelbild einen Fantasie-Lebenslauf entwickeln. Fragen Sie: *Auf welche Schulen sind sie jeweils gegangen, wie wurden sie gefördert, was machen ihre Eltern? Was machen sie in ihrer Freizeit?* etc.		
Plenum	Jeweils eine Person aus der Gruppe stellt eines der Mädchen vor.		

2 Ein Beitrag in einem Diskussionsforum

SOZIALFORM	ABLAUF	MATERIAL	ZEIT
Plenum	a) Die TN lesen den Online-Eintrag. Sprechen Sie mit ihnen im Kurs darüber, was *soziale Ungerechtigkeit* bedeutet.		
Einzelarbeit	**AB 125/Ü20** Wortschatzübung zum Thema „Schule".		
Einzelarbeit	**AB 126/Ü21a+b** Forumsbeitrag als Schreibtraining, eignet sich als zusätzliche Vorlage für die Aufgabe 2b) im Kursbuch.	AB-CD 1/48	
Einzelarbeit	b) Die TN sammeln Stichworte zu den Fragen, lesen sich die Redemittel durch und schreiben mithilfe der Redemittel „Über das Schulsystem sprechen" (→ Kursbuch S. 104) selbst einen Online-Eintrag.		

3 Selbstkorrektur

SOZIALFORM	ABLAUF	MATERIAL	ZEIT
Einzelarbeit Gruppenarbeit	Die TN kontrollieren ihre Texte. Helfen Sie bei Schwierigkeiten. **VERTIEFUNG:** Kommentarlawine (Glossar → S. 156): Jede/r TN liest einen Text aus der Gruppe (nicht den eigenen) und kommentiert ihn im Hinblick auf Inhaltspunkte und Stil. Hierzu können Textstellen eingekreist und am Rand eine Bemerkung geschrieben werden. Dann wird der Text an die/den Nächsten weitergegeben. Diese/ Dieser liest die Kommentare und kommentiert sie oder fügt neue hinzu. So wird weitergemacht, bis jede/r das eigene Blatt zurück-		
Einzelarbeit	bekommt. Die Kommentare werden nun zur Überarbeitung herangezogen.		

Ich kann jetzt ...

SOZIALFORM	ABLAUF	MATERIAL	ZEIT
Einzelarbeit	Die TN markieren, was auf sie zutrifft.		

HÖREN 2

1 Eine Anleitung verstehen

SOZIALFORM	ABLAUF	MATERIAL	ZEIT
Einzelarbeit Plenum	a) Die TN hören die Anleitung und markieren die passende Zeich- nung. Kontrolle im Plenum. *Lösung: 1 B, 2 A, 3 A, 4 A*	CD 2/26–29	
Plenum	b) Die TN hören noch einmal die Anleitung und tanzen mit. **TIPP:** Sie können die Polonaise auch innerhalb des Klassenraumes durchführen, ggf. auch über Hindernisse wie Stühle etc.	CD 2/30	

2 Lokale Präpositionen

SOZIALFORM	ABLAUF	MATERIAL	ZEIT
Einzelarbeit Plenum	a) Die TN lesen die Tanzanleitung und ergänzen die Präpositionen. Kontrolle im Plenum. *Lösung: 2 um ... herum; 3 gegenüber; 4 außerhalb; 5 entlang; 6 an ... vorbei*		
Einzelarbeit Plenum	b) Die TN ergänzen die Tabelle mithilfe des Textes. Weisen Sie sie auch auf die Grammatikübersicht im Kursbuch (→ S. 98/3) hin. Kontrolle im Plenum. *Lösung: Präposition + Akkusativ: entlang, um ... herum; Präposition + Dativ: gegenüber, entlang, an ... vorbei; Präposition + Genitiv: innerhalb*		
Einzelarbeit	**AB 126/Ü22** Grammatikwiederholung: Einsetzübung zu den Wechselpräpositionen.		
Einzelarbeit	**AB 127/Ü23–24** Weiterführende Übungen zu den lokalen Präpositionen; auch als Hausaufgabe geeignet.		

Ich kann jetzt ...

SOZIALFORM	ABLAUF	MATERIAL	ZEIT
Einzelarbeit	Die TN markieren, was auf sie zutrifft.		
Plenum	**VERTIEFUNG:** Verstecken Sie in der Pause etwas von einer Lernpartnerin / einem Lernpartner im Kursraum. Um den Gegenstand wiederzufinden, beschreiben Sie ihr/ihm den Weg dahin. Beispiel: *Geh hier links entlang bis zum Schrank. Dort gegenüber findest du ...*		

WORTSCHATZ

1 Moderne Lernausstattung: Computer und Zubehör

SOZIALFORM	ABLAUF	MATERIAL	ZEIT
Einzelarbeit Plenum	a) Die TN ordnen die Wörter den Bildern zu. Kontrolle im Plenum. *Lösung: oben: 2: 2 die Maus; 3: 12 der MP3-Player; 4: 7 der USB-Stick; 5: 8 der Drucker und der Scanner; 6: 6 das CD-ROM-Laufwerk; unten: 1: 3 die Webcam; 2: 4 die Tastatur; 3: 10 das Kabel; 4: 9 der Bildschirm/ Monitor; 5: 11 die CD-ROM; 6: 5 der Lautsprecher* **VERTIEFUNG:** Fragen Sie die TN, was sie davon wie oft am Tag benutzen.		

Einzelarbeit	b) Die TN streichen das Wort, das nicht zu dem Nomen passt. **TIPP:** Weisen Sie die TN darauf hin, wie wichtig das Lernen in Wortfeldern für das Gehirn ist. *Lösung: von links nach rechts: anschließen, einlegen, aufschließen, vergrößern, abschließen, surfen, drucken*		
Einzelarbeit	AB 128/25a–c Komplexe Wortschatz-/Hörübung zu Mediengeräten; auch als Hausaufgabe geeignet.	AB-CD 1/49	
Partnerarbeit	c) Die TN sagen, was sie unbedingt am Arbeitsplatz brauchen und wofür.		

2 Spiel: Wortfelder *lernen* und *lehren*

SOZIALFORM	ABLAUF	MATERIAL	ZEIT
Partnerarbeit	a) Die TN versuchen zu zweit, in fünf Minuten zu den beiden Verbstämmen *lehr-* und *lern-* so viele Wörter wie möglich zu finden und zu notieren.		
Plenum	b) Ein beliebiges Team beginnt, seine gefundenen Wörter vorzulesen. Nach jedem Wort wird gefragt, wer das Wort auch gefunden hat. Die jeweiligen Paare melden sich. Hat niemand das Wort, bekommt das Team den Punkt. Hat das Team alle Wörter vorgelesen, wird gefragt, wer weitere Wörter hat. Das Spiel geht so lange, bis alle Wörter genannt wurden. Sie entscheiden, welche Komposita zulässig sind und welche nicht.		

Ich kann jetzt ...

SOZIALFORM	ABLAUF	MATERIAL	ZEIT
Einzelarbeit	Die TN markieren, was auf sie zutrifft.		
Partnerarbeit	**VERTIEFUNG:** Improvisationsübung (Glossar → S. 155) zum Thema „Computer".		

SEHEN UND HÖREN

1 Sehen Sie einen kurzen Film an.

SOZIALFORM	ABLAUF	MATERIAL	ZEIT
Plenum	a) Die TN sehen den Film ohne Ton und ohne die Schrift am Ende an und vermuten, was die Personen sagen. Stoppen Sie beim zweiten Sehen den Film nach jeder Person (immer noch ohne Ton!) und lassen Sie die TN raten, woher die Person ihrer Meinung nach kommt.	DVD 31	
Plenum	b) Die TN sehen das Video mit Ton an und überprüfen ihre Vermutungen. **VERTIEFUNG:** Die TN sagen, was „Ich liebe dich" in ihrer Heimatsprache heißt. Die anderen TN sprechen nach. Die Sprachen, die im Film genannt werden sind: Italienisch: *Yo ti amo.* Englisch: *I love you.* Französisch: *Je t' aime.* Schwedisch: *Jag älskar dig.* Hindi: *Mujhe tum se pyaar.* Japanisch: *Ai shite imasu.* Arabisch: *Behibak.* Türkisch: *Seni seviyorum.* Chinesisch, Mandarin: *Wo ai ni.* Hawaiianisch: *Aloha au ia oe.* Thailändisch: *Phom rak khun.* Koreanisch: *Saranghae.*	DVD 31	

SOZIALFORM	ABLAUF	MATERIAL	ZEIT
Plenum	c) Die TN sagen, was die Filmemacher ihrer Meinung nach erreichen möchten. *Lösung: Sie möchten Werbung für etwas machen.*	DVD 31	

2 Meinungen zum Film

SOZIALFORM	ABLAUF	MATERIAL	ZEIT
Plenum	a) Die TN begründen mithilfe der Stichworte oder eigener Assoziationen, warum diese Werbung so gut funktioniert.		
Plenum	b) Die TN äußern ihre Meinung zum Werbespot.		

3 Projekt – Wir drehen einen kurzen Film

SOZIALFORM	ABLAUF	MATERIAL	ZEIT
Gruppenarbeit	Nutzen Sie die Kopiervorlage Lektion 7/2b zur Gruppenfindung. a)+b) Die TN ordnen zu und wählen einen Satz aus, den sie dann in ihre Muttersprachen übersetzen. *Lösung: Ärger = 3, Begeisterung = 1, Verliebtsein = 2*	Kopiervorlage Lektion 7/2b	
Gruppenarbeit	c) Die TN sprechen die von ihnen ausgewählten Sätze in ihrer Muttersprache und versuchen dabei, das Gefühl, das sie vorher zugeordnet haben, auszudrücken. **TIPP:** Theaterpädagogische Übungen wie diese funktionieren am besten im Stehen. Fordern Sie die TN dazu auf. Die anderen geben Feedback, ob sie das Gefühl spüren konnten.		
Gruppenarbeit	d) Die TN filmen sich gegenseitig und zeigen den anderen Gruppen, die dann den Satz raten sollen, die Aufnahme.	Kameras Handys	
Plenum	e) Die TN wählen den besten Film im Kurs und begründen ihre Auswahl.		

Mein Dossier

SOZIALFORM	ABLAUF	MATERIAL	ZEIT
Einzelarbeit Plenum	**AB 128/Ü26** Selbst gemachte Geschenke: Die TN beschreiben mithilfe der Redemittel ein Geschenk, das sie selber hergestellt haben, und bringen ggf. ein Foto davon mit. **INTERKULTURELLES:** Sprechen Sie im Kurs darüber, inwieweit selbstgemachte Geschenke im Heimatland der TN einen Wert haben? Sind gekaufte Geschenke kostbarer? **LANDESKUNDE:** Im deutschsprachigen Raum sind selbstgemachte Geschenke sehr wertvoll, oft noch wertvoller als gekaufte. Man möchte zeigen, dass man sich die Zeit genommen hat, um etwas speziell für den anderen herzustellen.		

Ich kann jetzt ...

SOZIALFORM	ABLAUF	MATERIAL	ZEIT
Einzelarbeit	Die TN markieren, was auf sie zutrifft.		

AUSSPRACHE: *CH* (Ach-Laut), *ch* (ich-Laut) und *ch – sch* (Arbeitsbuch → S. 129)

1 Gedicht

SOZIALFORM	ABLAUF	MATERIAL	ZEIT
Einzelarbeit	a) Die TN versuchen, das Gedicht zu lesen. Sagen Sie ihnen dabei nicht zu früh, wie sie darauf kommen können, sondern lassen Sie es die TN selbst herausfinden.		
Einzelarbeit	b) Die TN hören das Gedicht ohne mitzulesen und zählen, wie oft sie „acht" hören. Dann vergleichen sie im Kurs.	AB-CD 1/50	

2 Ach-Laut (*CH*) und Ich-Laut (*ch*)

SOZIALFORM	ABLAUF	MATERIAL	ZEIT
Einzelarbeit	a) Die TN hören und markieren den Laut.	AB-CD 1/51	
Einzelarbeit	b)+c) Die TN lesen die Wörter laut, ordnen sie dann in die Tabelle und unterstreichen die Vokale. Fragen Sie die TN nach der Regel. (Nach *a,u,o, au* → Ach-Laut; nach *e, ei, i, eu, ü, ä, ö* → Ich-Laut.) **TIPP:** Sammeln Sie mit den TN zusätzliches Wortmaterial und lassen Sie die TN die Laute mit unterschiedlichen Farben markieren. Übungen dieser Art dienen der Verinnerlichung und Bewusstmachung der Regel. Anhand der farbig markierten Wörter können sich die TN selbst die Regel, also wann man den *ach-* und wann den *ich*-Laut spricht, herleiten. Beispiel: *Ich mache die Küche sauber, ich koche gern, ich trinke gern Milch, ich bin Raucher, ich spreche Chinesisch, ich lache gern, ich liebe dich.* Sie können diese Sätze auch interaktiv anlegen, indem ein/e TN einen dieser Satz spricht, die/der andere mit „Ich auch!" oder „Ich nicht!" reagieren muss.		

3 *ch* und *sch*

SOZIALFORM	ABLAUF	MATERIAL	ZEIT
Plenum	Die TN hören die Wortpaare und sprechen nach.	AB-CD 1/52	

LERNWORTSCHATZ (Arbeitsbuch → S. 130–131)

SOZIALFORM	ABLAUF	MATERIAL	ZEIT
Einzelarbeit	**LERNSTRATEGIE-TIPP 8:** Geben Sie den TN folgenden Tipp: Wenn die TN viele neue Verben zu einem Wortfeld lernen müssen, können sie eine Handlungskette schreiben. Dabei beschreiben sie zum Beispiel ganz genau alle Tätigkeiten am Computer. Sie beenden die Handlung mit irgendetwas Witzigem, Unnormalem. Außergewöhnliches merkt sich das Gehirn besser.		

LEKTIONSTEST 8 (Arbeitsbuch → S. 132)

SOZIALFORM	ABLAUF	MATERIAL	ZEIT
Einzelarbeit	Mithilfe des Lektionstests haben die TN die Möglichkeit, ihr neues Wissen in den Bereichen Wortschatz, Grammatik und Redemittel zu überprüfen. Wenn die TN mit einzelnen Bereichen noch Schwierigkeiten haben, können sie gezielt noch einmal einzelne Module wiederholen.		

REFLEXION DER LEKTION

SOZIALFORM	ABLAUF	MATERIAL	ZEIT
Plenum	Die TN nehmen die „Diskussionskärtchen" aus Kursbuch (→ S. 91 bzw. → S. 104) aus der **Wiederholungskiste (Glossar → S. 158)**. Jede/r TN erhält ein Redemittelkärtchen davon und beantwortet die Fragen: *War die Lektion produktiv? Was hat Sie weitergebracht, was nicht?*	Kärtchen, Briefumschläge, Wiederholungskiste	
Partnerarbeit Plenum	Lernstrategien im Lehrwerk: Wiederholen Sie noch einmal alle im Kursbuch (→ S. 27, 33, 43, 45, 47, 52, 58, 67, 70, 73, 80, 88) behandelten Lernstrategien. Die TN nehmen sich dazu immer paarweise eine Lektion vor und schreiben die Tipps auf Kärtchen. Ergänzen Sie. Alle Lernstrategiekärtchen werden auf den Boden gelegt und die TN nehmen sich die Strategien, die sie hilfreich fanden und hängen sie an die Wand. Alle unnötigen landen im Papierkorb.	Kärtchen	

REFLEXION DES LEHRWERKES

SOZIALFORM	ABLAUF	MATERIAL	ZEIT
Gruppenarbeit Plenum	Die TN teilen sich in Dreiergruppen auf zu den Stichworten *Themen*, *Grammatik* und *Redemittel*. Jede Gruppe blättert noch einmal durch das Kursbuch und macht eine Tabelle zu ihrem Stichwort: *Was wurde alles behandelt?* Jede Gruppe überlegt sich dazu acht Aufgaben und stellt sie den anderen Gruppen. Kontrollieren Sie dann gemeinsam im Kurs.		
Partnerarbeit	Sie können auch zeitsparender die Kopiervorlage Lektion 8 einsetzen. Dieses kleine Quizspiel können die TN in Partnerarbeit spielen. Kopieren Sie die Kopiervorlage für jede/n TN einmal. Die TN lesen die Situationen und notieren sich entsprechende Sätze dazu. Achten Sie darauf, dass die TN ganze Sätze formulieren und die gelernten Redemittel anwenden. Nach jeder Aufgabe besprechen die Lernpartner ihre Ergebnisse. Sie können sich selbst mithilfe der Seiten „Wichtige Redemittel / Kommunikation" im Kursbuch (→ S. 100–104) kontrollieren. Gehen Sie herum und helfen Sie bei Schwierigkeiten.	Kopiervorlage Lektion 8	
Partnerarbeit	Die TN schauen sich ihre Portfoliomappen an. Bringen Sie ihnen auch ihre eigenen Briefe aus Lektion 1 zum Lesen mit. Was hat sich verändert? Wie hoch ist der Lernfortschritt? Sind die eigenen Ziele erreicht worden?		
Plenum	Alle TN halten noch einmal eine **flammende Rede (Glossar → S. 155)**.		

LIEDTEXTPFLÜCKEN

Kopieren Sie die Vorlage für jede Gruppe und schneiden Sie wie angegeben Streifen aus.

Horst war gerade bei IKEA (gefällt mir). Horst hat Billy eingekauft (gefällt mir).

Das gefällt Yvonne und Svea (gefällt mir) und 20 and'ren Leuten auch.

Dirk hat 14 neue Freunde (gefällt mir) und Sabine sieht jetzt fern (gefällt mir).

Jan wünscht Ina süße Träume (gefällt mir) und Ina hat ihn furchtbar gern.

Nina hat ganz schlimm Migräne (gefällt mir) und Nina liegt deshalb im Bett (gefällt mir).

Bernd hat mit dem Chef Probleme (gefällt mir) und ist mit Nina jetzt im Chat.

Roman hat ne off'ne Wunde (gefällt mir), mit Gabis Ehe ist jetzt Schluss (gefällt mir).

Inge postet jede Stunde (gefällt mir), dass sie noch so viel schaffen muss.

Früher hatte ich fünf gute Freunde, heute habe ich vierhundertzehn.

Und um ja nichts zu versäumen, hab' ich beschlossen, nicht mehr rauszugeh'n.

Früher sagte ich noch meine Meinung, in aller Länge und Deutlichkeit.

Doch seit ich nur noch *Farmville* spiele, hab' ich dafür keine Zeit!

ADJEKTIVSPIEL

Sie brauchen für jeden Mitspieler eine Spielfigur sowie eine Spielfigur extra; dazu einen Würfel. Stellen Sie Ihre Figuren auf „Start" und eine Extra-Figur in das innere Rechteck. Die/Der Jüngste beginnt. Würfeln Sie und ziehen Sie beide Figuren (zum Beispiel auf *spannend* und *Buch*). Versuchen Sie, das Nomen und das Adjektiv folgendermaßen zu verbinden: 1. mit indefinitem Artikel (*ein spannendes Buch*), 2. mit definitem Artikel (*das spannende Buch*), 3. ohne Artikel (*spannendes Buch*). Wer sich auch noch einen grammatisch richtigen Satz dazu ausdenkt (*Ich lese ein spannendes Buch.*), darf ein Feld weitergehen. Danach ist die/der Nächste an der Reihe. Wenn beide Wörter nicht zusammenpassen, darf der TN ein anderes Wort aus dem inneren Rechteck wählen.

Start	Alltag	Regel	Nachricht	Insel

Insel
Liste
Satz
Wörterbuch
Sprichwort
Tabelle
System
Training
Gerät
Thema
Häuser
Mensch
Buch
Übung
Geschichte
Erfolg
Teilnehmer
Zimmer
Geschenke
Handy
Sprache
Wortschatz
Information

Ziel
Text
Zeitung
Lied
Freundin
Wohnungen
Schokolade
Fernseher
Fotos
Brief
Person
Ziel
Gespräch
Film
Rollenspiel
Aussprache
Sprachkurs
Test
Ergebnis
Telefonbuch

regelmäßig	klein
aktiv	geeignet
dick	nützlich
alt	persönlich
gut	einsam
spannend	notwendig
groß	lang
kurz	dünn
neu	schnell
aktiv	gut
unangenehm	wichtig

Gemeinsamkeit	Lernpartner	Arbeit	Kontakt	Internet

Du ODER *Sie*?

Sie kommen das erste Mal in die Sprachschule. Vor dem Unterrichtsraum wartet ein junger Mann – offensichtlich ein Mitschüler. Sie fragen ihn, ob er neu ist.	Sie sind sehr vertraut mit einer älteren Kollegin und finden das *Sie* völlig unangemessen. Sie fragen sie, ob sie sich nicht duzen können. Ist das okay?	Eine ältere Frau, die Sie nicht kennen, grüßt Sie mit: „Hallo mein Kind, wie geht es dir?" Wie reagieren Sie?	Sie sind zu einer Party eingeladen und kennen nur den Gastgeber. Seine Freundin kommt auf Sie zu und bietet Ihnen ein Glas Sekt an.	Sie fangen in einem Badminton-Verein an, stellen sich vor und fragen die anderen nach ihren Namen.
Sie treffen eine Freundin, die Ihnen wiederum ihre Freundin vorstellt. Wie begrüßen Sie sie?	*Du* oder *Sie*? Welche Form benutzen Sie in den einzelnen Situationen?			Sie sind umgezogen und Ihre 80-jährige Nachbarin lädt Sie zum Kaffee ein.
Sie sind in einer Kneipe, die bei jungen Leuten sehr beliebt ist und wo nur junge Leute kellnern. Wie bestellen Sie ein Getränk?	Sie brauchen für jeden Mitspieler eine Spielfigur und einen Würfel. Stellen Sie Ihre Figuren auf „Start". Die/Der Jüngste beginnt. Würfeln Sie, ziehen Sie Ihre Figur und lesen Sie die jeweilige Situation vor. Wie würden Sie auf die Situation reagieren? Sagen Sie einen passenden Satz. Ist er richtig? Diskutieren Sie in der Gruppe. Nicht immer gibt es eine eindeutige Lösung. Fällt die Entscheidung positiv für Sie aus, können Sie weiterwürfeln, wenn nicht, ist die/der Nächste an der Reihe.			Sie wollen ein junges Paar auf der Straße nach dem Weg fragen. Was sagen Sie?
Sie kennen Ihre Lehrerin seit einem Monat. Plötzlich sagt sie im Unterricht immer „du". Wie sprechen Sie sie dann an?				Einem Kollegen passiert es, dass er im Gespräch aus Versehen „du" sagt. Duzen Sie ihn nun auch?
Sie waren mit Ihren Kollegen abends feiern und haben sich dort alle geduzt. Nun sind Sie wieder in der Firma und brauchen eine Unterschrift von einem Kollegen. Was sagen Sie?	In Ihrer neuen Firma duzen sich alle. Sie müssen nun eine Präsentation halten und wissen nicht, wie Sie Ihre Kollegen ansprechen sollen.	Sie sitzen mit anderen Eltern am Elternstammtisch. Sie sind sich sehr sympathisch. Wie sprechen Sie die anderen Eltern an?	Sie machen einen Gymnastikkurs an der VHS, an dem sehr viele ältere Leute teilnehmen, die sich alle duzen. Wie sprechen Sie sie an?	Start/Ende

DOMINO: VERBEN MIT PRÄPOSITION

Kopieren Sie die Vorlage für jede Gruppe und zerschneiden Sie die „Dominosteine" an den angegebenen Stellen.

nach	denken	an	sich verabschieden	an	sorgen
an	sich beschäftigen	auf	sich freuen	auf	warten
auf	sich bedanken	für	schicken	für	gratulieren
über	bitten	um	sich kümmern	um	sich bedanken
bei	fragen	bei	sich melden	bei	hoffen
mit	sich verabreden	mit	schreiben	von	einladen
zu	sich freuen	zu	helfen	nach	suchen

© Hueber Verlag 2013, Sicher B1+, Lehrerhandbuch

BEWEGUNGSSPIEL ZU TRENNBAREN VERBEN

a Arbeiten Sie zu zweit. Stehen Sie auf, lesen Sie sich gegenseitig die Kommandos vor und machen Sie die Bewegungen nach.

Beine / Verben:

Gruppe 1	*fahren*	rechtes Bein vor
	kommen	linkes Bein vor
Gruppe 2	*gehen*	rechtes Bein seitlich
	reisen	linkes Bein seitlich
Gruppe 3	*holen*	rechtes Bein zurück
	bringen	linkes Bein zurück

Arme / Vorsilben:

	ab	linker Arm vor
	an	rechter Arm vor
	los	rechter Arm seitlich
	ver	linker Arm seitlich
	weg	beide Arme zurück

b Stellen Sie sich gegenüber auf. Ihre Lernpartnerin / Ihr Lernpartner nennt ein Verb aus der Gruppe 1, und Sie machen die passende Bewegung. Wechseln Sie nach einer Weile die Rollen.

| | TN 1 | TN 2 |
| *Beispiel:* | „Ich fahre" | → rechtes Bein vor |

c Nun nennt Ihre Lernpartnerin / Ihr Lernpartner ein Verb aus Gruppe 1 und eine Vorsilbe dazu. Machen Sie die passende Bewegung. Wechseln Sie nach einer Weile die Rollen.

| | TN 1 | TN 2 |
| *Beispiel:* | „Ich fahre ab." → | rechtes Bein und linker Arm vor |

d Können Sie noch? Dann machen Sie das Spiel mit mehr Verben. Nehmen Sie die Verben der Gruppe 2 und 3 dazu und geben Sie die Kommandos schneller. Wechseln Sie nach einer Weile die Rollen.

	TN 1	TN 2
Beispiel:	„Er geht."	→ rechtes Bein seitlich
	„Er geht los."	→ rechtes Bein und rechter Arm seitlich

REDEMITTEL BENUTZEN

Kopieren Sie die Vorlage für jede Gruppe und schneiden Sie wie angegeben Kärtchen aus.

Ich würde gern einmal ...	Ich würde am liebsten ...	Gut, dann sind wir uns ja einig.
Es wäre schön, wenn ...	Ich wünsche mir ...	Für mich kommt es nicht infrage, dass ...
Ich möchte auf keinen Fall, dass ...	Ich habe keine Lust, ... zu ...	Wie findest du die Idee, ...?
Wie wäre es, wenn ...?	Na dann schlage ich vor, dass ...	Wir können ja mal ...
Würdest du denn ...?	Klingt spannend! Glaubst du, wir können ...?	Das ist aber bestimmt sehr ...
Ich hätte noch eine Frage: ...?	Meinst du nicht, wir sollten ...?	Keine schlechte Idee, aber wie wär's denn, wenn wir ... oder ...?
Ja schön, dann machen wir das doch!	Warum eigentlich nicht?	... das klingt gut, meinetwegen können wir das gern machen.
Ich glaube, diesmal eher nicht.	Das ist mir, ehrlich gesagt, nicht so recht.	Was hältst du davon ...?

PRÄPOSITIONENSPIEL

Kopieren Sie die Vorlage für jede Gruppe und schneiden Sie wie angegeben Streifen aus.

seit	Hausaufgaben machen
gegen	eine CD per Post erhalten
innerhalb	ohne Mitbewohner leben
außerhalb	einen Termin ausmachen
während	ein Instrument lernen
von … an	die Wohnung aufräumen müssen
am	die Äpfel im Garten ernten
im	laut Musik hören
an	keine Informationen erhalten
um	ein neues Sofa kaufen
von … bis …	Freunde zum Lernen einladen
in	in ein Haus mit Garten ziehen
bis zu …	auf Besuch warten

RÜCKMELDEBOGEN FÜR ROLLENSPIELE

Rückmeldung für: _____

Über welche Person hat sie/er geredet?

_____

_____

_____

Welche Wünsche, welche Abneigungen hat sie/er genannt?

_____

_____

_____

Waren die Argumente logisch?

_____

_____

_____

Wie war die Körperhaltung?

○ aufrecht/selbstbewusst   ○ krumm/schüchtern   ○ normal

Wie waren die Gesten?

_____

_____

Wie hat sie/er gesprochen (zu laut / zu leise / deutlich / undeutlich / angemessen / ...)

_____

_____

_____

Mir ist aufgefallen, dass ...

_____

_____

_____

Das hat mir besonders gut gefallen:

_____

_____

_____

© Hueber Verlag 2013, Sicher B1+, Lehrerhandbuch

KEIN PLATZ FÜR GEROLD

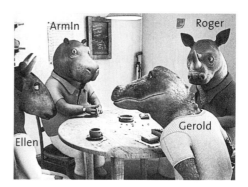

1 Wer macht was? Markieren Sie.

	Gerold	Roger	Armin	Ellen
a warten in der Küche ihrer Wohnung		X	X	X
b kommt nicht pünktlich, weil er nicht weiß, ob „um halb" oder „gegen halb" ausgemacht war				
c wirft Gerold vor, dass er unordentlich, unpünktlich und unhygienisch ist				
d soll ausziehen				
e versteht nicht, was er falsch gemacht hat				
f wohnen am längsten in der Wohnung				
g Armin hat ... mit in die WG gebracht				
h glaubt, dass sich seit Ellens Einzug die Stimmung gegen ihn verschlechtert hat				
i hat mit den Vorwürfen kein Problem				
j verlässt enttäuscht die Wohnung				
k möchte unter diesen Umständen nicht in der Wohnung wohnen bleiben				
l wollen sich lieber eine Wohnung zu zweit suchen				
m glaubt, dass Roger Ellen mag				
n streiten sich wegen Ellen				
o bleibt am Ende allein in der Küche sitzen				

Lösung: b Gerold, c Roger, d Roger, e Gerold, f Gerold und Roger, g Ellen, h Ellen, i Gerold, j Ellen, k Gerold, l Armin und Ellen, m Armin, n Roger und Armin, o Roger

2 Was bedeutet das? Ordnen Sie zu.

1 Wie spät? Zwanzig vor.

2 Das ist doch nicht zu fassen.

3 Is' irgendwas?

4 Was, hä? Du denkst, du kannst mir einfach so 'ne Sache an den Kopf knallen ...? *(jemandem etwas an den Kopf knallen)*

5 Du bist echt 'n Vollidiot.

6 Sag mal, reit ich auf deinen Handicaps rum? *(herumreiten auf + Dativ)*

7 ..., vielleicht passt dir meine Nase nicht ...?

8 Sag mal, kann es sein, dass du scharf auf Ellen bist? *(scharf sein auf + Akkusativ)*

9 Das Gefühl hab ich nämlich schon länger.

10 Hat er sich mal an dich rangemacht?
   (sich an jemanden ranmachen)

a jemandem direkt/unvermittelt etwas vorwerfen, jemandem ohne Vorankündigung etwas Unangenehmes sagen

b vielleicht bin ich dir unsympathisch

c jemanden umwerben, mögen, mit jemanden flirten

d Gibt es ein Problem?

e etwas schon länger glauben

f eine Person toll finden

g Das kann nicht wahr sein.

h Wie spät ist es? Es ist zwanzig Minuten vor halb (zehn).

i sehr dumm sein

j jemanden ständig auf das, was er nicht kann, ansprechen

Satz	1	2	3	4	5	6	7	8	9	10
Bedeutung	h									

© Hueber Verlag 2013, Sicher B1+, Lehrerhandbuch, Autorin: Veronika Rafelt

SPEED-DATING

a   Wählen Sie zunächst, ob Sie Chefin/Chef oder Bewerberin/Bewerber sein möchten.

b   Einigen Sie sich dann auf eine Stelle, die Sie als Chef anbieten bzw. auf die Sie sich bewerben möchten.

c   Lesen Sie sich die Fragen durch und machen Sie sich als Bewerber Notizen; überlegen Sie als Chefin/Chef, welche Fragen Ihnen am wichtigsten erscheinen.

d   Führen Sie das Speed-Dating durch. Die Chefs stellen die für sie wichtigsten Fragen. Wechseln Sie nach drei Minuten die Rollen.

1   Was haben Sie bisher gemacht?

2   Haben Sie schon einmal als ... gearbeitet?

3   Welche Qualifikationen haben Sie für diesen Beruf?

4   Was wissen Sie über die Arbeit als ... ?

5   Wie stellen Sie sich Ihre Arbeit als ... bei uns vor?

6   Wie flexibel sind Sie zeitlich? Können Sie auch mal länger arbeiten?

7   Können Sie auch am Wochenende arbeiten?

8   Können Sie sich vorstellen, in eine andere Stadt zu ziehen?

9   Können Sie sich vorstellen, Schicht zu arbeiten?

10   Arbeiten Sie gern im Team?

11   Haben Sie einen Führerschein Klasse 3?

12   Was sind Ihre Hobbys?

13   Was sind Ihre Stärken?

14   Was sind Ihre Schwächen?

15   Welche Sprachen sprechen Sie?

16   Welche Computerkenntnisse haben Sie?

17   Haben Sie noch Fragen?

Kopieren Sie die Vorlage für jede Gruppe und schneiden Sie wie angegeben Kärtchen aus.

1

denn	weil	Das Konzert	wird
verschoben	,	.	um eine Woche
der Sänger	ist	erkrankt	

2

aber	trotzdem	obwohl	hatten
schlechte Plätze	,	.	wir
waren	von dem Konzert	begeistert	wir

3

nämlich	darum	das Konzert	wird
verschoben	.	.	der Sänger
ist	auf einer Hochzeit		

UMFRAGE ZUM EINKAUFSVERHALTEN

Gehen Sie im Kurs herum und versuchen Sie, so schnell wie möglich eine Mitspielerin / einen Mitspieler zu finden, auf die / auf den diese Situationen zutreffen. Jeder Name darf aber nur einmal auf dem Papier stehen. Wenn Sie fertig sind, rufen Sie laut „Fertig!".

Finden Sie jemanden, der im Supermarkt immer nur genau das kauft, was er braucht. Name:	Finden Sie jemanden, der es liebt, durch die Läden zu schlendern, ohne unbedingt etwas kaufen zu müssen. Name:	Finden Sie jemanden, der es hasst, einkaufen gehen zu müssen. Name:
Finden Sie jemanden, der nie auf den Preis achtet und an der Kasse nicht weiß, was es insgesamt kostet. Name:	Finden Sie jemanden, der es nicht mag, wenn die Verkäufer gleich fragen, ob sie helfen können. Name:	Finden Sie jemanden, der manchmal Sachen vom Einkaufen mitbringt, die eigentlich nicht notwendig sind. Name:
Finden Sie jemanden, der gern den Rat der Verkäufer annimmt. Name:	Finden Sie jemanden, der die meisten Verkaufstricks kennt und sich nicht beeinflussen lässt. Name:	Finden Sie jemanden, der immer erst lange die Angebote im Internet vergleicht, ehe er etwas kauft. Name:

a Namen mit kurzen und langen Vokalen

Kopieren Sie die Vorlage und schneiden Sie wie angegeben für jeden TN ein Kärtchen aus.

Hahler	Hieler	Huhler	Höhler
Haller	Hiller	Huller	Höller
Heeler	Hohler	Hähler	Hühler
Heller	Holler	Heiler	Hüller

b Spiel: Finden Sie Ihre Familie

Kopieren Sie die Vorlage und schneiden Sie wie angegeben für jeden TN ein Kärtchen aus.

Mutter Hahler	Vater Hahler	Tochter Hahler	Tante Hahler
Mutter Hieler	Vater Hieler	Sohn Hieler	Tante Hieler
Mutter Hüller	Vater Hüller	Tochter Hüller	Onkel Hüller
Mutter Hiller	Vater Hiller	Opa Hiller	Oma Hiller
Mutter Haller	Vater Haller	Sohn Haller	Tochter Haller

© Hueber Verlag 2013, Sicher B1+, Lehrerhandbuch

WIEDERHOLUNGSSPIEL

Kopieren Sie die Vorlage für jeden TN einmal.

ZIEL

---

10 Sie möchten über Vor- und Nachteile des Online-Lernens sprechen.
Nennen Sie drei Vorteile und drei Nachteile.

---

9 Beschreiben Sie Ihrer Lernpartnerin / Ihrem Lernpartner, was Sie in Lektion 7 auf dem Flohmarkt gekauft haben. Erklären Sie auch, warum Sie den Gegenstand gekauft haben.

---

8 Sie wohnen in einer WG und mögen bestimmte Dinge überhaupt nicht.
Was sagen Sie? Notieren Sie fünf Möglichkeiten.

---

7 Sie würden gern Ihren Beruf wechseln und nennen Ihre Wünsche. Was sagen Sie?
Notieren Sie vier Möglichkeiten.

---

6 Sie möchten sich schriftlich bei einem Unternehmen bewerben. Schreiben Sie vier Standardsätze, die Sie in das Bewerbungsschreiben schreiben können.

---

5 Sie würden sich freuen mit Ihrer Lernpartnerin / Ihrem Lernpartner etwas zu unternehmen. Machen Sie Vorschläge und einigen Sie sich auf eine Aktivität und einen Termin.

---

4 Leider müssen Sie eine Einladung ablehnen. Wie können Sie das höflich tun?
Notieren Sie drei Möglichkeiten.

---

3 Ihre Lernpartnerin / Ihr Lernpartner ist heute nicht in den Kurs gekommen.
Was ist passiert? Schreiben Sie drei Vermutungen auf.

---

2 Sie müssen die Bitte leider ablehnen. Was sagen Sie? Notieren Sie drei Möglichkeiten.

---

1 Sie brauchen Hilfe. Wie können Sie höflich darum bitten? Notieren Sie drei Möglichkeiten.

START

Name: _____

1 WORTSCHATZ

Mein Deutschkurs. Ergänzen Sie in der richtigen Form.

> schwerfallen · Kursleiter · Geschichte · Sprichwort ·
> Liste · Original · Ergebnis · verbessern · Erfolg · Rolle

Am liebsten mag ich es, wenn unser _____ (1) mit uns Spiele spielt. Manchmal erzählt er uns auch

tolle _____ (2), was mir auch sehr gut gefällt.

Regeln, Tabellen und Wörter in _____ (3) zu markieren, das finde ich nicht so spannend.

Auch Prüfungen spielen für mich keine große _____ (4). Ein gutes _____ (5) in

der Prüfung ist ganz schön, aber mein persönliches Ziel im Deutschkurs ist, dass ich Filme oder Nachrichten

im _____ (6) verstehen kann.

Für meinen beruflichen _____ (7) ist es auch wichtig, dass ich meine Aussprache

_____ (8). Manchmal _____ es mir _____ (9), die richtigen

Ausdrücke zu finden. Aber mein Lieblings-_____ (10) lautet: Übung macht den Meister!

_____ / 10

2 GRAMMATIK

a Ergänzen Sie *häufig, nie, regelmäßig, selten* oder *manchmal*.

1 Wenn ich sonntags immer die Zeitung lese, mache ich das _____ .

2 Wenn ich einmal im Jahr E-Mails lese, mache ich das _____ .

3 Wenn ich ab und zu eine SMS schreibe, mache ich das _____ .

4 Wenn ich jeden zweiten Tag im Internet chatte, mache ich das _____ .

5 Es gibt etwas, was ich gar nicht mag: die Zeitung im Internet lesen; das mache ich _____ .

_____ / 5

b Schreiben Sie die Sätze richtig.

Beispiel: auf – eine Insel / einsam – sein – Jan

Jan ist auf einer einsamen Insel.

1 mitnehmen – haben – Er – ein Buch / interessant

_____

© Hueber Verlag 2013, Sicher B1+, Lehrerhandbuch, Autorin: Susanne Wagner

2 Aber – brauchen – auch – seine Freunde – Kontakt / regelmäßig – zu – er

_____

3 haben – sich – Deswegen – er – kaufen – ein Handy / neu

_____

4 er – können – Damit – sich – ansehen – die Nachrichten / aktuell – auch

_____

5 werden – Über – diese Zeit / spannend – im Blog – berichten – er

_____

_____ / 5

3 KOMMUNIKATION

Ein Brief an einen Freund: Schreiben Sie mindestens einen Satz zu jedem der fünf Punkte. Verwenden Sie dazu die bekannten Redemittel.

1 Wozu brauchen Sie Deutsch?
2 Was können Sie jetzt schon besonders gut?
3 Welche Fertigkeit ist für Sie vor allem wichtig?
4 Warum ist diese Fertigkeit für Sie so wichtig?
5 Was sind Ihre Ziele?

..., den 08.01.20..

Lieber Javi,

wie Du ja weißt, mache ich gerade einen Deutschkurs in ...

_____ / 10

Insgesamt _____ / 30

richtige Lösungen	Note	richtige Lösungen	Note
30 – 27	sehr gut	18 – 15	ausreichend
26 – 23	gut	14 – 0	nicht bestanden
22 – 19	befriedigend		

© Hueber Verlag 2013, Sicher B1+, Lehrerhandbuch, Autorin: Susanne Wagner

Name: _____

1 WORTSCHATZ

Ergänzen Sie in der richtigen Form.

> losgehen · stören · feiern · mitteilen · verspäten · einladen ·
> kennenlernen · mitbringen · begrüßen · besorgen

Neue Nachricht

An	Verteiler Freunde
Betreff	Wiedersehensparty

Nachricht senden

Meine Lieben,

nach vier Jahren komme ich endlich wieder in meine Heimat zurück und möchte Euch zu einer

Wiedersehensparty am 20.8. _____ (1)! So gegen 15 Uhr soll es _____ (2).

Wie letztes Mal _____ (3) wir auf dem alten Bauernhof von meinem Bruder. Ihr könnt

also gern Eure Familien _____ (4), die Kinder _____ (5) überhaupt nicht.

Ein paar von Euch haben ja auch neue Partner. Ich möchte sie endlich _____ (6).

Bitte _____ mir _____ (7), ob Ihr kommt. Ich hoffe, Euch zahlreich _____ (8)

zu dürfen. Mein Bruder und ich _____ (9) natürlich Essen und Getränke.

_____ (10) Euch nicht – es gibt warmen Schokoladenkuchen!

Liebe Grüße

Kaja

Senden   Abbrechen

_____ / 10

2 GRAMMATIK

a Was ist richtig? Markieren Sie.

Bernd: Ich freue mich schon auf unsere Pyjama-Party heute Abend.

Eva: Wie spät ist es *eigentlich / doch* (1)?

Bernd: Halb fünf.

Eva: Hängen *denn / doch* (2) die Sterne, der Mond und die andere
Dekoration im Wohnzimmer schon?

Bernd: Das habe ich ganz vergessen. Ich erledige das. Geht *mal / ja* (3) schnell.

Eva: Hoffentlich. Ich hole uns schon *mal / eigentlich* (4) die Pyjamas aus dem
Schrank, während du dekorierst. Du nimmst *denn / doch* (5) den lila Pyjama mit der langen Hose, oder?

Bernd: Nein, der ist *mal / doch* (6) zu klein. Für mich den grauen bitte.

Eva: Nimm *ja / doch* (7) den blauen mit den Sternen, der ist lustig, da können dann alle lachen, wenn du
zur Dekoration passt.

Bernd: Toll. Warum muss *eigentlich / ja* (8) immer ich der sein, über den alle lachen?

_____ / 4

© Hueber Verlag 2013, Sicher B1+, Lehrerhandbuch, Autorin: Susanne Wagner

b Was passt? Ergänzen Sie die richtige Präposition und den Artikel.

1 Ich denke noch oft _____ _____ (1) Wiener Opernball und freue mich _____ _____ (2) nächsten.

2 Ich bedanke mich herzlich _____ _____ (3) Einladung zu Ihrer Abschiedsfeier. Leider muss ich absagen.

3 Wir gratulieren euch von ganzem Herzen _____ _____ (4) Hochzeit!

4 Heute Nachmittag bin ich schon _____ mein_____ (5) neuen Freund verabredet.

Er lädt mich _____ _____ (6) besonderen Abendessen ein.

5 Die Firma Bayerlein Catering sorgt _____ _____ (7) festliche Atmosphäre Ihrer Familienfeier:

Wir kümmern uns _____ Ihr_____ (8) Feier!

_____ / 8

c Was ist richtig? Markieren Sie.

1 Das ist ein wunderschöner Lebkuchen! Ich danke dir *für ihn / dafür*!

2 Ich muss noch so viele Vorbereitungen für meinen Junggesellen-Abschied treffen! Könnt ihr mir *bei ihnen / dabei* helfen?

3 Und das Geschenk? Ich habe überall *nach ihm / danach* gesucht.

4 Freunde, ich muss mich leider schon *von euch / davon* verabschieden.

_____ / 2

3 KOMMUNIKATION

Eine Präsentation. Ordnen Sie zu.

☐ möchte · ☐ *1* stelle … vor · ☐ stattfindet · ☐ recherchiert · ☐ teilnehmen · ☐ erklären · ☐ zuerst · ☐ Inhalt · ☐ wichtige Rolle · ☐ besuchen · ☐ das letzte Mal · ☐ Lust bekommen

„Ich __(1)__ euch heute das Hohe Friedensfest in Augsburg __(1)__. Doch zunächst zum __(2)__ meiner Präsentation:
Ich __(3)__ __(4)__ über die Geschichte des Festes sprechen, dann
ein paar interessante Einzelheiten __(5)__ und schließlich von
meiner persönlichen Erfahrung berichten.
Im Internet habe ich __(6)__, dass das Fest jedes Jahr am 8. August nur in der Stadt Augsburg __(7)__. Warum
das Fest gefeiert wird? Nun, man erinnert an den Religionsfrieden aus dem Jahr 1555, als die protestantische
Kirche zum ersten Mal genauso wichtig wie die katholische Kirche war. Das Fest spielt seit 1650 eine so __(8)__
in der Stadt, dass der 8. August ein Feiertag nur für die Augsburger ist. Er erinnert daran, dass Frieden die Basis
für das ganze Leben sein soll.
Als ich __(9)__ auf dem Fest war, gab es ein tolles Programm für die Besucher. Man konnte an Diskussions-
veranstaltungen __(10)__ oder Ausstellungen __(11)__.
Danke fürs Zuhören. Ich hoffe, ihr habt __(12)__, das Fest einmal zu besuchen.
Habt ihr noch Fragen?"

_____ / 6

Insgesamt _____ / 30

richtige Lösungen	Note	richtige Lösungen	Note
30 – 27	sehr gut	18 – 15	ausreichend
26 – 23	gut	14 – 0	nicht bestanden
22 – 19	befriedigend		

© Hueber Verlag 2013, Sicher B1+, Lehrerhandbuch, Autorin: Susanne Wagner

Name: _____

1 WORTSCHATZ

a Was passt? Ergänzen Sie.

Aussicht • Umwelt • wert • diesmal • anstrengend • bequem • entfernt • verbringen • erholen • bezahlbar

Liebe Carola, lieber Roger,

dieses Jahr _____ (1) wir den schönsten Urlaub unseres Lebens. Von unserem Schlafzimmer

aus haben wir eine fantastische _____ (2) auf die Stadt. Die Betten sind außergewöhnlich

_____ (3), das Essen _____ (4) und der See, in dem wir fast täglich schwim-

men, liegt nur zwei Kilometer _____ (5). Weil wir ja der _____ (6) etwas Gutes

tun wollen, gehen wir _____ (7) viel zu Fuß. Das ist natürlich _____ (8) und

dauert länger als mit dem Auto, aber das ist es uns _____ (9). Wir _____ (10)

uns prima! Wo wir sind? Auf Balkonien*! Herzliche Grüße von *Steffi und Wilhelm*

* Wenn man seinen Urlaub zu Hause verbringt, sagt man: Urlaub auf Balkonien.

_____ / 5

b Welches Wort ist richtig? Markieren Sie

1 Ich bin durstig und brauche _____ ein Mineralwasser. *tatsächlich • unbedingt • vermutlich*

2 Wer das ist? Ich habe nicht mal eine _____ . *Vorschlag • Lage • Vermutung*

3 Eine Radtour zu machen ist sehr _____ . *umweltfreundlich • sparsam • gültig*

4 Ich möchte _____ nach Australien. Das ist mein Traum. *wohl • auf jeden Fall • außergewöhnlich*

5 Morgen fliegen wir schon! Ich muss noch so viel _____ . *gelingen • erledigen • verbinden*

_____ / 5

2 GRAMMATIK

a Was passt? Markieren Sie.

	Versprechen	Vorhersage	Vermutung	Plan/Vorsatz
Beispiel: Mama! Natürlich werde ich eine Fahrkarte kaufen! Du kannst mir glauben.	X			
1 Ich glaube, meine Eltern werden dieses Jahr wohl wieder an die Ostsee reisen.				
2 Nächstes Jahr besuche ich euch in Australien, ganz bestimmt.				
3 Das Wetter an der Ostsee wird am kommenden Wochenende sonnig sein.				
4 Bei meiner nächsten Reise werde ich umweltfreundliche Verkehrsmittel nutzen.				

_____ / 2

© Hueber Verlag 2013, Sicher B1+, Lehrerhandbuch, Autorin: Susanne Wagner

b Schreiben Sie die Sätze richtig. Beginnen Sie mit den markierten Satzteilen.

1 werden – <u>Eventuell</u> – wir – Strand – an – den – fahren

_____ .

2 Hochzeitsreise – Jahr – können – <u>Unsere</u> – wir – machen – erst – vermutlich – nächstes

_____ .

3 werde – ich – <u>Diesen Sommer</u> – wieder – wohl – Hause – verbringen – zu

_____ .

4 <u>Es</u> – eine Städtereise – mit Kindern – zu – ist – Idee – wahrscheinlich – keine gute – machen

_____ .

5 bestimmt – einer – in – übernachte – ich – <u>Aber</u> – Jugendherberge – nicht – unbequemen

_____ .

_____ / 5

c Was ist richtig? Markieren Sie.

1 Die öffentlichen Verkehrsmittel, ☐ mit den ☐ mit denen ☐ die ich fahre, sind bezahlbar und schnell.
2 Die Hundeschlittenfahrt in Alaska war das Beste, ☐ das ☐ was ☐ für das ich im Urlaub gemacht habe.
3 Der Reiseführer, ☐ dem ☐ deren ☐ dessen Tipps sehr gut waren, war außerdem ein interessanter Mann.
4 Überall, ☐ was ☐ wer ☐ wo es Sehenswürdigkeiten gibt, gibt es auch Reisesouvenirs.
5 Das moderne Elektrofahrzeug ist leistungsstark und bezahlbar, ☐ das ☐ was ☐ auf das mir sehr gefällt.

_____ / 5

3 KOMMUNIKATION

Urlaubspläne. Formulieren Sie höflicher.

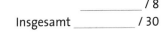

1 Ich schlage vor, wir machen eine Safari.

Wie wäre _____ , wenn _____ ?

2 Alaska ist mir zu kalt.

Alaska ist mir, _____ , _____ .

3 Und wenn wir nach Kanada reisen?

Wie _____ Idee, _____ zu _____ ?

4 Zu Hause bleiben?

Meinst du _____ , wir _____ ?

richtige Lösungen	Note	richtige Lösungen	Note
30 – 27	sehr gut	18 – 15	ausreichend
26 – 23	gut	14 – 0	nicht bestanden
22 – 19	befriedigend		

_____ / 8

Insgesamt _____ / 30

© Hueber Verlag 2013, Sicher B1+, Lehrerhandbuch, Autorin: Susanne Wagner

143

Name: _____

1 WORTSCHATZ

a Was ist richtig? Markieren Sie.

> ### NEUES ZUHAUSE GESUCHT
>
> Ab 1. Januar suche ich eine neue _Unterkunft / Agentur_ (1). Am liebsten wäre mir ein Platz _im Erdgeschoss / auf der Dachterrasse_ (2), denn im Sommer laufe ich gern im Garten herum. Da brauche ich dann einen _Sonnenschirm / Vorhang_ (3).
> Ich bin ein ruhiger _Mitbewohner / Kollege_ (4): Tagsüber schlafe ich meistens und nachts bin ich aktiv, aber ich mache fast keinen _Lärm / Streit_ (5). Mein _Lieblingsessen / Lieblingsgedanke_ (6) ist Gemüse, also Salat oder Karotten. Fast hätte ich noch vergessen zu sagen, dass ich etwas _ordentlich / chaotisch_ (7) bin. Aber nicht sehr.
> Was ich auf jeden Fall brauche, ist ein _Techniker / Hausmeister_ (8), der mein Zuhause reinigt, inklusive meiner Toilette.
> Bitte melde Dich bei Anja: Zuhause-für-Hamster-Karlchen@web.de

_____ / 8

b Welche zusammengesetzten Nomen gibt es <u>nicht</u>? Markieren Sie.

1 ☐ Klappstuhl ☐ Klapptisch ☐ Klappbett ☐ Klappteppich
2 ☐ Duschvorhang ☐ Duschgel ☐ Duschschrank ☐ Duschhandtuch
3 ☐ Müllauto ☐ Müllstuhl ☐ Mülleimer ☐ Müllsack
4 ☐ Sonnentraum ☐ Sonnenliege ☐ Sonnenschirm ☐ Sonnenbad
5 ☐ Dachterrasse ☐ Dachgeschoss ☐ Dachwohnung ☐ Dacheimer

_____ / 2,5

2 GRAMMATIK

a Was passt? Ergänzen Sie.

> von ... an • seit • um • in • gegen • nach • um • am • außerhalb • während • um • am

_____ (1) zwei Monaten habe ich meine eigene Agentur und sehr viel Stress. _____ (2) Morgen stehe ich schon so ungefähr _____ (3) 8 Uhr auf und trinke eine schnelle Tasse schwarzen Kaffee. Gewöhnlich klingelt _____ 9 Uhr _____ (4) das Telefon. _____ (5) 10 Uhr habe ich die ersten Termine mit Kunden. Ich zeige ihnen dann Häuser, Apartments, Wohnungen und WG-Zimmer. Nicht mal _____ (6) des Mittagessens habe ich Ruhe, mein Handy klingelt immer. _____ (7) Nachmittag verkaufe ich dann wieder Wohnträume, diskutiere mit Hausmeistern und Rentnern, die sich über Lärm beschweren. _____ (8) 18 Uhr ist der normale Arbeitstag eigentlich zu Ende. Natürlich bin ich aber auch _____ (9) dieser normalen Zeiten für meine besonderen Kunden da. Ein Termin _____ (10) 22 Uhr ist nicht außergewöhnlich. Einmal hatte ich sogar einen Termin _____ (11) Mitternacht ... Warum ich das alles mache? Mein Plan ist, _____ (12) 10 Jahren nicht mehr arbeiten zu müssen. Dann habe ich genug Geld verdient und werde Rentner. Mit einer Villa in Spanien ... Oh, mein Handy klingelt, Immobilienagentur Huber, guten Tag ...

_____ / 6

© Hueber Verlag 2013, Sicher B1+, Lehrerhandbuch, Autorin: Susanne Wagner

b Schreiben Sie. Beginnen Sie den Satz mit den markierten Teilen.

1 Eine Blitzumfrage zeigte, <u>dass Rentner gern in einem Mehrgenerationenhaus leben</u>.

_____ .

2 Meine Nachbarn hängen ihre Wäsche <u>mitten im Garten</u> auf.

_____ .

3 Einkaufsmöglichkeiten und ein Kindergarten sind <u>mir</u> sehr wichtig.

_____ .

_____ / 3

c Was passt? Ordnen Sie zu.

1 Nein, die Wohnung	brauche keinen	nur noch zu unterschreiben.
2 Für die Renovierung	brauche ich	zu streichen.
3 Für meinen Umzug	brauchen Sie	Cent zu bezahlen.
4 Den Mietvertrag	brauchen Sie keinen	Mitbewohner mehr. Danke.
5 Oh nein, ich	brauchen Sie nicht	ein großes Umzugsauto.

_____ / 2,5

3 KOMMUNIKATION

In der WG. Was mögen die Mitbewohner (nicht)? Schreiben Sie. Verwenden Sie dazu die bekannten Redemittel.

Dauernd Besuch   —
Immer gleich Geschirr abspülen   +
Einmal in der Woche für alle putzen   +
Laute Partys   —
Haustiere   —
…

Beispiel: Wir mögen es gar nicht, wenn dauernd Besuch bei uns ist.

1 _____

2 _____

3 _____

4 _____

_____ / 8

Insgesamt _____ / 30

richtige Lösungen	Note	richtige Lösungen	Note
30 – 27	sehr gut	18 – 15	ausreichend
26 – 23	gut	14 – 0	nicht bestanden
22 – 19	befriedigend		

© Hueber Verlag 2013, Sicher B1+, Lehrerhandbuch, Autorin: Susanne Wagner

Name: _____

1 WORTSCHATZ

Was passt? Ordnen Sie zu.

Vertreter • -druck • Voraussetzung • Beamte • Werk • anstrengend •
berufstätig • Angestellte • streiken • lächeln

1   der Chemiekonzern hat 25 Mitarbeiter oder 25: _____

2   nicht lachen, aber fast: _____

3   einen Beruf haben und arbeiten: _____ sein

4   in diesem Teil von der Firma produziert man: _____

5   Das Abitur ist in Deutschland _____ für ein Studium.

6   Die Arbeit kostet viel Kraft, sie ist _____ .

7   Unsere Firma ist in Hamburg. Aber unsere _____ kommen zu Firmen in die
    ganze Welt, auch in Ihre.

8   nicht arbeiten wollen: _____

9   Diese Personen arbeiten für den Staat und sind _____ .

10 Ich bin sehr gestresst. Der Zeit_____ in der Arbeit wird immer größer.

_____ / 10

2 GRAMMATIK

a Schreiben Sie Sätze mit und ohne *wenn*.

Beispiel: ich Geld haben – mein Traumhaus kaufen → *Wenn ich Geld hätte, würde ich mein Traumhaus kaufen. /*
Hätte ich Geld, würde ich mein Traumhaus kaufen.

1   die Firma finanzielle Schwierigkeiten haben – Mitarbeiter entlassen

    Wenn_____ .

    _____ .

2   Frauen wirklich gleichberechtigt sein – so viel wie ihre Kollegen verdienen

    Wenn_____ .

    _____ .

_____ / 4

b Schreiben Sie Sätze mit *um ... zu* oder *damit*.

1   Ich gehe zum Job-Speed-Dating,_____. (potenzielle Arbeitgeber kennenlernen)

2   Wer arbeitslos wird, muss sich beim Arbeitsamt melden,_____. (sozialversichert sein)

© Hueber Verlag 2013, Sicher B1+, Lehrerhandbuch, Autorin: Susanne Wagner

3 (Einladung zum Vorstellungsgespräch bekommen) _____ ,
   muss meine Bewerbungsmappe fehlerfrei sein.

4 (unabhängig sein) _____ , hat meine Tochter eine eigene Firma gegründet.

5 Anton arbeitet sehr viel, _____ . (seine Familie gut leben können)

_____ / 5

c Schreiben Sie Sätze mit *zum*.

Beispiel: Ich möchte Geld ausgeben. Ich brauche eine gut bezahlte Stelle. → *Zum Geldausgeben brauche ich eine gut bezahlte Stelle.*

1 Ich will lernen. Ich brauche Ruhe.

_____ .

2 Rainer möchte studieren. Er braucht Abitur.

_____ .

3 Wir möchten nähen. Wir brauchen eine Nadel und viel Zeit.

_____ .

_____ / 3

3 KOMMUNIKATION

Eine Bewerbung. Ordnen Sie zu.

☐ Interesse · ☐ Möglichkeit · ☐ bevorzugten · ☐ Auszubildende ·
☐ absolvieren · ☐ würden · ☐ Verantwortung · ☐ gegründet

Bewerbung als ___(1)___ in Kfz-Mechatronik

Sehr geehrte Frau Dahmen,

mit großem ___(2)___ habe ich Ihre Anzeige in der FAZ gelesen. Dort suchen Sie Kfz-Mechatroniker. Sehr gerne würde ich meine Ausbildung bei Ihnen ___(3)___.
Aus folgenden Gründen halte ich mich für diese Ausbildungsstelle geeignet: Mein Vater hat Kraftfahrzeugmechaniker gelernt und nach einigen Jahren in einer großen Werkstatt seinen eigenen Betrieb ___(4)___.
Dort habe ich in den letzten Jahren auch ___(5)___ für kleine und größere Aufgaben übernommen.
In der Schule waren Physik und Chemie meine ___(6)___ Fächer. Mein Notendurchschnitt hier lag bei 2,0.
Ich würde mich sehr freuen, wenn Sie mir die ___(7)___ zu einem persönlichen Gespräch geben ___(8)___.

Mit freundlichen Grüßen
Lucy Wegele

_____ / 8

Insgesamt _____ / 30

richtige Lösungen	Note	richtige Lösungen	Note
30 – 27	sehr gut	18 – 15	ausreichend
26 – 23	gut	14 – 0	nicht bestanden
22 – 19	befriedigend		

© Hueber Verlag 2013, Sicher B1+, Lehrerhandbuch, Autorin: Susanne Wagner

Name: _____

1 WORTSCHATZ

Was ist richtig? Markieren Sie.

1 Der Walzer ist ein *Tanz / Rhythmus*, für den man viel Gefühl braucht.
2 Silvia und Heinz heiraten. Zu dieser *Gelegenheit / Veranstaltung* bestellen wir eine Band.
3 Wunderkinder sind meistens *völlig / sehr* klug und talentiert sind sie *sowieso / höchstens*.
4 Beim Eurovision Song Contest 2010 hat der *Star / Beitrag* von Deutschland gewonnen.
5 Partymusik ist meistens *fröhlich / klassisch* und *nirgends / nie* traurig.
6 Die Tournee von Christina Stürmer findet *sogar / insgesamt* schon nächstes Jahr statt.
7 Den musikalischen Geschmack ihrer Kinder können Eltern nicht *begründen / beeinflussen*.
8 Meine Lieblingsband hat durch *talentierte / fröhliche* Videoclips auf sich aufmerksam gemacht.

_____ / 10

2 GRAMMATIK

a Was ist richtig? Markieren Sie.

1 Zu dem Konzert von Hubert von Goisern können wir nicht gehen,
   ☐ weil ☐ denn ☐ nämlich die Eintrittskarten sind schon ausverkauft.
2 ☐ Deshalb ☐ Weil ☐ Da schlage ich vor, wir sehen uns das Konzert von dieser begabten österreichischen
   Sängerin an, die Annett so gern mag.
3 ☐ Deswegen ☐ Nämlich ☐ Da ich weiß, dass auch du von ihr begeistert bist, habe ich schon mal
   vier Karten reserviert.
4 Die vierte Karte ist für André, der möchte ☐ aus diesem Grund ☐ darum ☐ nämlich Annett näher
   kennenlernen.
5 Die beiden wären ein sehr schönes Paar. ☐ Daher ☐ Da ☐ Weil bin ich umso mehr auf den
   Konzertabend gespannt.

_____ / 5

b Schreiben Sie die Sätze mit *obwohl* oder *trotzdem*.

1 Ich möchte gern Schlagzeug spielen lernen. Ich habe kein eigenes Instrument. (obwohl)

_____.

2 Die österreichischen Liedermacher singen nur auf Deutsch. Sie verkaufen viele CDs. (trotzdem)

_____.

_____ / 2

c Ordnen Sie zu.

nie • keine • niemand • nicht • keine • nirgendwo

_____ (1) im deutschsprachigen Raum ist so erfolgreich wie der Musiker und

Sänger Herbert Grönemeyer. Schon vor dem Abitur verdiente er Geld als Pianist.

Trotzdem spielte er in der Öffentlichkeit _____ (2) große Rolle, bis er 1981 mit

dem Film „Das Boot" als Schauspieler bekannt wurde. Trotz seines Erfolgs als Schauspieler hörte er _____ (3)

auf, Musik zu machen. Im Jahr 1984 wurde dann sein Album *4630 Bochum* die Nummer eins in Deutschland. Im

November 1998 starben seine Frau und sein Bruder. Er konnte über ein Jahr _____ (4) Lieder schreiben

und _____ (5) auftreten. Das Lied *Mensch*, das er nach diesen furchtbaren Erlebnissen schrieb, ist bis

heute sein erfolgreichstes Stück. Heute kann er in Deutschland _____ (6) mehr hingehen, ohne erkannt

zu werden.

_____ / 3

3 KOMMUNIKATION

Nach einem Besuch bei Ihrem Freund möchten Sie ihn nun einladen. Schreiben Sie mindestens einen Satz zu jedem der fünf Punkte. Verwenden Sie dazu die bekannten Redemittel.

1 Danken Sie ihm für seine Gastfreundschaft.
2 Schlagen Sie ihm einen Termin für einen Gegenbesuch vor.
3 Empfehlen Sie ihm eine besondere Veranstaltung in dieser Zeit.
4 Begründen Sie, warum Sie gern mit Ihrem Freund dorthin gehen möchten.
5 Erklären Sie ihm, wie er am besten zu Ihnen kommen kann.

Lieber Florian,

es war toll bei Dir in Berlin …

_____ / 10

richtige Lösungen	Note	richtige Lösungen	Note
30 – 27	sehr gut	18 – 15	ausreichend
26 – 23	gut	14 – 0	nicht bestanden
22 – 19	befriedigend		

Insgesamt _____ / 30

Name: _____

1 WORTSCHATZ

Ergänzen Sie.

> Ziel • Brettspiel • gewinnt • Ende • Strategie • Spielmaterialien • Mitspieler • Gewinner • Würfel • desto •
> Spielkarten • Figuren

Mein Lieblingsspiel heißt *Sagaland* und ist ein _____ (1). Die _____ (2) bestehen

aus einem Brett, Würfeln und _____ (3). Die _____ (4) ziehen ihre Figuren

zu Bäumen, unter denen Symbole für verschiedene bekannte Märchen versteckt sind. Jeder Spieler hat

zwei _____ (5) und mit ihrer Punktezahl muss er genau an einen Baum kommen, um das

Symbol unter ihm anschauen zu dürfen. _____ (6) des Spiels ist es zu wissen, welches Symbol

unter welchem Baum steckt. Im Schloss am Ende des Spielfeldes gibt es _____ (7), die das Mär-

chensymbol noch einmal zeigen. Wer den richtigen Baum zu der Karte zeigen kann, _____ (8)

die Karte. Das Spiel ist zu _____ (9), wenn keine Karten mehr im Schloss sind. Natürlich ist die

Person mit den meisten Karten der _____ (10). Die _____ (11) ist einfach: An je

mehr Symbole man sich erinnern kann, _____ (12) sicherer wird man das Spiel gewinnen.

_____ / 6

2 GRAMMATIK

a Ergänzen Sie die Nachsilben.

1 rechnen → die Rechn_____

2 die Bank → der Bank_____

3 mehr → die Mehr_____

4 elektronisch → die Elektron_____

5 sich entscheiden → die Entscheid_____

6 leiten → der Leit_____

7 praktisch → der Praktik_____

8 packen→ das Päck_____

_____ / 4

b Ergänzen Sie im Passiv.

1 Früher hatte jedes Kind ein Sparschwein, aber heute _____ kaum

   noch _____. (sparen)

2 Das liegt auch daran, dass in den letzten Jahren nur sehr wenig Zinsen für Spar-

   konten _____ _____ _____. (bezahlen)

3 Früher _____ keine Kredite _____, man kaufte nur, wenn man genug Geld hatte.

   (aufnehmen)

© Hueber Verlag 2013, Sicher B1+, Lehrerhandbuch, Autorin: Susanne Wagner

4 Heute wird der Kunde in großen Einkaufszentren und vor allem im Internet zu Käufen verführt, die er gar

nicht braucht. _____ dann noch die Kreditkarte zum Bezahlen _____, verliert man die

Kosten schnell aus den Augen. (benutzen)

5 Hauptsächlich Teenager _____ vor den Gefahren der Plastikkarten _____

_____ (müssen, warnen).

6 Kreditkarten machen es schwierig zu wissen, wie viel Geld noch _____ _____

_____ (können, ausgeben).

_____ / 6

c Bringen Sie die Satzteile in die richtige Reihenfolge.

die traditionellen Rollen von Mann und Frau getauscht werden müssen heute
immer öfter

1 Die traditionellen _____ .

2 Immer öfter _____ .

3 Heute _____ .

4 _____ ?

5 Getauscht _____ .

_____ / 5

3 KOMMUNIKATION

Auf dem Flohmarkt. Was ist richtig? Markieren Sie.

■ Interessieren Sie sich für diesen *außergewöhnlich / hauptsächlich* (1) schönen Geldbeutel?
Von der *Sorte/Marke* (2) sind nicht viele *gemacht / verbraucht* (3) worden.

● Sind Sie sicher? Die wurden doch vor ein paar Jahren ganz *viel / günstig* (4) angeboten.
Was wollen Sie *dann / denn* (5) für ihn haben?

■ Na ja, er *bietet / anbietet* (6) viel Platz für Geldkarten, *Mitgliederausweise / Mitgliedsausweise* (7) und auch für
Münzen. Also, sagen wir, 25 Euro.

● So *viel / viele* (8)? *Halb / Die Hälfte* (9) würde ich vielleicht bezahlen.

■ Nein, da müssen Sie schon noch was *drauflegen / zulegen* (10). *Prüfen / Sehen* (11) Sie ihn doch genau, er ist
wie neu.

● Sie *verbrauchen / verlangen* (12) ganz schön viel. Können wir nicht *handeln / behandeln* (13)?

■ Sicher. *Sagen / Sprechen* (14) wir 20 Euro. *Wären / Wäre* (15) Sie damit einverstanden?

● Je länger ich ihn anschaue, *je / desto* (16) besser gefällt er mir. Also gut, einverstanden, 20 Euro.

■ Das ist eine gute *Entscheidung / Beziehung* (17). Ich wünsche Ihnen viel Freude *damit / dabei* (18).

_____ / 9

Insgesamt _____ / 30

richtige Lösungen	Note	richtige Lösungen	Note
30 – 27	sehr gut	18 – 15	ausreichend
26 – 23	gut	14 – 0	nicht bestanden
22 – 19	befriedigend		

© Hueber Verlag 2013, Sicher B1+, Lehrerhandbuch, Autorin: Susanne Wagner

Name: _____

1 WORTSCHATZ

Ordnen Sie zu.

☐ öffnet • ☐ Lautsprecher • ☐ Versenden • ☐ aufnehmen • ☐ Monitor • ☐ Surfen •
☐ Tastatur • ☐ Speichern • ☐ Textverarbeitungsprogramm • ☐ angeschlossen

---

Neue Nachricht

| An | Fred Weinold |
| Betreff | Hilfe!! |

Nachricht senden

Lieber Fred,
ich brauche dringend Deine Hilfe!
Mein neuer „Super"-Computer macht mich noch komplett verrückt. Hier schon mal die wichtigsten Probleme:
Die ____(1)____ funktionieren nicht, obwohl ich alle Kabel ____(2)____ habe. Das ____(3)____ kann ich anklicken, dann ____(4)____ es sich auch, aber ich finde keinen Button zum ____(5)____ von meinen Texten. Das gibt's doch gar nicht! Der ____(6)____ ist zu dunkel und wenn Du eine größere ____(7)____ hast, dann bring sie mir bitte mit. Mit den kleinen Tasten kann ich unmöglich länger tippen. Und wie kann ich eigentlich etwas mit der Webcam ____(8)____? Das Einzige, was problemlos klappt, ist das ____(9)____ im Internet und das E-Mail-____(10)____, wie Du siehst.
Und ganz wichtig: Am besten bringst Du noch was Feines zum Trinken mit! Ich warte auf Dich.
Steffen

| Senden | Abbrechen |

_____ / 10

2 GRAMMATIK

a Was ist richtig? Markieren Sie.

Sie möchten also zum Krankenhaus? ... Hm, die Ringstraße ist gesperrt, das heißt, Sie fahren am besten _entlang der Wittelsbacherstraße / die Wittelsbacherstraße entlang_ (1). Da kommen Sie dann links _bei / an_ (2) einem Supermarkt _vorbei_. Nach dem Supermarkt dann links _in die / in der_ (3) Goethestraße. Dann kommt die Verkehrsinsel. Fahren Sie _um sie / um sie herum_ (4), bis Sie das Schild Krankenhaus sehen. _Gegenüber der / Innerhalb der_ (5) großen Bank ist dann schon der Parkplatz des Krankenhauses. Weil das Krankenhaus _außerhalb / innerhalb_ (6) einer 30 km/h-Zone liegt, dürfen Sie nicht schneller als 30 km pro Stunde fahren! Die Polizei kontrolliert und stoppt dort gern. Ach ja, das Blumengeschäft im Krankenhaus hat geschlossen, falls Sie noch Blumen brauchen – gleich hier rechts, _zwischen den / zwischen dem_ (7) Bäcker und _die / dem_ (8) Kindergarten, gibt es wunderbare Blumen.

_____ / 4

b Verneinen Sie die Sätze, indem Sie nicht ergänzen.

1 Pia ist mit dem Bildungssystem in Deutschland zufrieden.

Leni, ihre Schwester, _____ .

© Hueber Verlag 2013, Sicher B1+, Lehrerhandbuch, Autorin: Susanne Wagner

2 Leni möchte ihre Kinder auf eine teure Privatschule schicken.

Pia _____.

3 Pia findet, dass es am Gymnasium genug Unterrichtsstunden gibt.

Leni findet, _____.

/ 3

c Ergänzen Sie, wo nötig.

1 Die Schulgebühren ein_____ Privatschule_____ sind hoch.

2 Der Ärger sein_____ Mutter_____ über das schlechte Zeugnis war nur zu verständlich.

3 Das Betreuungsangebot _____ Kindergärten_____ ist sehr gut.

4 Die Ansichten unser_____ Politiker_____ sind manchmal schwer zu verstehen.

5 Habt ihr schon von dem Erfolg dies_____ französisch_____ Schauspieler_____ gehört? Pierre heißt er.

_____ / 5

3 KOMMUNIKATION

Ergänzen Sie: *Drittel, ein Viertel,*
die Hälfte, ungefähr so viele,
die meisten, wenige (2x), *jeweils.*

Das Weiterbildungsangebot meiner VHS	
Sprachen	45%
Berufliche Weiterbildung und EDV	26%
Kunst und Kultur	10%
Gesundheit	7%
Kochen und Backen	6%
Kreativität	6%

Das Weiterbildungsangebot einer VHS ist ja nach Region, Alter der Bürger und Dozenten verschieden. Meine

VHS bietet _____ _____ (1) Kurse auf dem Gebiet der Sprachen an. Genauer gesagt machen die

Sprachkurse etwa _____ (2) aller Kurse aus. Berufliche Weiterbildung und EDV zusammen

sind circa _____ (3) aller Kurse. Diese beiden größten Themenbereiche zusammen machen

insgesamt circa zwei _____ (4) des gesamten Angebots aus. In Kochen und Backen und zum Themen-

bereich Kreativität werden insgesamt nur _____ (5) Kurse angeboten. Es sind _____ (6) nur

6 Prozent des gesamten Angebots. Zusammen mit den Themenbereichen Gesundheit und Kunst und Kultur

sind es _____ ____ _____ (7) Kurse wie in beruflicher Weiterbildung und EDV. Auf dem Gebiet

Gesundheit sind es auch nur _____ (8) Kurse, die im VHS-Heft angeboten werden. Ich besuche im

Sommersemester erst mal einen Kurs in Spanisch und den Kurs Betriebswirtschaft für Anfänger.

_____ / 8

Insgesamt _____ / 30

richtige Lösungen	Note	richtige Lösungen	Note
30 – 27	sehr gut	18 – 15	ausreichend
26 – 23	gut	14 – 0	nicht bestanden
22 – 19	befriedigend		

Ampelkarten (Lektion 1 → S. 16)

FEEDBACK GEBEN: Alle TN erhalten am Anfang des Kurses je ein grünes, ein gelbes und ein rotes Kärtchen. Mithilfe dieser Kärtchen erhalten Sie als KL ein Feedback, wie gut die TN einzelne Themen beherrschen. Fragen Sie die TN nach einem bestimmten, im Unterricht behandelten Thema, zum Beispiel aus der Rubrik *Ich kann jetzt …* Die TN halten das entsprechende Kärtchen hoch: grün = *Ich habe es verstanden*; gelb = *Ich habe noch Fragen*; rot = *Ich habe es noch nicht gut verstanden, ich brauche eine Wiederholung*. So haben Sie als KL sehr schnell einen Überblick, ob die Mehrheit noch einmal Hilfe braucht oder nur Einzelne, denen Sie dann bei Gelegenheit individuelle Hilfe anbieten können.

Artikelgymnastik (Lektion 2 → S. 36; Lektion 3 → S. 41; Lektion 4 → S. 57; Lektion 7 → S. 100)

GRAMMATIK SEHEN: Teilen Sie die Klasse in die drei „Artikel"-Gruppen *der*, *die* und *das* auf. Lesen Sie Nomen aus einem Wortfeld vor und immer, wenn die TN einer Gruppe glauben, dass „ihr" Artikel der richtige ist, stehen sie auf. Statt aufzustehen, können Sie mit den TN auch Armbewegungen ausmachen, zum Beispiel rechter Arm hoch = *der*, linker Arm hoch = *das*, beide Arme hoch = *die*. Diese Übung eignet sich gut als Wiederholungsübung und als Energieaufbauübung zwischendurch.

Ballmethode (Lektion 1 → S. 15; Lektion 2 → S. 37; Lektion 3 → S. 45/53; Lektion 4 → S. 57)

SPRECHHILFE: Werfen Sie einen Ball zu einer/einem TN und stellen Sie eine Frage. Diese Frage kann aktuelle grammatische Strukturen enthalten oder sich inhaltlich auf das Thema beziehen. Die/der TN antwortet und wirft dann den Ball mit einer neuen (oder auch derselben) Frage zu einer/einem anderen TN. Diese Methode eignet sich, wenn Sie mit den TN üben möchten, spontan auf eine Frage zu reagieren, oder wenn Sie gewisse Strukturen einschleifen möchten.

Blitzlicht (Lektion 7 → S. 107)

FEEDBACK GEBEN: Stellen Sie eine Frage zu einem Thema und bitten Sie die TN, diese wirklich kurz und knapp mit nur einem Satz zu beantworten. Das Blitzlicht kann sowohl als Einstieg in ein Thema angewandt werden (jede/r TN sagt kurz und knapp, was sie/er über das Thema weiß), als auch als Bitte um eine spontane Meinungsäußerung oder Zwischenevaluation zu einem Thema.

Chunk (Lektion 4 → S. 57)

EINPRÄGHILFE: Chunks sind feste Wortverbindungen, die an einer bestimmten Stelle im Unterricht von den TN als EINE Einheit gelernt werden, ohne sie in diesem Moment grammatisch zu verstehen, wie zum Beispiel *Wie geht es Ihnen? Mir geht es gut.* (A1, Einführung des Dativs meist noch nicht bekannt) etc. Um die Sprechgeschwindigkeit zu erhöhen und die Fehlerquote zu minimieren, ist die Einführung von Chunks im Unterricht sinnvoll.

Echo-Sprechen (Lektion 2 → S. 39; Lektion 6 → S. 84)

AUTOMATISIERUNG: Sprechen Sie Wörter/Sätze laut vor – die TN sprechen nach. Oder beginnen Sie, einen Satz/Textabschnitt laut vorzulesen, die TN lesen denselben Satz zeitversetzt mit. Diese Methode eignet sich zur Automatisierung zum Beispiel neuer Redemittel oder auch zum Trainieren der Aussprache.

Ecriture automatique (Lektion 1 → S. 25; Lektion 6 → S. 84)

KREATIVES SCHREIBEN: Die TN schreiben für fünf Minuten ohne Punkt und Komma, was ihnen durch den Kopf geht. Sie dürfen dabei nicht stoppen und nachdenken. Begleiten Sie das Schreiben zum Beispiel mit klassischer Musik. Bedingung ist, dass dieser Text später nicht zur Kontrolle herangezogen wird. Er dient nur dazu, Schreibblockaden abzubauen und sich sozusagen schriftlich „aufzuwärmen", um dann nahtlos auf das kreative Schreibthema überzuleiten und dieses bearbeiten zu lassen.

Energieaufbauübung (Lektion 6 → S. 91)

KONZENTRATION: Energieaufbauübungen sind Konzentrations- und/oder Bewegungsübungen, die das Ziel haben, nach mental anstrengenden Phasen wieder körperlich aktiv zu werden. So wird der Kreislauf wieder in Schwung gebracht und das Gehirn besser mit Sauerstoff versorgt, was wiederum eine Erhöhung der Konzentrationsfähigkeit mit sich bringt. Außerdem tragen sie zu einer lockeren und ungezwungenen Atmosphäre im Kurs bei.

Expertengruppen (Lektion 3 → S. 49; Lektion 6 → S. 87; Lektion 7 → S. 99/110)

UNTERRICHTSTECHNIK: Es gibt verschiedene Arbeitsaufträge. Zu jedem Arbeitsauftrag wird eine Gruppe gebildet. Die Aufgaben werden in jeder Gruppe so gelöst, dass jedes Mitglied der Gruppe in der Lage ist, die Ergebnisse weiterzugeben, also Expertin/Experte zu sein. Danach gehen die TN wieder in Gruppen zusammen und zwar so, dass aus jeder Gruppe jede Person in eine andere Gruppe geht und dort die Ergebnisse weitergibt. Innerhalb dieser neuen Gruppen voller Experten kann neu diskutiert werden.

Fehlerteufel (Lektion 2 → S. 29; Lektion 3 → S. 41)

FEHLERARBEIT: Wenn Sie gesprochene Sätze der TN an die Tafel schreiben, übernehmen Sie sie ruhig wortwörtlich und kennzeichnen Sie die Stellen, wo ein Fehler auftaucht. Erklären Sie zunächst nichts und machen Sie normal mit der Aufgabe weiter. In der Regel kommen die richtigen Antworten automatisch von den TN. Sobald jemand einen Verbesserungsvorschlag geäußert hat, verbessern Sie den Fehler an der Tafel.

Flammende Rede (Lektion 2 → S. 40; Lektion 8 → S. 122)

FEEDBACK GEBEN: Die TN resümieren das Thema der Stunde bzw. der letzten Stunden. Jede/r in der Runde erhält nacheinander ein Streichholz, zündet es an und darf nur so lange sprechen, bis das Streichholz abgebrannt ist. Dann ist die/der Nächste an der Reihe. Dabei lernen die TN, sich kurz zu fassen und ihre Gedanken zu zentralisieren.

Frage-Antwort-Ball (Lektion 1 → S. 23)

SPRECHHILFE: Auf einem Ball steht ein Fragezeichen, auf dem anderen ein Ausrufezeichen. Werfen Sie die Bälle zwei TN zu. Die/der TN, die/der den Ball mit dem Fragezeichen gefangen hat, nennt eine Frage passend zum Text; die/der TN, die/der den Ball mit dem Ausrufezeichen gefangen hat, gibt die Antwort darauf.

Grammatiktheater (Lektion 4 → S. 60)

GRAMMATIK SEHEN: Schreiben Sie von einem grammatisch interessanten Satz jedes Wort und jedes Satzzeichen auf je ein Kärtchen. Bitten Sie so viele Personen aufzustehen, wie es Kärtchen gibt. Verteilen Sie die Kärtchen. Jede/r hält das eigene Kärtchen sichtbar für alle. Die TN, die kein Kärtchen haben, sollen nun die Wörter so zusammensetzen, dass ein korrekter Satz entsteht. Sie dirigieren die TN mit Kärtchen an ihren „Platz" im Satz. Die Personen, die „zusammengehören" (zum Beispiel Artikel + Nomen) haken sich ein. Wenn der Satz „steht", wird diskutiert, ob alles richtig ist. Könnte man den Satz auch noch anders stellen? Wie viele Varianten werden gefunden?

Improvisationsübung (Lektion 2 → S. 27; Lektion 8 → S. 119)

KONZENTRATION: Zwei TN stellen sich gegenüber auf. Wählen Sie ein Thema aus. Ein/e TN gibt ein Wort passend zum Thema vor, die/der andere sagt schnell ein anderes Wort, das ihr/ihm dazu einfällt. (zum Beispiel *Auto – schnell; fahren – nach Hause; Benzin – leer*). Achten Sie darauf, dass die TN möglichst schnell agieren und keine großen Pausen entstehen. Es sollte möglichst nicht darüber nachgedacht werden, was man antworten könnte. Das fördert enorm die sprachliche Leistungsfähigkeit und ist eine sehr gute Konzentrationsübung.

Impuls (Lektion 2 → S. 27)

ASSOZIATIONSVERFAHREN: Zeichnen Sie zu einem bestimmten Thema ein typisches Symbol an die Tafel, zum Beispiel beim Thema „Feste" einen Kuchen mit Kerze oder ein Geschenk. Lassen Sie die TN Assoziationen dazu finden. Schreiben Sie alles an die Tafel, was von den TN genannt wird. Steuern Sie das Tafelbild nur, indem Sie die genannten Wörter oder Wortgruppen sortieren, zum Beispiel nach Nomen, Verben, Adjektiven oder nach Wortfeldern wie *Geschenke, Feste* etc. Dadurch fördern Sie das autonome, selbstbestimmte Lernen.

Kommentarlawine (Lektion 8 → S. 117)

KREATIVES SCHREIBEN: Lassen Sie Gruppen bilden. Jede/r TN schreibt einen Text. Danach liest jede/r TN einen Text aus der Gruppe (nicht den eigenen) und kommentiert ihn im Hinblick auf Inhaltspunkte und Stil. Hierfür können Textstellen eingekreist und am Rand mit einer Bemerkung versehen werden. Dann wird der Text an die/den Nächsten weitergegeben. Diese/Dieser liest die Kommentare und kommentiert sie oder fügt neue hinzu. So wird weitergemacht, bis jede/r das eigene Blatt zurückbekommt. Die Kommentare werden nun zur Überarbeitung herangezogen.

Kugellager (Lektion 6 → S. 86)

UNTERRICHTSTECHNIK: Die TN stehen sich in einem Außen- und einem Innenkreis gegenüber. Der Außenkreis zum Beispiel stellt Fragen, der Innenkreis gibt die passenden Antworten. Nach jeder gelösten Aufgabe oder nach einer bestimmten Zeit bewegt sich nur der Innenkreis im Uhrzeigersinn und steht somit wieder vor einer neuen Lernpartnerin / einem neuen Lernpartner. Diese/Dieser stellt wieder dieselbe oder eine neue Frage etc.

Kursausstellung (Lektion 4 → S. 55)

FEEDBACK GEBEN: Dabei werden verschiedene Arbeiten der TN wie zum Beispiel Texte, Plakate etc. wie Ausstellungsstücke im Kursraum aufgehängt. Die TN gehen von Arbeit zu Arbeit, machen sich Notizen zu den Arbeiten und besprechen ihre Notizen danach gemeinsam im Kurs.

Lesen nach Zahlen (Lektion 3 → S. 48)

LESETECHNIK: Nach längeren Lesetexten mit vielen Zahlenangaben lässt sich gut die selektive Leseaufgabe anschließen, die Informationen genau zu diesen Zahlen herauszusuchen.

Liedtextpflücken (Lektion 1 → S. 17; Lektion 6 → S. 96)

LESE- UND HÖRTECHNIK: Zur Vorentlastung eines Liedes geeignet. Teilen Sie den Kurs in vier bis fünf Gruppen auf. Jede Gruppe stellt sich um einen Stuhl. Schneiden Sie den Liedtext in Streifen und legen Sie diese für jede Gruppe mit dem Text nach oben auf einen Stuhl. Starten Sie das Lied. Die Gruppen gehen um „ihren" Stuhl herum und immer, wenn sie eine Zeile hören, die auch auf einem Streifen steht, versuchen sie, den Streifen zu nehmen. Wer am Ende die meisten Streifen hat, hat gewonnen. Danach bringen die TN die Zeilen wieder in die richtige Reihenfolge und kontrollieren mit der Musik.

Lüge (Lektion 5 → S. 69/76; Lektion 8 → S. 113)

SPRECHHILFE: Die TN geben auf einem Steckbrief oder bei einem Interview nicht alles wahrheitsgemäß an, sondern verstecken irgendwo eine Lüge, die die anderen TN finden müssen. Die Neugier, die Antwort finden zu wollen, fördert das natürliche Sprechen.

Merkkette (Lektion 7 → S. 104)

EINPRÄGHILFE: Ein Wortfeld wird vorgegeben, zum Beispiel *Geld*. Ein/e TN beginnt und sagt einen Satz, zum Beispiel *Ich kann Geld sparen*. Die/Der Nächste wiederholt den Satz der betreffenden Person und nennt einen neuen: *Max kann Geld sparen und ich kann Geld überweisen*. Die/Der Nächste führt die „Kette" fort: *Max kann Geld sparen, Moritz kann Geld überweisen und ich kann Geld abheben*. Nach einer Weile sollte mit einer neuen Merkkette begonnen werden.

Mönchsgang (Lektion 2 → S. 38, Lektion 6 → S. 96)

EINPRÄGHILFE: Die TN laufen langsam durch den Raum und sprechen die Sätze, die sie sich einprägen wollen, vor sich hin. Im Laufen prägt sich Vieles leichter ein.

Murmelgruppe (Lektion 1 → S. 17, Lektion 2 → S. 27, Lektion 3 → S. 43)

SPRECHHILFE: Auf einen Impuls hin – ein Lied, ein Thema, eine Frage etc. – fangen die TN an, miteinander zu sprechen, was ihnen dazu in den Sinn kommt. Geben Sie den TN nur wenige Minuten Zeit und lassen Sie die Kommunikation ganz natürlich erfolgen. Eine Zusammenfassung im Plenum muss nicht unbedingt stattfinden. Diese Übung eignet sich u.a. als Einstieg in ein neues Thema und ist besonders für auditive Lerntypen sehr geeignet.

Schneeballprinzip (Lektion 3 → S. 52)

UNTERRICHTSTECHNIK: Die TN sollen zu einem Thema Ideen zusammentragen. Jede/r TN notiert zu diesem Thema zum Beispiel drei Ideen. Danach sucht sie/er sich eine Lernpartnerin/einen Lernpartner, die/der ja auch drei Ideen notiert hat. Beide einigen sich gemeinsam auf die wichtigsten vier Punkte (von den sechs). Danach sucht sich das Paar ein weiteres Paar und einigt sich auf die wichtigsten sechs Punkte etc. Mit dieser Methode kann man viele Aspekte eines Themas sammeln und gleichzeitig üben, sich auf eine Auswahl zu einigen.

Schreibkonferenz (Lektion 6 → S. 88)

KREATIVES SCHREIBEN: Die TN beraten sich gegenseitig in Kleingruppen beim Schreiben von Texten. Jede/r liest ihren/seinen Text vor und die anderen äußern sich anhand eines Fragenkatalogs, den Sie zuvor an die Tafel geschrieben haben:
1. Habe ich verstanden, worum es im Text geht?
2. Sind die Inhalte korrekt?
3. Ist die Anrede etc. passend?
4. Was sollte ausführlicher beschrieben sein?
5. Ist der Schreibstil passend?
Dann wird der Text auf grammatische und orthografische Fehler hin gemeinsam untersucht. Die Autorin / Der Autor des Textes macht sich Notizen und verbessert den Text.

Speed-Dating (Lektion 5 → S. 72)

UNTERRICHTSTECHNIK: Die TN sitzen/stehen sich in zwei Gruppen jeweils paarweise gegenüber. Jede Seite hat ein bestimmtes Thema (zum Beispiel *Arbeitgeber – Arbeitnehmer, Männer – Frauen, Frage – Antwort* etc.). Die TN sprechen miteinander und nach einer bestimmten Zeit, zum Beispiel 30 Sekunden, gehen sie einen Platz weiter nach rechts. Damit können alle TN gleichzeitig sprechen und die Lehrkraft hat Zeit für individuelle Korrekturen/Notizen.

Strahlmethode (Lektion 3 → S. 54)

FEEDBACK GEBEN: Zeichnen Sie einen Stern an die Tafel, der aus so vielen Strahlen besteht, wie es Themen zu beurteilen gibt. Ordnen Sie jedem Strahl ein Thema zu, zu dem ein Feedback erfolgen soll. Bitten Sie die TN, die Themen zu beurteilen, indem sie einen Punkt auf dem Strahl einzeichnen. Je näher der Punkt an der Mitte des Sterns ist, desto positiver ist die Bewertung. Sie können auch zwei Farben benutzen zum Beispiel rot = Thematik war schwer/leicht; blau = Thematik hat mir gefallen. Natürlich können Sie auch ein anderes Bewertungskriterium nennen.

Tandem (Lektion 4 → S. 63)

EINPRÄGHILFE: Die TN versuchen, zu neuen Nomen ein Verb zu finden, das dazu passt. Ebenso kann zu einem Verb ein Nomen gesucht werden, wie zum Beispiel *übernehmen → Arbeiten übernehmen*.

Textdetektiv (Lektion 4 → S. 63)

LESETECHNIK: Die TN erhalten Aufgaben zu einem Text, die nicht vordergründig mit dem Textverständnis zu tun haben, zum Beispiel die Aufgabe, alle Wörter zu unterstreichen, die mit „e" beginnen. Die herausgesuchten Wörter können dann wiederum Grundlage für weitere Aufgaben sein. Somit beschäftigen sich die TN länger mit dem Text.

Verstehensinseln (Lektion 1 → S. 18; Lektion 2 → S. 30)

HÖRTECHNIK: Die TN arbeiten in Gruppen. Sie hören einen Text mehrmals. Bei jedem Hören schreibt jede/r TN so viele Wörter wie möglich auf, die sie/er verstanden hat. Nach drei- bis viermal tauschen je zwei TN die Blätter, hören und ergänzen erneut. Zum Schluss versucht die gesamte Gruppe, den Text zu rekonstruieren.

Vier Ecken (Lektion 1 → S. 18; Lektion 3 → S. 45)

GRUPPENFINDUNG: Hängen Sie im Kursraum in den vier Ecken Zettel auf mit Begriffen, die zu einem Thema passen, zum Beispiel *E-Mail, Handy, SMS, Telefon.* Stellen Sie eine Frage, die zur Folge hat, dass sich die TN auf die Ecken verteilen, zum Beispiel *Welches Medium benutzen Sie am häufigsten?* Dann wählen die TN jeweils eine Lernpartnerin/ einen Lernpartner aus ihrer „Ecke" für eine weitere Aktivität aus.

Wiederholungskiste (Lektion 3 → S. 43/45/46; Lektion 6 → S. 91; Lektion 8 → S. 115/122)

EINPRÄGHILFE: Legen Sie sich von Beginn des Kurses an eine Wiederholungskiste zu, in der Sie in Briefumschlägen wichtige Redemittel, Grammatik oder Wortschatz aus den Lektionen sammeln. Die TN schreiben die Inhalte auf Kärtchen, Sie stecken diese in nach Lektionen und Rubriken benannte Briefumschläge und in die Wiederholungskiste. Die Inhalte stehen den TN zu jedem beliebigen Zeitpunkt zur Verfügung, zum Beispiel wenn Sie binnendifferenzierend arbeiten möchten und TN mehr Hilfestellung zu einem Thema benötigen, oder wenn Sie einfach nur wiederholen möchten.

Wörterbörse (Lektion 8 → S. 111)

EINPRÄGHILFE/SCHREIBTECHNIK: Jede/r TN macht einen Wortigel zu einem Thema auf ein eigenes Blatt Papier. Dieses wird mit einer anderen / einem anderen TN getauscht. Zu den „neuen" Wörtern schreibt jede/r TN spontan eine Geschichte.

Zielscheibe (Lektion 6 → S. 85)

FEEDBACK GEBEN: Zeichnen Sie eine Zielscheibe an die Tafel zu den Lerninhalten, zu denen Sie als KL gern ein Feedback hätten. Schreiben Sie ein Thema dazu, zum Beispiel *Kurzinformationen verstehen*, und bitten Sie die TN, auf der Zielscheibe zu markieren, wie gut sie ihrer Meinung nach das neue Thema nun beherrschen. Je näher der Punkt dabei am Zentrum steht, desto besser ist die Rückmeldung. So können Sie als KL auf einen Blick sehen, wo es noch einmal Übungsbedarf gibt.

Anregungen und Ideen stammen z.T. aus:

Brinitzer, Michaela/Damm, Verena (1999) Grammatik sehen. Arbeitsbuch für Deutsch als Fremdsprache.
Ismaning: Hueber Verlag

Grötzebach, Claudia (Hrsg.) (2008) Spiele und Methoden für ein Training mit Herz und Verstand.
70 Methoden für ein aktivierendes Training. Offenbach: Gabal Verlag

Kaufmann, Susann u.a. (Hrsg.) (2007-2009) Qualifiziert unterrichten: Fortbildung für Kursleitende
Deutsch als Zweitsprache, Band 1-4. Ismaning: Hueber Verlag

Thömmes, Arthur (2005) Produktive Unterrichtseinstiege. 100 motivierende Methoden für die Sekundarstufe.
Mülheim an der Ruhr: Verlag an der Ruhr

Wallenwein, Gudrun F. (2003) Spiele: Der Punkt auf dem i. Kreative Übungen zum Lernen mit Spaß.
Weinheim: Beltz

Lektion 1   IN KONTAKT

Hören, Aufgabe 1, Gespräch 1 🎧②

Reporter: Hallo, darf ich dich kurz stören? Ich studiere Kommunikationswissenschaft und mache eine Untersuchung zum Thema »Wie nutzen junge Menschen das Internet?« Darf ich dir dazu ein paar Fragen stellen?

Nuriye: Ja klar, warum nicht?

Reporter: Woher kommst du?

Nuriye: Ich bin Türkin.

Reporter: Aha.

Nuriye: Ich bin aber in Österreich geboren. Meine Eltern sind ursprünglich aus Antalya.

Reporter: Hast du zu Hause Internet?

Nuriye: Ja, natürlich.

Reporter: Wie oft in der Woche bist du im Internet?

Nuriye: Also, eigentlich täglich.

Reporter: Und was machst du im Internet?

Nuriye: Na, viele Dinge. Zum Beispiel Fotos von Freunden anschauen.

Reporter: Und wo?

Nuriye: Z.B. auf *Facebook*.

Reporter: Ah, ja, klar. Bist du da sehr aktiv? Was machst du da noch?

Nuriye: Ja, ich nutze es schon sehr oft. Vor allem den Chat.

Reporter: Und in welcher Sprache schreibst du dann?

Nuriye: Auf Deutsch und auf Türkisch – je nachdem. Aber mehr auf Deutsch.

Reporter: Ist das alles, was du im Internet machst? Wofür brauchst du das Internet denn noch?

Nuriye: Das Internet ist für mich wichtig, damit ich den Kontakt mit Freunden und Familienangehörigen in der Türkei halten kann. Ich sehe sie ja nur sehr selten. Meinen Cousinen schreibe ich E-Mails, wenn ich ihnen etwas Wichtiges zu erzählen habe.

Reporter: Wie informierst du dich eigentlich über aktuelle Themen? Nutzt du dafür auch das Internet?

Nuriye: Hmm, da bin ich ein bisschen altmodisch – ich lese am liebsten die Tageszeitung oder informiere mich über die Nachrichten im Fernsehen. Nur, wenn etwas Besonderes passiert ist, suche ich auch im Internet nach Infos, aber das kommt eigentlich nicht so oft vor.

Reporter: Dann sind Online-Zeitungen also kein Thema für dich?

Nuriye: Nein, ehrlich gesagt, das mag ich einfach nicht. Ich sitze total gern in meiner Küche, trinke Tee und lese dabei die Zeitung.

Reporter: Tja, das klingt echt gemütlich. Also, dann vielen Dank für die Infos.

Gespräch 2 🎧③

Reporter: Guten Tag, darf ich dich kurz stören? Ich hätte ein paar Fragen zum Thema »Wie nutzen junge Menschen das Internet?«

Joshua: Okay. Ich muss sowieso auf meinen Bus warten.

Reporter: Woher kommst du?

Joshua: Aus Perth. Also aus Australien.

Reporter: Hast du zu Hause Internet?

Joshua: Ja klar. Ich bin eigentlich immer online.

Reporter: Also 24 Stunden?

Joshua: Ja, kommt schon vor, dass ich auch nachts im Internet bin, schließlich will ich ja auch mal mit meinen Eltern in Australien chatten ... Außerdem bekomme ich total viele E-Mails am Tag. Die möchte ich immer so schnell wie möglich beantworten, wenn es geht, am gleichen Tag.

Reporter: Schaffst du das denn?

Joshua: Ja, meistens schon.

Reporter: Ich sehe schon, Du bist echt aktiv im Internet ... Und dann informierst du sicher auch nur übers Internet, richtig?

Joshua: Naja, ich hab schon noch ein paar Bücher zu Hause, aber eigentlich mach ich alles übers Internet. Da findet man eben auch alles, egal ob das Klatsch und Tratsch oder Sachinformationen sind.

Reporter: Aha. Klar. Du hast sicher auch ein Facebook-Profil?

Joshua: Nein, auch wenn ich häufig mit meinen Freunden in Kontakt sein will – aber Facebook brauche ich dazu nicht. Das ist mir zu unsicher und ich finde soziale Netzwerke einfach nicht so interessant. Ich schreibe lieber E-Mails.

Reporter: Aha, das ist ja ungewöhnlich. Oh, da kommt dein Bus! Danke, dass du Zeit hattest. Ciao!

Joshua: Aber gern doch! Ciao!

Sprechen, Aufgabe 1a 🎧④

(nur Musik)

Sprechen, Aufgabe 1c 🎧⑤

1. Strophe
Horst war gerade bei
  IKEA (gefällt mir).
Horst hat *Billy*
  eingekauft (gefällt
  mir).
Das gefällt Yvonne und
  Svea (gefällt mir)
  und 20 and'ren Leuten
  auch. (gefällt mir)
Dirk hat 14 neue
  Freunde (gefällt mir),
  und Sabine sieht jetzt
  fern (gefällt mir).
Jan wünscht Ina süße
  Träume (gefällt mir),
  und Ina hat ihn
  furchtbar gern.

Refrain
Wir sind sozial total
  vernetzt,
erfahren Wichtiges
  gleich jetzt.
Weil das, was täglich so
  passiert,
uns alle wirklich
interessiert.

Schreib mir doch mal
  was an die Wand,
  jedes Detail ist

relevant.
Es steht schon fest,
dass mir's gefällt,
weil ja der »Dislike«-
Button fehlt.

2. Strophe
Nina hat ganz schlimm
  Migräne (gefällt mir),
Nina liegt deshalb im
  Bett (gefällt mir).
Bernd hat mit dem
  Chef Probleme (gefällt
  mir),
  und ist mit Nina jetzt
  im Chat.
Roman hat ne off'ne
  Wunde (gefällt mir),
  mit Gabis Ehe ist jetzt
  Schluss (gefällt mir).
Inge postet jede
  Stunde (gefällt mir),
  dass sie noch so viel
  schaffen muss.

Refrain

3. Strophe
Früher hatte ich fünf
  gute Freunde,
  heute habe ich
  vierhundertzehn.

Und um ja nichts zu
versäumen,
hab' ich beschlossen,
nicht mehr
rauszugeh'n.
Früher sagte ich noch
meine Meinung,
in aller Länge und
Deutlichkeit,
doch seit ich nur noch
Farmville spiele, hab
ich dafür keine Zeit!

Refrain
*Wir sind sozial total
vernetzt,*

*erfahren Wichtiges
gleich jetzt.
Weil das, was
stündlich so passiert,
uns alle gründlich
interessiert.*

*Schreib mir doch mal
was an die Wand,
jedes Detail ist
relevant.
Es steht schon fest,
dass mir's gefällt,
weil ja der »Dislike«-
Button fehlt.*

Lektion 2   FESTE

Hören, Aufgabe 2   🎧 6

Janina: Sind wir hier denn richtig?
Alexander: Ja, hier steht's doch: Schustermann.
Janina: Ah ja.
Alexander: Oh je! Schau mal auf die Uhr. Es ist ja schon Viertel nach acht. Wir sind echt spät dran.
Janina: Ja, ich weiß!! Alles nur wegen dem blöden Bus....
Alexander: Ach was, der Bus war doch ganz pünktlich. Nur du nicht, wie immer ... Du hast mal wieder ewig gebraucht.
Janina: Musst du mich eigentlich immer kritisieren? ... Ausgerechnet heute! Die warten bestimmt schon auf uns. Und das Essen wird kalt. Wie peinlich.
Das dauert ja ganz schön lange ... Sollen wir noch mal klingeln?
Alexander: Moment, die Blumen!!! Ich muss doch die Blumen noch auspacken.
Gastgeberin: Halloooh! Schön dass Sie da sind.
Alexander/Janina: Ja, guten Abend! 'n Abend
Janina: Tut uns furchtbar leid, wir sind leider etwas zu spät.
Gastgeberin: Das macht doch nichts. Jetzt sind Sie ja da. Kommen Sie doch bitte herein. Mein Mann kommt sofort. Er ist noch im Keller und holt eine schöne Flasche Wein für uns.
Janina/Alexander: Oh schön! Hmmm!
Gastgeberin: Haben Sie es denn leicht gefunden?
Alexander: Ja, es war eigentlich ganz einfach. Nur ist uns leider der Bus vor der Nase weggefahren ... Hier, bitteschön.
Gastgeberin: Oh! Vielen Dank. Ich liebe Blumen. Diese Farbe ist ja toll. Schön, dass wir uns einmal kennenlernen.
Janina: Ja, das stimmt. Eine tolle Idee von Ihrem Mann, die Kollegen mal nach Hause einzuladen.
Gastgeberin: Ja, es freut mich wirklich, Sie alle mal kennenzulernen. Mein Mann hat schon viel von Ihnen erzählt
Janina: Kann ich mir vorstellen.
Gastgeberin: Kommen Sie doch hier lang bitte ...

Hören, Aufgabe 3a   🎧 7

Janina: Sind wir hier denn richtig?
Musst du mich eigentlich immer kritisieren? Das dauert ja ganz schön lange.

Alexander: Schau mal auf die Uhr!
Ach was, der Bus war doch ganz pünktlich. Ja, es war eigentlich ganz einfach.

Gastgeberin: Kommen Sie doch bitte herein. Diese Farbe ist ja toll.

Sprechen 1, Aufgabe 2, Gespräch 1   🎧 8

Kim: Hallo? Kim hier.
Thomas: Hi, Kim. Ich bin's, Thomas. Äh ... störe ich dich gerade?
Kim: Nein gar nicht.
Thomas: Prima. Und? Wie war dein Wochenende?
Kim: Nicht schlecht. Ich war mit ein paar Freunden im Kino, im neuen Sherlock Holmes – total super, sag ich dir. Musst du unbedingt auch sehen. Wie geht's dir denn so?
Thomas: Nicht schlecht. Also, warum ich dich anrufe. Nächste Woche feiere ich meinen Geburtstag.
Kim: Aha.
Thomas: ... und da wollte ich am Wochenende ein paar Leute einladen. Hättest du Lust zu kommen?
Kim: Ja, klar. Klingt gut. Wann denn?
Thomas: Samstagabend.
Kim: Gern, da hab ich noch nichts vor. Und wann genau?
Thomas: Um 8 geht es los.
Kim: Aha. Also, ich komme wahrscheinlich etwas später, so um halb neun, neun. Geht das?
Thomas: Gar kein Problem.
Kim: Ähm, soll ich noch was mitbringen ... zu trinken oder so?
Thomas: Nee, das besorge alles ich.
Kim: Und für dich? Hast **du** vielleicht einen Wunsch?
Thomas: Nein, nein, du brauchst kein Geschenk zu kaufen. Komm einfach nur vorbei.
Kim: Okay. Alles klar!
Thomas: Bis Samstag dann!
Kim: Ja, tschüss dann.
Thomas: Ciao!

Gespräch 2   🎧 9

Klinger: Hallo Herr Schulze, Klinger hier.
Schulze: Ach, hallo, Tach Frau Klinger.
Klinger: Störe ich gerade?
Schulze: Nein gar nicht. Ich bearbeite gerade meine vielen E-Mails. Da ist eine Abwechslung willkommen.
Klinger: Ach ja! Diese Mails sind wirklich ein Problem. Deshalb rufe ich jetzt auch selber an.
Schulze: Ja ...
Klinger: Ich werde ja bald nach Nürnberg versetzt ...
Schulze: Ach ja, das habe ich gehört. Toll!
Klinger: Na, ja, mal sehen. ... Ich würde Sie gerne zu meiner Abschiedsfeier einladen.

Schulze: Oh, das ist aber nett. Und wo feiern Sie denn?

Klinger: Bei mir in der Wohnung. Das wird sicher lustig. Dann sind nämlich schon alle Möbel eingepackt und wir sitzen auf den Kisten ... Hätten Sie Lust zu kommen?

Schulze: Oh ja! Sehr gerne. Wann wäre das denn?

Klinger: Am Freitag in einer Woche.

Schulze: Also ich glaube, da habe ich noch nichts vor.

Klinger: Es geht um halb acht los. Passt Ihnen das?

Schulze: Hm. Es kann sein, dass ich an dem Tag länger arbeiten muss. Aber ich würde dann vielleicht eine halbe Stunde später kommen.

Klinger: Kein Problem.

Schulze: Prima. Noch eine Frage. Kann ich etwas mitbringen?

Klinger: Nein, nein! Kommen Sie einfach nur vorbei und feiern Sie mit.

Gespräch 3 🎧 C10

Strauß: ... ähm, warten Sie. Ich hole grade den Terminkalender. Wann war die Feier noch mal?

Gastgeber: Am Sonntag, nächsten Sonntagnachmittag, der 13. ist das. Würde das bei Ihnen gehen?

Strauß: Ja, am Sonntag ginge bei mir. Ach nein, Moment mal, da feiert ja meine Schwiegermutter Ihren Geburtstag, sehe ich gerade. Tut mir leid, da kann ich leider nicht.

Gastgeber: Ach, das ist ja schade. Aber da kann man wohl nichts machen.

Strauß: Nein, leider, sieht so aus. Ich wünsche Ihnen aber viel Spaß beim Feiern!

Gastgeber: Danke, Frau Strauß. Dann bis bald mal wieder im Tennisclub!

Strauß: Danke. Tschüss!

Gastgeber: Tschüss!

Lektion 3   UNTERWEGS

Einstieg, Aufgabe 2a 🎧 C11

„Die Passagiere des Flugs DT 4059 nach Antalya werden dringend gebeten zum Ausgang B zu kommen. Ich wiederhole: Die Passagiere des Flugs DT 4059 nach Antalya bitte dringend zum Ausgang B!"

Reisender 1: Entschuldigung, dürfte ich Sie kurz was fragen?

Reisender 2: Ja, bitte?

Reisender 1: Sie wollen doch wahrscheinlich mit der S-Bahn in die Stadt fahren?

Reisender 2: Ja, wieso? Wollen Sie vielleicht ein Gruppenticket mit uns teilen?

Reisender 1: Nein, das nicht, aber ich möchte Ihnen gern einen anderen Vorschlag machen.

Reisender 2: Ja?

Reisender 1: Ich könnte Sie jetzt mit dem Auto direkt und bequem nach Hause bringen. Sie müssten mir dafür nur ein Gruppenticket kaufen oder das Geld dafür geben.

Reisender 2: Wie bitte? Das verstehe ich jetzt nicht. Sie sind mit dem Auto hier und brauchen ein S-Bahn-Ticket?

Aufgabe 2b 🎧 C12

Reisender 1: Ja, das ist nämlich so: ich fliege morgen früh um 6 Uhr mit meiner Frau nach Mexiko – da kommt meine Frau her – und wir haben eine Menge Gepäck mit Geschenken für die Familie und so. Deshalb habe ich heute schon alles mit dem Auto zum Flughafen transportiert und eingecheckt. Dann haben wir morgen früh keinen Stress damit und fahren in Ruhe mit der S-Bahn hierher.

Reisende: Ach so, ich verstehe!

Reisender 1: Ich würde Sie also jetzt gleich mit dem Auto nach Hause bringen. Das wäre doch für Sie mit dem Kind auch viel bequemer als mit der S-Bahn. Sie zahlen mir dafür die S-Bahn-Fahrt für morgen. Nach München zurück muss ich sowieso und ich würde Sie sogar bis zur Haustür bringen. Wie wär's?

Reisende: Klingt eigentlich ganz gut! Besonders wegen der schweren Koffer, die wir haben. Was meinst du, Schatz? Sollen wir das machen?

Reisender 2: Warum eigentlich nicht? Das ist mal 'ne Idee! Da haben wir dann alle was davon!

Reisender 1: Schön, das freut mich!

Reisender 2: Wollen Sie nun lieber die Fahrkarte oder das Geld in bar?

Reisender 1: Ist mir beides recht. Wie es Ihnen lieber ist!

Reisender 2: Hier, ich glaube, Geld ist doch unkomplizierter, ich hab's sogar passend.

Reisender 1: Perfekt, dankeschön. Dann gehen wir hier lang zur Tiefgarage. Warten Sie, ich nehme Ihnen den Koffer ab.

Reisende: Oh danke!

Hören, Aufgabe 3 🎧 C13

Älterer Herr: Entschuldigen Sie, darf ich Sie etwas fragen?

Frau: Ja, was ist denn?

Älterer Herr: Sind Sie vielleicht mit einer Tageskarte hierher gefahren, die Sie jetzt nicht mehr brauchen?

Frau: Nein. Warum?

Älterer Herr: Ach so, ja – dann danke!

Älterer Herr: Verzeihung, kann ich Sie was fragen?

Mann: Ja?

Älterer Herr: Sie fliegen ja jetzt dann weg, oder?

Frau: Ja, warum?

Älterer Herr: Dann fahren Sie ja heute nicht mehr S-Bahn. Und brauchen Ihre Fahrkarte nicht mehr. Ist das eine Tageskarte für heute?

Mann: Ja, wir haben eine Tageskarte. Wollen Sie die haben?

Älterer Herr: Das wäre prima! Wie gesagt, wenn Sie die nicht mehr brauchen ...

Frau: Nein, eigentlich nicht – was machen Sie denn damit, wenn ich fragen darf?

Älterer Herr: Na ja, also, ehrlich gesagt, versuche ich, ein paar solcher Fahrkarten hier zu bekommen. Die Leute, die wegfliegen, würden sie sowieso wegwerfen – und dann fahr' ich in die Stadt und versuche sie dort für ein paar Euro zu verkaufen – die kann man ja noch den ganzen Tag benutzen.

Frau: Das ist ja eine schlaue Idee! Aber so ganz legal ist das ja nicht, oder?

Älterer Herr: Das kann schon sein, aber bis jetzt ist es immer gut gegangen – heutzutage muss man irgendwie sehen, wo man bleibt. Meine Rente ist auch nicht so hoch und ...

Mann: Also wissen Sie, ich würde meine Fahrkarte ja normalerweise gern verschenken, an jemanden, der sie selbst nutzt. Aber eigentlich finde ich es nicht in Ordnung, dass jemand eine Fahrkarte weiterverkauft, die ein anderer bezahlt hat.

Älterer Herr: Na gut, da kann man nichts machen! Auf Wiedersehen! Gute Reise!

Mann: Danke. Auf Wiedersehen!

Wortschatz, Aufgabe 1a C14

Frau: Wo ist bloß mein Autoschlüssel? ... Ich muss gleich Verena vom Bahnhof abholen!

Mann: Ganz ruhig! Überleg doch noch mal ganz genau! Wann hast du ihn das letzte Mal gehabt? Wo hast du ihn dann hingelegt? - Wann musst du denn los?

Frau: Jetzt!

Mann: Wann kommt sie denn an?

Frau: In 20 Minuten, das heißt, ich muss eigentlich jetzt losfahren! So ein Mist!

Aufgabe 1b C15

Mann: Du? Komm mal hierher zum Fenster!

Frau: Nein, ich hab' jetzt keine Zeit für so was.

Mann: Schau doch einfach mal hier raus. Und ... was siehst Du da drüben?

Aufgabe 1d C16

Frau: Das gibt's doch nicht! Du bist ein Schatz! Ich hab' ihn doch tatsächlich in der Autotür stecken lassen! Das kann auch nur mir passieren!

Lektion 4 WOHNEN

Einstieg, Aufgabe 2a C17

Moderatorin: Liebe Hörerinnen und Hörer, willkommen bei „Ritas Reiseratgeber" – Wollten Sie nicht auch schon immer mal nach Kanada fliegen? Oder Urlaub in Schweden, Rom oder Paris mit der ganzen Familie machen? Davon träumt wohl jeder. Nur kosten die Ferienwohnungen und Ferienhäuser in der Hauptsaison leider meistens das Doppelte. Aber es gibt eine Lösung! Wenn Sie schlau sind, dann können Sie die schönsten Gegenden bereisen und brauchen für Ihre Unterkunft keinen Cent zu bezahlen. Zu Gast im Studio sind Kurt und Franziska Feller, die kurz vor einer Reise nach Paris stehen. Ich grüße Sie!

Herr Feller/Frau Feller: Guten Tag! Hallo!

Moderatorin: Die Fellers und ihre beiden Kinder waren auch schon in Oslo und in Wien. Sie haben auch schon Ferien in Rom gemacht und dabei nicht eine Nacht im Hotel verbracht. Wie kann das gehen, denken Sie? Ganz einfach, per Haustausch! Sie brauchen nur einen Tauschpartner in der jeweiligen Stadt zu finden. Mit diesem Partner tauschen Sie dann Ihr Haus oder Ihre Wohnung und können so an Orten Urlaub machen, die für Sie sonst unbezahlbar wären.

Abschnitt 2 C18

Moderatorin: Frau Feller, wie funktioniert denn eigentlich der Haustausch genau? Können Sie uns das mal erklären?

Frau Feller: Das Prinzip beim Haustausch ist ganz einfach. Man wird Mitglied in einer Agentur und zahlt dafür eine Gebühr zwischen einhundert und einhundertfünfzig Euro im Jahr. Dann wird das eigene Haus oder die Wohnung in den Online-Katalog aufgenommen und man kann weltweit untereinander tauschen. Schon lange vorher habe ich nach einem schönen Urlaubsziel gesucht und dutzende von E-Mails an potentielle Tauschpartner geschrieben.

Moderatorin: Und hat es dann gleich geklappt?

Frau Feller: Nein, das ist ja das Besondere beim Haustausch. Man muss sehr flexibel sein. Wir haben in diesem Jahr versucht, ans Meer zu tauschen. Das hat aber leider nicht geklappt. Jetzt fahren wir stattdessen nach Paris und freuen uns auch darüber. Wir sind eben sehr flexibel und spontan und können dadurch auch kurzfristige Angebote nutzen.

Moderatorin: Was denken Sie, wie viel sparen Sie denn so beim Haustausch?

Frau Feller: Ich nehme an, dass wir mindestens 1000 Euro sparen. Ordentliche Hotels sind in Paris richtig teuer.

Moderatorin: Was können Sie denn Ihren Tausch-partnern bieten?

Frau Feller: Nun ja, wir wohnen ruhig und idyllisch in einem Dorf in der Nähe von Bremen. Das ist gerade für gestresste Großstädter sehr attraktiv.

Abschnitt 3 C19

Moderatorin: Herr Feller, wir haben nun gehört, wie der Haustausch generell funktioniert. Können Sie uns erklären, was man denn konkret tun muss. Was sind so die einzelnen Schritte bis zum Tausch?

Herr Feller: Das ist eine gute Frage, weil wir uns am Anfang auch nicht so recht vorstellen konnten, wie das denn so funktioniert. Wie meine Frau schon gesagt hat, muss man als erstes zahlreiche E-Mails an mögliche Partner schreiben. Wenn man dann einen passenden Partner gefunden hat, sollte man natürlich die Wohnung oder das Haus gründlich aufräumen und die Schränke für die Gäste freimachen. Schließlich sollte man den Tauschpart-nern auch Infomaterial und wichtige Adressen und Telefonnummern zur Verfügung stellen. Zum Schluss muss man nur noch den Schlüssel beim Nachbarn abgeben. Wenn man das dann alles erledigt hat, geht es los. Persönlich treffen sich die Tauschpartner nicht. Ihre Wege kreuzen sich allenfalls zufällig auf der Autobahn.

Moderatorin: Wissen Sie denn schon, wie das Haus in Paris aussehen wird und wo es liegt?

Frau Feller: Wir wissen nur, dass das Haus super-schön aufgeteilt ist. Es hat schöne kleine Zimmer, zwei große Badezimmer und einen Garten in einem Vorort von Paris.

Abschnitt 4 🎧⏵20

Moderatorin: Das klingt ja alles sehr positiv. Gibt es denn etwas, was Sie am Haustausch nicht so mögen, etwas, was für Sie ein Problem ist?

Frau Feller: Ja, man muss sich manchmal schon ganz schön umstellen. Das ist nicht so leicht und für mich manchmal auch wirklich ein Problem. In manchen Häusern gibt es keine Spülmaschine. Wir sind aber an eine Spülmaschine gewöhnt und wollen im Urlaub eigentlich keine Zeit mit Abspülen verschwenden. Bei anderen Wohnungen gibt es nur einen Gasherd, und keinen Elektroherd. Ich habe ein bisschen Angst vor Gas und kann auch die Temperatur nie richtig einstellen.

Herr Feller: Und andere Wohnungstauscher wiederum wollen nicht, dass man seinen Hund mitbringt. Wir könnten uns aber einen Urlaub ohne unseren Familienhund Emma gar nicht vorstellen.

Moderatorin: Ach, das kann ich verstehen. Haben Sie eigentlich auch schon Pläne für die Herbstferien?

Frau Feller: Ja, wir stehen schon in Kontakt mit einer Familie in Sardinien. Wir hoffen, dass das klappt. Das wäre dann unser erster Strandurlaub. Da brauchen wir nicht lange zu überlegen. Das machen wir!!! Die Kinder sehnen sich schon sehr nach dem Meer.

Moderatorin: Na, da wünsche ich viel Spaß und gute Erholung! Und vielen Dank für das Gespräch! Und bei uns geht es jetzt weiter mit ein bisschen Musik, passend zu Paris: »Ganz Paris träumt von der Liebe« ...

Hören, Aufgabe 3 🎧⏵21

Moderatorin: Wollten Sie nicht auch schon immer mal nach Kanada fliegen? Oder Urlaub in Schweden, Rom oder Paris mit der ganzen Familie machen? Davon träumt wohl jeder. Nur kosten die Ferienwohnungen und Ferienhäuser in der Hauptsaison leider meistens das Doppelte. Aber es gibt eine Lösung! Wenn Sie schlau sind, dann können Sie die schönsten Gegenden bereisen und brauchen für Ihre Unterkunft keinen Cent zu bezahlen.

Moderatorin: Zu Gast im Studio ist Familie Feller, die kurz vor einer Reise nach Paris steht. Die vier waren auch schon in Oslo und in Wien. Sie haben auch schon Ferien in Rom gemacht und dabei nicht eine Nacht im Hotel verbracht. Wie kann das gehen, denken Sie? Ganz einfach, per Haustausch! Sie brauchen nur einen Tauschpartner in der jeweiligen Stadt zu finden. Mit diesem Partner tauschen Sie dann Ihr Haus oder Ihre Wohnung und können so Sie an Orten Urlaub machen, die für Sie sonst unbezahlbar wären.

Frau Feller: Ja, wir stehen schon in Kontakt mit einer Familie in Sardinien. Wir hoffen, dass das klappt. Das wäre dann unser erster Strandurlaub. Da brauchen wir nicht lange zu überlegen. Das machen wir!!! Die Kinder sehnen sich schon sehr nach dem Meer.

Lektion 5 BERUFSEINSTIEG

Einstieg, Aufgabe 2 🎧⏵2

Barbara Hemauer-Volk: Also, ich bin die Barbara Hemauer-Volk, von Beruf Sozialarbeiterin, mir liegt so am Herzen die Verbindung von der Sozialarbeit mit der realen gesellschaftlichen Welt. Deshalb war es für mich ganz wichtig, vor 22 Jahren diesen Betrieb hier zu gründen, der Ausbildung, Mode, Träume von jungen Frauen und soziale Chancen miteinander vereint.

Ivana Bugicevic: Ich bin die Ivana Bugicevic, bin Schneidermeisterin, seit fünf Jahren bei »La Silhouette« und bin eben für den ganzen praktischen Teil der Ausbildung verantwortlich – ich bring' den Mädchen mit meinen Kolleginnen das Nähen bei, bereite sie auf die Prüfungen vor und bin eigentlich so auch für den Kundschaftsbetrieb, für die Schnitte, für die Anproben zuständig.

Gülnur: Ich heiße Gülnur, bin 20 Jahre alt und ich befinde mich im dritten Lehrjahr und ursprünglich komme ich aus der Türkei.

Pinar: Ich bin die Pinar, bin auch im dritten Lehrjahr und komme aus dem Irak, spreche aber auch Türkisch und ich bin 18 Jahre alt. Seit sieben Jahren bin ich in Deutschland.

Barbara Hemauer-Volk: Das „Atelier La Silhouette" ist ein sozialer Ausbildungsbetrieb und eine Modewerkstatt, auch international, worauf wir besonders stolz sind, weil Mode einfach was Internationales ist. Wir geben jungen Frauen eine Chance, die sie brauchen, damit sie lernen können, damit sie Freude an einem Beruf finden können, damit sie sich selber finanzieren können. Ja, die jungen Frauen, die bei uns arbeiten, die können einige Sachen so richtig gut und bei manchen brauchen sie noch Unterstützung, zum Beispiel: wie manage ich Krisen, wie finde ich eine Wohnung, wie kann ich mich finanzieren? Deshalb ist die Verschränkung zwischen Meisterinnen und Sozialarbeitern richtig gut. Wir werden finanziell unterstützt, das ist ganz wunderbar, weil das Geld brauchen wir dringend für die Ausbildung – Ausbildung ist teuer. Unterstützung bekommen wir von der Landeshauptstadt München. Migrantinnen, Einwanderinnen oder junge Flüchtlingsfrauen haben es besonders schwer bei uns am Ausbildungs- und Arbeitsmarkt gute Stellen zu bekommen und die brauchen 'ne Chance und die kriegen sie eben im „Atelier La Silhouette".

Gülnur: Es ist für die Zukunft sehr wichtig, eine Berufsausbildung zu machen und dass man auch sein eigenes Geld verdienen kann. Die jungen Frauen verdienen auch in der Ausbildungszeit Geld – leider verdient man als Schneiderin wenig. Ich mach' den Beruf, weil der mir Freude macht, mir Spaß macht und, nachdem man was genäht hat und dann das Ergebnis sieht, ist man auch total stolz auf sich selber – und das ist das Besondere an diesem Beruf. Das Tollste war eine Bluse aus Wildseide, die fand ich total toll! Und die Farbe war rot.

Pinar: Wenn die Ausbildung zu Ende ist, hat man die Möglichkeit, weiter auf die Schule zu gehen oder im Theater irgendwie Arbeit zu suchen, weil wir auch Theaterprojekte machen. Eine Kollegin von mir, die dieses Jahr fertig war, hat jetzt einen Job bei einem Atelier, das Brautmoden macht, sie verdient da richtig gut.

Ivana: Wenn eine Kundin zu uns kommt, wird erst beraten über Stoffe, Farben, ob ein Outfit, ein Kleid, ein Hosenanzug, … erst danach wird Maß genommen, danach werden Schnitte hergestellt, also aufgestellt, also wir machen erst mal eine Probe, ob das alles perfekt passt, ob das Kleid auch richtig sitzt. Erst zum Schluss, wenn alles perfekt sitzt, wird die Kundin dann das mitnehmen.

Pinar: Wenn ich einen Zauberstab hätte, dann würde ich mir eine Wohnung herzaubern und schön einrichten und würde meine Schulden wegzaubern.

Gülnur: Wenn ich einen Zauberstab hätte, dann würde ich mir für alle, die nach einem Ausbildungsplatz suchen, eine Ausbildungsstelle wünschen.

Barbara Hemauer-Volk: Wenn ich einen Zauberstab hätte, dann würde ich gerne zaubern, dass Frauen miteinander sehr viel zufriedener werden können, glücklicher werden können. Sie denken oft, ich bin nicht schön, ich bin nicht dünn – das würde ich gerne wegzaubern. Herzaubern würde ich gerne Lebensfreude, die Lust am Lernen und dass weltweit anerkannt wird, welche wunderbaren Ressourcen, welche Stärken und welche Kräfte Frauen haben – junge Frauen und ältere Frauen.

Sehen und Hören 1, Aufgabe 1, Abschnitt 1   CD2 3

Barbara Hemauer-Volk: Also, ich bin die Barbara Hemauer-Volk, von Beruf Sozialarbeiterin, mir liegt so am Herzen die Verbindung von der Sozialarbeit mit der realen gesellschaftlichen Welt. Deshalb war es für mich ganz wichtig, vor 22 Jahren diesen Betrieb hier zu gründen, der Ausbildung, Mode, Träume von jungen Frauen und soziale Chancen miteinander vereint.

Ivana Bugicevic: Ich bin die Ivana Bugicevic, bin Schneidermeisterin, seit fünf Jahren bei „La Silhouette" und bin eben für den ganzen praktischen Teil der Ausbildung verantwortlich – ich bring' den Mädchen mit meinen Kolleginnen das Nähen bei, bereite sie auf die Prüfungen vor und bin eigentlich so auch für den Kundschaftsbetrieb, für die Schnitte, für die Anproben zuständig.

Gülnur: Ich heiße Gülnur, bin 20 Jahre alt und ich befinde mich im dritten Lehrjahr und ursprünglich komme ich aus der Türkei.

Pinar: Ich bin die Pinar, bin auch im dritten Lehrjahr und komme aus dem Irak, spreche aber auch Türkisch und ich bin 18 Jahre alt. Seit sieben Jahren bin ich in Deutschland.

Abschnitt 2   CD2 4

Barbara Hemauer-Volk: Das „Atelier La Silhouette" ist ein sozialer Ausbildungsbetrieb und eine Modewerkstatt, auch international, worauf wir besonders stolz sind, weil Mode einfach was Internationales ist. Wir geben jungen Frauen eine Chance, die sie brauchen, damit sie lernen können, damit sie Freude an einem Beruf finden können,

damit sie sich selber finanzieren können. Ja, die jungen Frauen, die bei uns arbeiten, die können einige Sachen so richtig gut und bei manchen brauchen sie noch Unterstützung, zum Beispiel: wie manage ich Krisen, wie finde ich eine Wohnung, wie kann ich mich finanzieren? Deshalb ist die Verschränkung zwischen Meisterinnen und Sozialarbeitern richtig gut. Wir werden finanziell unterstützt, das ist ganz wunderbar, weil das Geld brauchen wir dringend für die Ausbildung – Ausbildung ist teuer. Unterstützung bekommen wir von der Landeshauptstadt München. Migrantinnen, Einwanderinnen oder junge Flüchtlingsfrauen haben es besonders schwer bei uns am Ausbildungs- und Arbeitsmarkt gute Stellen zu bekommen und die brauchen 'ne Chance und die kriegen sie eben im „Atelier La Silhouette".

Abschnitt 3   CD2 5

Gülnur: Es ist für die Zukunft sehr wichtig, eine Berufsausbildung zu machen und dass man auch sein eigenes Geld verdienen kann. Die jungen Frauen verdienen auch in der Ausbildungszeit Geld – leider verdient man als Schneiderin wenig. Ich mach' den Beruf, weil der mir Freude macht, mir Spaß macht und, nachdem man was genäht hat und dann das Ergebnis sieht, ist man auch total stolz auf sich selber – und das ist das Besondere an diesem Beruf. Das Tollste war eine Bluse aus Wildseide, die fand ich total toll! Und die Farbe war rot.

Pinar: Wenn die Ausbildung zu Ende ist, hat man die Möglichkeit, weiter auf die Schule zu gehen oder im Theater irgendwie Arbeit zu suchen, weil wir auch Theaterprojekte machen. Eine Kollegin von mir, die dieses Jahr fertig war, hat jetzt einen Job bei einem Atelier, das Brautmoden macht, sie verdient da richtig gut.

Ivana: Wenn eine Kundin zu uns kommt, wird erst beraten über Stoffe, Farben, ob ein Outfit, ein Kleid, ein Hosenanzug, … erst danach wird Maß genommen, danach werden Schnitte hergestellt, also aufgestellt, also wir machen erst mal eine Probe, ob das alles perfekt passt, ob das Kleid auch richtig sitzt. Erst zum Schluss, wenn alles perfekt sitzt, wird die Kundin dann das mitnehmen.

Abschnitt 4   CD2 6

Pinar: Wenn ich einen Zauberstab hätte, dann würde ich mir eine Wohnung herzaubern und schön einrichten und würde meine Schulden wegzaubern.

Gülnur: Wenn ich einen Zauberstab hätte, dann würde ich mir für alle, die nach einem Ausbildungsplatz suchen, eine Ausbildungsstelle wünschen.

Barbara Hemauer-Volk: Wenn ich einen Zauberstab hätte, dann würde ich gerne zaubern, dass Frauen miteinander sehr viel zufriedener werden können, glücklicher werden können. Sie denken oft, ich bin nicht schön, ich bin nicht dünn – das würde ich gerne wegzaubern. Herzaubern würde ich gerne Lebensfreude, die Lust am Lernen und dass weltweit anerkannt wird, welche wunderbaren

Ressourcen, welche Stärken und welche Kräfte Frauen haben – junge Frauen und ältere Frauen.

Sprechen, Aufgabe 1b CD2 7

Marius: Hallo ich bin Marius, der Nachbar von Jakob!

Bianca: Hi Marius, ich heiß' Bianca. Wie geht's?

Marius: Bestens, danke! Die Partys von Jakob sind echt immer super! Aber dich hab' ich, glaub' ich noch nie hier gesehen, oder?

Bianca: Ja, ich war zwar schon ein paar Mal eingeladen, aber leider immer gerade unterwegs! Manche Jobs bringen das so mit sich!

Marius: Wieso? Was machst du denn beruflich, wenn ich fragen darf?

Bianca: Ich bin Pilotin.

Marius: Wow, das klingt ja super spannend!

Bianca: Ja, das ist schon ziemlich interessant.

Marius: Und wie bist du auf die Idee gekommen, Pilotin zu werden? Ist ja eher so ein typischer Männerberuf, oder?

Bianca: Das stimmt, lange war das wohl auch so, aber inzwischen sind Frauen da völlig gleichberechtigt. Mich persönlich hat fliegen jedenfalls schon immer interessiert, mein Onkel hat einen Flugschein und da durfte ich früher schon ein paar Mal mitfliegen. Deshalb habe ich mich nach dem Abi informiert und mich bei der Lufthansa um einen Ausbildungsplatz zur Pilotin beworben. Das hat dann auch geklappt.

Marius: Ist bestimmt nicht leicht, da reinzukommen! Was braucht man denn da für Voraussetzungen?

Bianca: Ja, erst mal wird man getestet – mathematische Begabung, technisches Wissen, Englischkenntnisse. Körperlich fit muss man natürlich auch sein!

Marius: Und du hast alles geschafft!!! Respekt! Und wie lange dauert die Ausbildung dann?

Bianca: Zwei Jahre.

Marius: Und ist es jetzt dein Traumjob?

Bianca: Spaß macht es auf jeden Fall. Man kommt in der ganzen Welt herum und bekommt mit der Zeit ganz schön viel zu sehen. Das ist schon traumhaft. Und man hat ziemlich viel Verantwortung, das gefällt mir. Andererseits …

Marius: Was, andererseits?

Bianca: Es kann auch manchmal etwas anstrengend sein. Ab und zu hat man sehr lange Flüge, die Zeit und das Klima wechseln oft, man übernachtet ständig in anderen Hotels, ist wenig zu Hause. Aber dafür hat man immer wieder ein paar Tage am Stück frei.

Marius: Hmm – klingt schon aufregend! Dann bist du also wunschlos glücklich mit deinem Job …

Bianca: Ja, schon. Jetzt gerade auf jeden Fall. Aber ich möchte vielleicht später, wenn ich mal Familie habe, nicht mehr so viele weite Flüge machen und so lange unterwegs sein.

Marius: Verstehe ich, … du, willst du vielleicht noch was zu trinken?

Bianca: Oh ja! Und das Buffet ist ja auch total lecker. Komm!

Sehen und Hören 2, Aufgabe 2a CD2 8

Sprecherin: Liebe Hörerinnen und Hörer, in unserer Sendung „Live dabei" mit dem heutigen Thema „Jugend und Beruf" möchte ich Ihnen Luciano Imbesi vorstellen, der gerade eine Ausbildung bei einer großen Bank macht.
Guten Tag Luciano, vielleicht könntest du gleich selbst ein paar Worte zu deiner Person sagen.

Luciano: Hallo, mein Name ist Luciano Imbesi, ich bin 20 Jahre alt und habe letztes Jahr mein Abitur gemacht und mich dann entschieden, eine Ausbildung zum Bankkaufmann zu machen und ich bin jetzt im ersten Lehrjahr.

Sprecherin: Ja, so eine Ausbildung, wie läuft die denn eigentlich ab, was macht man in den zwei Jahren?

Luciano: In den zwei Jahren beginnt man anfangs am Schalter zu arbeiten und dann geht's los in Kundengespräche.

Sprecherin: Das heißt, man darf von Anfang an diese Gespräche alleine führen?

Luciano: Nee, anfangs sitzt man eigentlich dabei und hört zu und dann, die einfachen Dinge kann man dann auch irgendwann mal alleine machen, wie zum Beispiel eine Kontoeröffnung.

Sprecherin: Okay, und zusätzlich besucht man eine Berufsschule?

Luciano: Genau zusätzlich geht man zur Schule – drei Wochen, vier Wochen lang dauert das immer und zwischendurch arbeitet man wieder – also es ist immer ein fliegender Wechsel.

Sprecherin: Warum wolltest du ausgerechnet Bankkaufmann werden? Hattest du besondere Erwartungen an diesen Beruf?

Luciano: Ja, für mich war es wichtig, eine solide, gute, kaufmännische Ausbildung zu machen und da hat sich Bankkaufmann eigentlich recht gut angeboten und ich seh' das auch sehr als Lebensgrundlage, sich eine gute Basis zu verschaffen, eine gute Ausbildung zu haben.

Sprecherin: Ja, klingt gut! Und diese Erwartungen haben sich auch erfüllt soweit?

Luciano: Ja, auf jeden Fall!

Sprecherin: Schön! Also man durchläuft Abteilungen, man hat sein Tagesgeschäft – passieren denn auch manchmal ganz überraschende Dinge?

Luciano: Ja, also sehr überraschend ist manchmal, wie gewisse Kunden reagieren, wie sich Kunden aufregen oder durch die Schalterhalle laufen und schreien und sich beschweren. Also, da ist auf jeden Fall immer mal wieder eine Überraschung dabei.

Sprecherin: Wie reagiert man da, wenn man so überrascht ist?

Luciano: Ganz wichtig ist, dass man höflich bleibt. Man darf nicht zurückschreien oder sich auch ärgern oder den Kunden in irgendeiner Weise anfahren. Das geht einfach nicht.

Sprecherin: Verstehe ich, klar – also Höflichkeit – oberste Devise eines jungen Bankers! Kannst du dir denn vorstellen, diesen Beruf dein Leben lang auszuüben oder gibt's schon andere Pläne für die Zukunft?

Luciano: Also, Pläne hab' ich, nach der Ausbildung auf jeden Fall zu studieren – also ich will schon weiter lernen, mich weiter bilden und die Ausbildung als Grundlage zu sehen.

Sprecherin: Mit einem Studium zu kombinieren – und welches Studium käme in Frage?

Luciano: Also, mich interessiert Politik. Also in die Richtung könnte ich mir schon vorstellen, etwas zu machen.

Sprecherin: Gut! Klingt spannend! Zum Schluss noch eine Frage: wie findest du eigentlich den Videoclip von der Commerzbank, den wir dir gerade gezeigt haben?

Luciano: Also, ich muss ganz ehrlich sagen, ich finde den lustig. Wirklich lustig – weil, das ist einfach, wie man den Banker auf der Straße sieht, mit Krawatte, im Anzug. Also, ich muss mich auch jeden Morgen in den Anzug zwängen und meine Krawatte binden. Es ist lustig, es ist einfach dieses Klischee eines Bankers. Man muss auch so sein, weil man seriös rüberkommen muss, weil man eben mit Geld arbeitet. Aber eigentlich – hinter den Kulissen – macht man auch unter den Kollegen Scherze drüber.

Sprecherin: Gut, ja vielen Dank – dann Luciano wünsch' ich dir noch ganz viel Glück und Erfolg bei der Ausbildung und eine spannende berufliche Zukunft!

Luciano: Dankeschön!

Sehen und Hören 2, Aufgabe 2b, Abschnitt 1 CD 2 C 9

Sprecherin: Liebe Hörerinnen und Hörer, in unserer Sendung „Live dabei" mit dem heutigen Thema „Jugend und Beruf" möchte ich Ihnen Luciano Imbesi vorstellen, der gerade eine Ausbildung bei einer großen Bank macht. Guten Tag Luciano, vielleicht könntest du gleich selbst ein paar Worte zu deiner Person sagen.

Luciano: Hallo, mein Name ist Luciano Imbesi, ich bin 20 Jahre alt und habe letztes Jahr mein Abitur gemacht und mich dann entschieden, eine Ausbildung zum Bankkaufmann zu machen und ich bin jetzt im ersten Lehrjahr.

Sprecherin: So eine Ausbildung, wie läuft die denn eigentlich ab, was macht man in den zwei Jahren?

Luciano: In den zwei Jahren beginnt man anfangs am Schalter zu arbeiten und dann geht's los in Kundengespräche.

Sprecherin: Und das heißt, man darf von Anfang an diese Gespräche alleine führen?

Luciano: Nee, anfangs sitzt man eigentlich dabei und hört zu und dann, die einfachen Dinge kann man dann auch irgendwann mal alleine machen, wie zum Beispiel eine Kontoeröffnung.

Sprecherin: Und zusätzlich besucht man eine Berufsschule?

Luciano: Genau zusätzlich geht man zur Schule – drei Wochen, vier Wochen lang dauert das immer und zwischendurch arbeitet man wieder – also es ist immer ein fliegender Wechsel.

Sprecherin: Warum wolltest du ausgerechnet Bankkaufmann werden? Hattest du besondere Erwartungen an diesen Beruf?

Luciano: Ja, für mich war es wichtig, eine solide, gute, kaufmännische Ausbildung zu machen und da hat sich Bankkaufmann eigentlich recht gut angeboten und ich seh' das auch als Lebensgrund- lage, sich eine gute Basis zu verschaffen, eine gute Ausbildung zu haben.

Sprecherin: Ja, klingt gut! Und diese Erwartungen haben sich auch erfüllt soweit?

Luciano: Ja, auf jeden Fall!

Sprecherin: Schön! Also man durchläuft Abteilun- gen, man hat sein Tagesgeschäft – passieren denn auch manchmal ganz überraschende Dinge?

Luciano: Ja, also sehr überraschend ist manchmal, wie gewisse Kunden reagieren, wie sich Kunden aufregen oder durch die Schalterhalle laufen und schreien und sich beschweren. Da ist auf jeden Fall immer mal wieder eine Überraschung dabei.

Sprecherin: Wie reagiert man da, wenn man so überrascht ist?

Luciano: Ganz wichtig ist, dass man höflich bleibt. Man darf nicht zurückschreien oder sich auch ärgern oder den Kunden in irgendeiner Weise anfahren. Das geht einfach nicht.

Abschnitt 2 CD 2 C 10

Sprecherin: Verstehe ich, klar – also Höflichkeit – oberste Devise eines jungen Bankers! Kannst du dir denn vorstellen, diesen Beruf dein Leben lang auszuüben oder gibt's schon andere Pläne für die Zukunft?

Luciano: Also Pläne hab' ich, nach der Ausbildung auf jeden Fall zu studieren – also ich will schon weiter lernen, mich weiter bilden und die Ausbil- dung als Grundlage zu sehen.

Sprecherin: Mit einem Studium zu kombinieren – und welches Studium käme in Frage?

Luciano: Also, mich interessiert Politik. Also in die Richtung könnte ich mir schon vorstellen, etwas zu machen.

Sprecherin: Gut! Klingt spannend! Zum Schluss noch eine Frage: wie findest du eigentlich den Videoclip von der Commerzbank, den wir dir gerade gezeigt haben?

Luciano: Also, ich muss ganz ehrlich sagen, ich finde den lustig. Wirklich lustig – weil, das ist einfach, wie man den Banker auf der Straße sieht, mit Krawatte, im Anzug. Also, ich muss mich auch jeden Morgen in den Anzug zwängen und meine Krawatte binden. Es ist lustig, es ist einfach dieses Klischee eines Bankers. Man muss auch so sein, weil man seriös rüberkommen muss, weil man eben mit Geld arbeitet. Aber eigentlich – hinter den Kulissen – macht man auch unter den Kollegen Scherze drüber.

Sprecherin: Gut, ja vielen Dank – dann Luciano wünsch' ich dir noch ganz viel Glück und Erfolg bei der Ausbildung und eine spannende berufliche Zukunft!

Luciano: Dankeschön!

Lektion 6   MUSIK

Hören 1, Aufgabe 1c   CD 2 C 11

A Wolfgang Amadeus Mozart, *Zauberflöte*; Arie: *Ein Mädchen oder Weibchen* von Papageno (Ausschnitt),
B Clara Schumann, Nocturne in F-Dur Op.6 Nr. 2 aus

Soirées Musicales (Ausschnitt), C Felix Mendelssohn Bartholdy, Scherzo aus *Ein Sommernachtstraum*, Op. 21 (Ausschnitt), D Anne Sophie Mutter spielt Johann Sebastian Bach *Air Suite Nr. 3* (Ausschnitt)

Hören 1, Aufgabe 2 CD2 C12

WELT am SONNTAG: Herr Stepanek, als Konzertveranstalter sind Sie weltweit auf der Suche nach musikalischen Wunderkindern. Wie kommt man zu diesem Beruf?

Marek Stepanek: Das ist kein Beruf, sondern Liebe zur Musik.

WELT am SONNTAG: Das hört sich fast so an, als wären Sie selbst ein Wunderkind gewesen?

Stepanek: Nein, leider war ich nie so außergewöhnlich! Obwohl ich mir früher richtig schlecht vorkam, wenn ich nicht mindestens fünf Stunden am Klavier saß.

WELT am SONNTAG: Wunderkind kann man aber doch nur sein, nicht werden …

Stepanek: So ist es! Wunderkinder werden bereits mit einem Intelligenz-Quotienten zwischen 130 und 180 geboren, sie sind also auch sehr klug.

WELT am SONNTAG: Sie haben gerade in München ein sehr erfolgreiches Konzert mit Wunderkindern aus Russland und China organisiert. Wie sieht die Zukunft dieser Kinder aus?

Stepanek: Das weiß niemand. Jedes von ihnen kann ein großer Künstler werden. Entscheiden wird sich das zwischen 20 und 30 Jahren. Momentan kann man diesen Kindern mit einem Stipendium oder einem neuen Musikinstrument helfen. Russland ist, was Musik betrifft, einzigartig. So viel geistiges Potenzial gibt es sonst nirgends in Europa oder Amerika.

WELT am SONNTAG: Woran erkennt man ein Wunderkind?

Stepanek: Die meisten von ihnen können sehr früh lesen. Manchmal schon mit drei Jahren. Musikalische Wunderkinder setzen sich mit fünf Jahren ans Klavier und spielen, obwohl sie niemals vorher eine Note oder eine ganze Partitur gekannt haben.

WELT am SONNTAG: Häufig hört man die Kritik, dass man diesen Kindern durch das ständige Üben die Kindheit raubt.

Stepanek: Meiner Meinung nach raubt man ihnen überhaupt nichts! Die Wunderkinder, die ich kenne, üben fast nie mehr als zwei bis drei Stunden pro Tag. Das ist ja das Wunder! Und würden sie das nicht tun, würde ihnen etwas fehlen. Diese Kinder sind beseelt von der Musik. Sie atmen den Klang der Noten ein.

Hören 2, Aufgabe 1a, Teil 1 CD2 C13

Singen lernen kostenlos! Der gemischte Chor Cantaré sucht noch neue Sängerinnen und Sänger! Cantaré singt alles von Pop bis Klassik und freut sich auf Ihre Anmeldung direkt bei der Probe. Chorerfahrung und Notenkenntnisse sind erwünscht, aber nicht Voraussetzung. Insbesondere Männerstimmen werden gesucht. Der Chor probt im Kulturforum in der Dreiringstr. 7. Vor der Anmeldung nehmen Sie bitte Kontakt mit Helma Müller auf: Tel. 0201/214543.

Teil 2 CD2 C14

Ab jetzt wird freitags im *30+ Dance Club* am Essener Pferdemarkt nicht nur gefeiert und getanzt, sondern auch gut gegessen. In den Monaten November und Dezember beginnt der Feierabend im exklusiven Ambiente mit einem reichhaltigen Winterbuffet. Gäste haben die Qual der Wahl zwischen vielen leckeren Vorspeisen und Hauptgerichten. Bis 22 Uhr können hier alle Köstlichkeiten nach Belieben kombiniert werden. Hits aus den 80ern, 90ern und den aktuellen Dance Charts sorgen zudem nicht nur auf der Tanzfläche für gute Stimmung. Eintrittspreise für »Dinner und Dance« ab 22,50 €.

Teil 3 CD2 C15

Das klassische Klavierkonzert am kommenden Samstag, den 5. November, mit Stücken von Ludwig van Beethoven, Clara Schumann und Wolfgang Amadeus Mozart findet nicht statt, weil der Pianist erkrankt ist. Es wird auf den 26. November verschoben. Die Karten sind weiter gültig. Wer sie zurückgeben will, kann dies an der Tageskasse bis Freitag tun oder per Post schicken und erhält das Geld oder einen Gutschein für eine andere Veranstaltung.

Teil 4 CD2 C16

Im Salsatanzkurs für Fortgeschrittene, der ab 10. November immer donnerstags von 19.30 bis 21.00 Uhr in der Musikschule Folkwang stattfindet, sind noch Plätze für ein Paar und zwei einzelne Herren frei. Die beiden Lehrer Claudia und Ruben aus Puerto Rico freuen sich auf Ihr Kommen. Pro Paar kosten die 8 Kursabende 140.- Euro, für eine Einzelperson 70.- Euro. … ! Anmelden kann man sich telefonisch unter 0410/221867 oder einfach auf der Homepage von www.salsa-fuer-alle.de.

Teil 5 CD2 C17

Verbringen Sie ein spannendes Wochenende auf einer musikalischen Spurensuche »Von Kuba bis Westafrika«. Trommeln für Anfänger bis Mittelstufe. Für den Wochenend-Workshop am 23. und 24. November im Jugendzentrum Papestraße in Essen läuft die Anmeldung noch bis zum 30. Oktober. Die verschiedenen Rhythmusinstrumente können Sie vor Ort ausleihen. Anmeldungen unter: www.samba-ruhrgebiet.de oder telefonisch unter 0201/85 132 20.

Lektion 7   GELD

Sprechen 2, Aufgabe 2 a und b CD2 C18

Verkäufer: Das ist ein toller Markt heute, nicht? So viel los heute!

Käufer: Ja, finde ich auch. Und so viel Auswahl findet man selten. Sie haben ja auch einen sehr interessanten Stand hier. Dürfte ich die Schuhe mal sehen?

Verkäufer: Selbstverständlich. Bitte. ... Das sind die *Sprint 69*.

Käufer: Ich finde ja, dass Sprint im Moment die beste Marke ist.

Verkäufer: Das sagen viele. Von diesen Schuhen sind nur wenige hergestellt worden.

Käufer: Sind Sie sicher? Die wurden doch überall ganz günstig verkauft.

Verkäufer: Also, die Schuhe sind komplett neu. Ich habe sie geschenkt bekommen, aber sie sind mir zu klein. Hier ist die Originalverpackung.

Käufer:Moderator: Was ist das für 'ne Größe?

Verkäufer: 42. Hier steht's: Größe 42.

Käufer: Die würden mir ja genau passen.

Verkäufer: Möchten Sie sie mal anprobieren?

Käufer: Das ist nicht nötig. Was wollen Sie für die Schuhe denn haben?

Verkäufer: Also neu haben sie 120 Euro gekostet. Wie wäre es mit 90?

Käufer: Oh, das ist ein stolzer Preis! Bei ebay bekomme ich die sicher billiger.

Verkäufer: Hmm, was würden Sie denn bezahlen?

Käufer: Sagen wir 50 Euro.

Verkäufer: Das ist ja weniger als die Hälfte! Schauen Sie mal: Die Schuhe sind doch wirklich schick. Und total in Ordnung. Sie haben keine Flecken. Wie gesagt. Sie wurden nie getragen. Legen Sie doch noch was drauf.

Käufer: Gut dann ... Sagen wir: 60 Euro. Wären Sie damit einverstanden?

Verkäufer: 65!

Käufer: Okay. Also 65.

Verkäufer: Prima!

Käufer: Können Sie mir auf 100 Euro rausgeben?

Verkäufer: Ja, sicher. Hier. Dann viel Spaß mit den Schuhen. Da haben Sie einen guten Kauf gemacht.

Käufer: Danke!

Hören, Aufgabe 1 b CD2 19

Moderator: In Deutschland sind mittlerweile in jedem zehnten Haushalt Frauen die Hauptverdiene-rinnen. Frauen sind immer besser ausgebildet und verdienen deshalb mehr Geld. Männer andererseits verlieren immer öfter ihren Arbeitsplatz.
Für beide Geschlechter ist dieser Tausch der Aufgaben nicht immer einfach. Wer das Geld verdient, hat die Macht. Was bedeuten diese neuen Rollen im Alltag? Dazu haben wir drei Paare befragt.

Aufgabe 2 CD2 20

Moderator: Zunächst möchte ich unser erstes Paar im Studio vorstellen: Beate und Ludwig.

Beate und Ludwig: Guten Tag. Hallo!

Moderator: Beate ist Ärztin, Ehefrau und Mutter von zwei Kindern. Die beiden sind aus Beates erster Ehe. Zusammen mit ihrem Ehemann, Ludwig, erwartet sie ein gemeinsames drittes Kind. Ludwig ... Sie sind Hausmann. Ihre Frau verdient das Geld. Sie hat zwei Kinder mit in die Ehe gebracht, um die Sie sich nun kümmern, während Ihre Frau jeden Morgen um kurz nach sieben in die Praxis geht. Wie fühlen Sie sich als Hausmann?

Ludwig: Prima. Zum ersten Mal in meinem Leben habe ich das Gefühl, gebraucht zu werden und sinnvolle Arbeit zu tun.

Moderator: Beate, Sie sind mittlerweile hoch-schwanger und tragen die finanzielle Verantwor-tung für eine bald fünfköpfige Familie. Wie fühlen Sie sich dabei?

Beate: Ausgezeichnet ..., warum auch nicht? Ich bin sehr froh, dass mein Mann bereit ist, zu Hause bei den Kindern zu bleiben. Für uns ist das ideal. Für mich war meine Berufsausbildung immer wichtig. Ich wollte nie von einem Mann abhängig sein.

Moderator: Ludwig, Sie sind auch zufrieden mit dieser Aufgabenteilung?

Ludwig: Ja, das kann man so sagen. Ich bin ja nicht bloß Hausmann! Ich bin ja Übersetzer von Beruf und arbeite inzwischen auch in meinem kleinen „home office" von zu Hause aus ... als Nebenjob.

Moderator: Doch wie wird es denn werden, wenn das Baby geboren ist, das rund um die Uhr Betreu-ung braucht?

Ludwig: Gut, hoffe ich. Bis auf Muttermilch kann ich alles geben, und das ist auch gut so. Beate will nämlich schnell nach der Geburt wieder in ihre Praxis gehen, um das Geld für unseren Lebensun-terhalt zu verdienen.

(Fortsetzung Aufgabe 2) CD2 21

Moderator: Nun zu unserem zweiten Paar: Karin und Stefan.

Karin/Stefan: Hallo!

Moderator: Sie wohnen seit ein paar Monaten zusammen in einer gemeinsamen Wohnung. Karin ist Lehrerin für moderne Fremdsprachen. Der 29-jährige Stefan ist Computerfachmann und hat vor kurzem seine gut bezahlte Stelle verloren. Karin, in unserem Vorgespräch zu der Sendung haben Sie erzählt, dass Sie gerne eine Familie gründen möchten.

Karin: Ja, das stimmt. Aber mein Freund will noch warten.

Stefan: Also, es ist einfach so: Solange ich arbeits-los bin, kommt ein Kind für mich nicht in Frage.

Moderator: Sie wollen also aus finanziellen Gründen keine Familie?

Stefan: So ist es. Es ist für mich einfach kein gutes Gefühl. Das gebe ich ehrlich zu.

Karin: Für mich ist das kein Problem. Wie viele Frauen leben denn von dem Geld ihrer Männer? Die haben das immer gemacht. Und wenn man das umdreht, gibt es Protest von vielen Seiten. Das ist doch komisch.

(Fortsetzung Aufgabe 2) CD2 22

Moderator: Kommen wir zu unserem dritten Paar. Michaela und Robbie.

Robbie/Michaela: Servus! Tach!

Moderator: Robbie ist gelernter Elektriker und jetzt 49 Jahre alt, seine Frau Michaela ist 35 und arbeitet als Krankenschwester. Wie Stefan ist auch Robbie plötzlich arbeitslos geworden. Wie sieht Ihr Alltag jetzt aus, Robbie?

Robbie: Ich mache im Haushalt alles, was erledigt werden muss: waschen, kochen, putzen, unsere Tochter zur Schule bringen. Hauptsache, meine Frau kann sich nach der Arbeit etwas ausruhen. Ansons-ten warte ich täglich auf eine Zusage auf eine meiner vielen Bewerbungen.

Moderator: Michaela, Sie ernähren inzwischen allein die ganze Familie. Was bedeutet das für Sie?

Michaela: Von meinem Gehalt müssen wir zu dritt leben: Mein Mann, meine achtjährige Tochter und ich. Für mich ist das vor allem anstrengend. Aber mein Mann hilft mir ja, so gut er kann.

Moderator: Sie sind also unfreiwillig zur Alleinverdienerin der Familie geworden?

Michaela: Ja, das kann man so sagen.

Moderator: Robbie, wie fühlen Sie sich in der neuen Rolle?

Robbie: Dass meine Frau alles bezahlt, war für mich erst mal neu. Ich habe mich aber daran gewöhnt, so gut es geht. Natürlich hoffe ich, wieder Arbeit zu finden, damit es uns bald finanziell wieder besser geht.

Moderator: Liebe Hörerinnen und Hörer, Sie sehen, dass die klassischen Rollen heutzutage gar keine so große Bedeutung mehr haben. Ich bedanke mich bei unseren Gästen und gebe ab an die Nachrichten ...

Hören, Aufgabe 3 CD2 🔵23

Moderator: In Deutschland sind mittlerweile in jedem zehnten Haushalt Frauen die Hauptverdienerinnen. Frauen sind immer besser ausgebildet und verdienen deshalb mehr Geld. Männer andererseits verlieren immer öfter ihren Arbeitsplatz. Für beide Geschlechter ist dieser Tausch der Aufgaben nicht immer einfach. Wer das Geld verdient, hat die Macht. Was bedeuten diese neuen Rollen im Alltag? Dazu haben wir drei Paare befragt.

Moderator: Zunächst möchte ich unser erstes Paar im Studio vorstellen: Beate und Ludwig.

Beate und Ludwig: Guten Tag. Hallo!

Moderator: Beate ist Ärztin, Ehefrau und Mutter von zwei Kindern. Die beiden sind aus Beates erster Ehe. Zusammen mit ihrem Ehemann, Ludwig, erwartet sie ein gemeinsames drittes Kind. Ludwig ... Sie sind Hausmann. Ihre Frau verdient das Geld. Sie hat zwei Kinder mit in die Ehe gebracht, um die Sie sich nun kümmern, während Ihre Frau jeden Morgen um kurz nach sieben in die Praxis geht. Wie fühlen Sie sich als Hausmann?

Ludwig: Prima. Zum ersten Mal in meinem Leben habe ich das Gefühl, gebraucht zu werden und sinnvolle Arbeit zu tun.

Moderator: Beate, Sie sind mittlerweile hochschwanger und tragen die finanzielle Verantwortung für eine bald fünfköpfige Familie. Wie fühlen Sie sich dabei?

Beate: Ausgezeichnet ..., warum auch nicht? Ich bin sehr froh, dass mein Mann bereit ist, zu Hause bei den Kindern zu bleiben. Für uns ist das ideal. Für mich war meine Berufsausbildung immer wichtig. Ich wollte nie von einem Mann abhängig sein.

Moderator: Ludwig, Sie sind auch zufrieden mit dieser Aufgabenteilung?

Ludwig: Ja, das kann man so sagen. Ich bin ja nicht bloß Hausmann! Ich bin ja Übersetzer von Beruf und arbeite inzwischen auch in meinem kleinen „home office" von zu Hause aus ... als Nebenjob.

Moderator: Doch wie wird es denn werden, wenn das Baby geboren ist, das rund um die Uhr Betreuung braucht?

Ludwig: Gut, hoffe ich. Bis auf Muttermilch kann ich alles geben, und das ist auch gut so. Beate will nämlich schnell nach der Geburt wieder in ihre Praxis gehen, um das Geld für unseren Lebensunterhalt zu verdienen.

Moderator: Nun zu unserem zweiten Paar: Karin und Stefan.

Karin/Stefan: Hallo!

Moderator: Sie wohnen seit ein paar Monaten zusammen in einer gemeinsamen Wohnung. Karin ist Lehrerin für moderne Fremdsprachen. Der 29-jährige Stefan ist Computerfachmann und hat vor kurzem seine gut bezahlte Stelle verloren. Karin, in unserem Vorgespräch zu der Sendung haben Sie erzählt, dass Sie gerne eine Familie gründen möchten.

Karin: Ja, das stimmt. Aber mein Freund will noch warten.

Stefan: Also, es ist einfach so: Solange ich arbeitslos bin, kommt ein Kind für mich nicht in Frage.

Moderator: Sie wollen also aus finanziellen Gründen keine Familie?

Stefan: So ist es. Es ist für mich einfach kein gutes Gefühl. Das gebe ich ehrlich zu.

Karin: Für mich ist das kein Problem. Wie viele Frauen leben denn von dem Geld ihrer Männer? Die haben das immer gemacht. Und wenn man das umdreht, gibt es Protest von vielen Seiten. Das ist doch komisch.

Moderator: Kommen wir zu unserem dritten Paar. Michaela und Robbie.

Robbie/Michaela: Servus! Tach!

Moderator: Robbie ist gelernter Elektriker und jetzt 49 Jahre alt, seine Frau Michaela ist 35 und arbeitet als Krankenschwester. Wie Stefan ist auch Robbie plötzlich arbeitslos geworden. Wie sieht Ihr Alltag jetzt aus, Robbie?

Robbie: Ich mache im Haushalt alles, was erledigt werden muss: waschen, kochen, putzen, unsere Tochter zur Schule bringen. Hauptsache, meine Frau kann sich nach der Arbeit etwas ausruhen. Ansonsten warte ich täglich auf eine Zusage auf eine meiner vielen Bewerbungen.

Moderator: Michaela, Sie ernähren inzwischen allein die ganze Familie. Was bedeutet das für Sie?

Michaela: Von meinem Gehalt müssen wir zu dritt leben: Mein Mann, meine achtjährige Tochter und ich. Für mich ist das vor allem anstrengend. Aber mein Mann hilft mir ja, so gut er kann.

Moderator: Sie sind also unfreiwillig zur Alleinverdienerin der Familie geworden?

Michaela: Ja, das kann man so sagen.

Moderator: Robbie, wie fühlen Sie sich in der neuen Rolle?

Robbie: Dass meine Frau alles bezahlt, war für mich erst mal neu. Ich habe mich aber daran gewöhnt, so gut es geht. Natürlich hoffe ich, wieder Arbeit zu finden, damit es uns bald finanziell wieder besser geht.

Moderator: Liebe Hörerinnen und Hörer, Sie sehen, dass die klassischen Rollen heutzutage gar keine so große Bedeutung mehr haben. Ich bedanke mich bei unseren Gästen und gebe ab an die Nachrichten ...

Lektion 8   LEBENSLANG LERNEN

Hören 1, Aufgabe 1b CD2 24

Moderator: „Was darf Bildung kosten?" ist das Thema unserer heutigen Sendung im Familienfunk. Sicher haben wenige Eltern bisher zusammengerechnet, wie teuer die Ausbildung ihrer Kinder eigentlich ist und wenn sie es tun würden, kämen sie auf eine erstaunlich hohe Summe: Bereits für einen Kindergartenplatz bezahlt man in Deutschland jährlich circa 1000.- Euro, in manchen Kantonen der Schweiz oder in Wien muss man sogar mit über 3000.- Euro rechnen. Dafür sind dann die staatlichen oder kommunalen Schulen, die immer noch die meisten Kinder besuchen, kostenlos, d.h. es ist kein Schulgeld, sondern nur etwas für Material und Bücher zu bezahlen. Wer sein Kind allerdings auf eine Privatschule schickt, legt dafür jährlich zwischen 5000.- und 12000.- Euro auf den Tisch. Für das anschließende Studium, jetzt wieder an einer staatlichen Universität oder Fachhochschule, bezahlt man wesentlich weniger, nämlich höchstens 1000.- Euro im Jahr. In den meisten deutschen Bundesländern studiert man sogar fast kostenlos. In der Schweiz variieren die Kosten von Kanton zu Kanton. Aber man kann sich auch hier für die Luxusvariante entscheiden: Für ein Studium an einer amerikanischen Universität bezahlt man durchschnittlich 12000.- Euro pro Jahr, ohne Unterkunft und Essen.

Aufgabe 2b und 3b CD2 25

Moderator: Nach diesem kleinen Zahlenüberblick freue ich mich nun auf einen anregenden Meinungsaustausch mit meinen Studiogästen – und das sind: Frau Seifert, Architekturstudentin im 3.Semester,

Frau Seifert: Hallo!

Moderator: Herr Ludwig, Vater zweier Kinder,

Herr Ludwig: Guten Tag!

Moderator: ... und die Bildungspolitikerin Frau Dr. Franke

Frau Franke: Einen schönen guten Abend!

Moderator: Wie wir gerade hörten, muss man bereits für die Kleinsten in gute Betreuung und Bildung investieren. Herr Ludwig, Sie als zweifacher Vater wissen sicher, wovon ich spreche?

Paul Ludwig: Ja, das weiß ich nur allzu gut, ich erinnere mich, als unsere beiden Kinder gleichzeitig im Kindergarten waren, haben wir so um die 180.- Euro im Monat bezahlt. Das finde ich aber nicht zu viel, denn die Kinder sind gern dort hingegangen, sie waren gut versorgt und haben viele Gemeinschaftsspiele gemacht und gelernt, sich zu konzentrieren. Außerdem bekommt man ja auch Kindergeld vom Staat und das ist mehr, als ein Kindergartenplatz kostet. Wichtig war uns auch, dass die Kinder den ganzen Tag betreut waren, so dass wir beide, meine Frau und ich, arbeiten konnten.

Moderator: „Kindergartenbesuch für alle Kinder", das ist ja derzeit auch ein ganz großes politisches Thema. Frau Dr. Franke, ist das Ihrer Meinung nach eine wichtige Forderung?

Frau Dr. Franke: Ja, natürlich, wir wissen heute, wie wichtig es für Kinder im Vorschulalter ist, mit anderen Kindern zu spielen, zu lernen, manchmal auch zu streiten, also einfach in einer Gruppe klar zu kommen und dabei wichtige soziale und kommunikative Fähigkeiten zu erwerben. Für Kinder, die zu Hause nicht Deutsch sprechen, sind ein bis zwei Kindergartenjahre quasi ein Muss. Außerdem muss der Staat dafür sorgen, dass Eltern ein gutes Betreuungsangebot für ihre Kinder bekommen.

Moderator: Bei Ihnen, Frau Seifert, liegt die Kindergartenzeit ja schon eine Weile zurück – Sie studieren inzwischen Architektur an der Fachhochschule Köln. Ist so ein Studium denn teuer?

Carola Seifert: Ja, Studieren ist ganz schön teuer! 500.- Euro pro Semester, sprich 1000.- Euro Gebühren im Jahr bezahle ich an meiner Uni. Das klingt nicht viel, aber man braucht natürlich wesentlich mehr Geld für so ein Studium. In der Architektur kommt man ohne teure Computerprogramme, Zeichenmaterial, teure Bücher usw. nicht aus – plus natürlich die Lebenshaltungskosten, vor allem, wenn man, wie ich, aus einer anderen Stadt kommt und noch eine Wohnung oder ein WG-Zimmer braucht. Alles in allem muss man im Monat mit gut 900.- Euro rechnen. Da wäre es schon eine Erleichterung und außerdem viel sozialer, wenn man keine Studiengebühren bezahlen müsste, so wie es vor einigen Jahren noch war.

Moderator: Frau Dr. Franke, wie können Sie die Studiengebühren begründen, die man an vielen Universitäten in Deutschland inzwischen bezahlen muss?

Dr. Franke: Viele glauben, dass man an deutschen Universitäten viele Jahre quasi „kostenlos" studieren konnte – aber das stimmt so natürlich nicht, da ein Studienplatz auch früher schon jährlich circa 4000.- Euro gekostet hat – nur, dass der Staat oder eigentlich die Steuerzahler das komplett finanziert haben. Inzwischen haben wir Studiengebühren eingeführt, meistens zwischen 300.- und 500.- Euro pro Semester, in einigen Bundesländern zahlt man sogar nur 50.- Euro für die Immatrikulation. Wenn ich das mit den Kosten für ein Studium in den USA oder England vergleiche, ist das hier unglaublich wenig, weniger noch als ein Kindergartenplatz kostet.

Moderator: Trotzdem ist die Studiengebühr immer noch ein heiß diskutiertes Thema in Deutschland. Noch einmal zu Ihnen, Frau Seifert, können denn Ihre Eltern Ihr Studium komplett finanzieren?

Carola Seifert: Sie zahlen fast alles: Miete, Essen, Krankenversicherung und U-Bahn, nur die Studiengebühren zahlen sie nicht. Die übernehmen meine Großeltern plus die Kosten fürs Material. Das finde ich ganz toll! Wenn ich mehr selbst bezahlen müsste, bräuchte ich wahrscheinlich neben meinem Studium noch irgendeinen Job zum Geldverdienen. Der Stundenplan an der Uni ist aber so voll, da ist es zeitlich fast nicht möglich zu arbeiten. Ich jobbe aber ein bisschen in den Semesterferien. Da verdiene ich mir dann etwas Taschengeld und was ich so für Reisen brauche.

Moderator: Jetzt haben wir über Institutionen und Kosten für die ganz Kleinen und die Großen gesprochen, nur noch nicht über die Institution, die wirklich alle Kinder besuchen müssen: die Schule. In den deutschsprachigen Ländern sind die öffentlichen Schulen kostenlos. Trotzdem entscheiden sich immer mehr Eltern dafür, ihre Kinder in private Schulen zu geben. Herr Ludwig, auf welche Schule gehen denn Ihre Kinder und bezahlen Sie etwas dafür?

Herr Ludwig: Ja, unser Sohn besucht eine private Montessori-Grundschule und unsere Tochter ab nächstem Schuljahr auch, noch geht sie in den Kindergarten. Das heißt wir werden weiter bezahlen. Für die Schule im Moment 260.- Euro im Monat pro Kind. Bald sind es dann über 500.- Euro im Monat. Das ist ganz schön viel Geld über viele Jahre. Und nur, weil wir ein bestimmtes pädagogisches Konzept für gut halten und uns diese Schulbildung für unsere Kinder wünschen. Viele Familien können sich so eine Schule einfach nicht leisten und schicken ihre Kinder dann eben nicht dorthin. Der Staat sollte solche Schulen noch mehr unterstützen, sie sollten genauso finanziert werden wie staatliche Schulen. Den Familien wäre damit auf jeden Fall geholfen!

Dr. Franke: Ja, von einigen Seiten wird mehr finanzielle Unterstützung für private Schulen gefordert, in Schweden z.B. ist man da auch schon ein ganzes Stück weiter. Aber insgesamt sind wir auch hier auf einem guten Weg. Allen ist nämlich inzwischen klar, wie wichtig Bildung und permanente Weiterbildung für Kinder, Jugendliche, aber auch für Erwachsene ist.

Moderator: Das war doch wirklich ein passendes Schlusswort für unsere Gesprächsrunde. Vielen Dank Frau Dr. Franke, Frau Seifert und Herr Ludwig fürs Mitdiskutieren. Auf Wiederhören und bis zum nächsten Mal!

Hören 2, Aufgabe 1a CD2 26

Die Klasse teilt sich in zwei gleichgroße Gruppen. Die eine Hälfte stellt sich im Kreis auf. Die andere Hälfte bildet einen Kreis innerhalb des ersten Kreises.

(Fortsetzung Aufgabe 1a) CD2 27

Der äußere Kreis läuft oder tanzt nun im Uhrzeigersinn um den inneren Kreis herum. Dieser bewegt sich in die andere Richtung. Sobald die Musik stoppt, bleiben alle stehen.

(Fortsetzung Aufgabe 1a) CD2 28

Machen Sie einen Schritt auf die Person zu, die Ihnen gegenüber im anderen Kreis steht. Legen Sie nun Ihre rechte Hand auf die rechte Schulter Ihres Gegenübers und drehen Sie sich zusammen einmal im Kreis herum, wenn die Musik wieder anfängt. Jetzt laufen Sie wieder in den zwei Kreisen im Takt der Musik weiter. Wiederholen Sie das Ganze dreimal.

(Fortsetzung Aufgabe 1a) CD2 29

Bleiben Sie hintereinander stehen und legen Sie beide Hände auf die Schultern der Vorderfrau oder des Vordermannes. Öffnen Sie die Kreise. Bilden Sie eine sogenannte „Polonaise". Laufen Sie nun außerhalb des Klassenzimmers weiter. Gehen Sie mit Musikbegleitung den Flur entlang und an den anderen Klassenräumen vorbei.

Hören 2, Aufgabe 1b CD2 30

Die Klasse teilt sich in zwei gleichgroße Gruppen. Die eine Hälfte stellt sich im Kreis auf. Die andere Hälfte bildet einen Kreis innerhalb des ersten Kreises.
Der äußere Kreis läuft oder tanzt nun im Uhrzeigersinn um den inneren Kreis herum. Dieser bewegt sich in die andere Richtung. Sobald die Musik stoppt, bleiben alle stehen.
Machen Sie einen Schritt auf die Person zu, die Ihnen gegenüber im anderen Kreis steht. Legen Sie nun Ihre rechte Hand auf die rechte Schulter Ihres Gegenübers und drehen Sie sich zusammen einmal im Kreis herum, wenn die Musik wieder anfängt. Jetzt laufen Sie wieder in den zwei Kreisen im Takt der Musik weiter.
Wiederholen Sie das Ganze dreimal.
Bleiben Sie hintereinander stehen und legen Sie beide Hände auf die Schultern der Vorderfrau oder des Vordermannes. Öffnen Sie die Kreise. Bilden Sie eine sogenannte „Polonaise".
Laufen Sie nun außerhalb des Klassenzimmers weiter. Gehen Sie mit Musikbegleitung den Flur entlang und an den anderen Klassenräumen vorbei.

Lektion 1 IN KONTAKT

Interview Sofia

Sofia Tschaidse
Mein Name ist Sofia Tschaidse. Ich bin 22 Jahre alt und komme aus Georgien. Meine Heimatstadt heißt Tiflis.
In Deutschland bin ich seit drei Monaten, aber ich hab' vorher schon mal Deutsch gelernt, zwei Jahre, in der Schule. Ich kann schon ganz gut Deutsch. Also, Sprechen und Hören, das ist okay. Aber mit dem Lesen und Schreiben, da hab' ich Probleme. Da muss ich viel besser werden. Zurzeit bin ich als Au-pair-Mädchen in einer deutschen Familie. Daneben mache ich einen B1-Intensivsprachkurs hier in der Volkshochschule. Im Juli möchte ich den *TestDaF* machen. Den brauch' ich für die Uni. Ich möchte hier in Deutschland studieren, in Kassel, Wirtschaftspädagogik.

Interview Javier

Javier Romero
Ich heiße Javier Romero. Ich komme aus Spanien, aus Zaragoza.
Ich bin 18 Jahre alt und ich möchte ab nächstes Jahr Pharmazie studieren.
Mein Vater ist auch Pharmazeut. Er arbeitet für ein großes deutsches Unternehmen.
Er ist Vertreter für Spanien und Portugal. Er kennt Deutschland sehr gut. Er spricht perfekt Deutsch.
Naja, Deutsch verstehen kann ich ganz gut. Mit dem Lesen hab ich auch keine Probleme. Aber Schreiben, das ist leider noch ein großes Problem für mich. Beim Sprechen mache ich auch noch Fehler, manchmal.
Deshalb bin ich für ein halbes Jahr hier in Deutschland. Ich mache Kurse, ich schreibe und spreche viel und lerne Land und Leute kennen. Das ist gut, weil irgendwann möchte ich auch für eine deutsche Firma arbeiten. Bis dann möchte ich so gut Deutsch können wie mein Vater. Das ist doch ein gutes Ziel, oder?

Interview Colette

Colette Mahossier
Mein Name ist Colette Mahossier. Ich bin 29 Jahre alt und ich bin verheiratet.
Mein Mann und ich, wir kommen aus Haïti. Wir haben eine Tochter. Sie heißt Manon und sie ist drei Jahre alt. Mein Mann ist Mathematiker. Er ist Gastprofessor hier an der Uni.
Wir sind schon zweieinhalb Jahre hier und wir bleiben noch einmal zweieinhalb Jahre.
Ich habe Modedesign studiert und ich schreibe für eine französische Magazin [Korrekt heißt es: für ein französisches Magazin].
Mit dem Deutsch hab' ich noch ein paar Probleme. Das Lesen und Schreiben klappt schon ganz gut, aber ich bin nicht mit meiner Aussprache zufrieden. Oft habe ich Probleme, die Leute zu verstehen, zum Beispiel meinen Nachbar[n] oder die Erzieherin im Kindergarten, und dann muss ich immer fragen:

„Entschuldigung bitte, ich verstehe Sie nicht", und das ist mir ein bisschen peinlich. Und deshalb bin ich jetzt hier, um besser Deutsch zu lernen.

Lektion 2 FESTE

Oktoberfest

vgl. Clip 05–07

Oktoberfest, Abschnitt 1

Mitten in München, auf der Theresienwiese, findet jedes Jahr das Oktoberfest statt. Dann dreht sich in der Stadt alles um die „Wiesn", so nennen die Münchner ihr Volksfest.
Die Theresienwiese ist, trotz ihres Namens, schon lange keine Wiese mehr. Mehrere breite, asphaltierte Straßen durchziehen sie. Zwischen den Straßen befinden sich, während des Oktoberfestes, die Achterbahnen und Karussells, die Stände mit Süßigkeiten und Backwaren und natürlich die berühmten Bierzelte, in denen die Blasmusik spielt und das Bier in Maßkrügen getrunken wird.
Das Oktoberfest dauert 16 Tage. Es endet am ersten Sonntag im Oktober, dem Erntedankfest. Der größte Teil des Oktoberfestes findet also im September statt. Ein kleiner Widerspruch, der aber keinen Münchner stört.
Auch die Touristen, die jedes Jahr anreisen, lassen sich dadurch nicht verwirren. Sie finden den richtigen Ort und die richtige Zeit, um am „beer festival" teilnehmen zu können.
„Beer Festival", dieser international gebräuchliche Name für das Oktoberfest, zeigt, worauf die Welt blickt, wenn sie vom Oktoberfest spricht.

Oktoberfest, Abschnitt 2

„Ein Prosit der Gemütlichkeit", eigentlich ein kleines Lied zum Mitsingen im Bierzelt. Aber dieses kleine Lied wurde zum Kampfruf, dem Biertrinker aus aller Welt folgen. Ihr Ziel: die Bierzelte des Oktoberfestes.
Bierzelte sind in Bayern etwas ganz Normales. Sie gehören zu den Volksfesten, die jede Ortschaft einmal im Jahr veranstaltet. Je nach Größe der Ortschaft sind auch die Bierzelte unterschiedlich groß. Ein kleines Dorf benötigt nur ein kleines Zelt, vielleicht 10 Meter breit und genauso lang. Bei einer Kleinstadt reicht das nicht mehr. Hier sollte ein Bierzelt etwa so groß sein wie eine Turnhalle.
In ein Bierzelt des Münchner Oktoberfestes allerdings passen mehrere Turnhallen hinein. Sowohl in der Breite, als in der Länge, als in der Höhe. Die „Wiesn"-Zelte haben die Ausmaße gotischer Kathedralen. Und es gibt elf Zelte, die diese Größe erreichen und noch mehrere kleinere. In jedem der großen Bierzelte finden ungefähr 5000 Gäste Platz. Es ist laut, viele Menschen suchen einen freien Platz, die Kellnerinnen bahnen sich den Weg, die Hände voll mit Bierkrügen. Es wird geschrien, gedrängelt, auf den Tischen getanzt, Bier verschüttet. An den Biertischen eng zusammengedrängt ist es unmög-

lich, in Ruhe einen Schweinebraten zu essen. Von Gemütlichkeit kann keine Rede mehr sein. Für einen Bayern, der doch auf seine Gemütlichkeit Wert legt, ist so etwas eigentlich eine Horror-Vorstellung. Und tatsächlich gibt es Münchner, die nicht auf die „Wiesn" gehen, weil ihnen dort zu viel Trubel herrscht. Die Meisten aber lassen sich davon nicht abschrecken und das liegt auch noch an etwas Anderem: Denn nicht nur das Bier zieht jedes Jahr mehrere Millionen Besucher nach München. Auch die verschiedenen Achterbahnen, Karussells und sonstigen Fahrgeschäfte erreichen auf dem Oktoberfest einen Rekordgewinn. Nicht zu vergessen die „Standln", also die Buden, die Süßigkeiten und andere Leckereien anbieten. Vor allem für die kleinen Besucher ist das der interessantere Teil des Oktoberfestes.

Oktoberfest, Abschnitt 3 [07]

Eines sollte über Bierhallen und Achterbahnen, Zuckerwatte und gebrannten Mandeln nicht vergessen werden: Die Tradition. Denn gerade die Tradition spielt für die Münchner und ihre Stadt eine große Rolle. Hinter allem Geldverdienen versteckt sich doch die Sehnsucht des Münchners nach dem Ursprung des Festes. Und dieser Ursprung war eine Heirat, eine königliche Heirat. Der Thronfolger und spätere König Ludwig I. heiratete 1810 seine Frau Therese. Diese Heirat gab der Theresienwiese ihren Namen, legte den Grundstein zum jährlichen Oktoberfest und sie gab der „Wiesn" ihre wahre, wenn auch hintergründige Dimension: Die Liebe. Lebkuchenherzen zum Umhängen sind ein beliebtes Geschenk und werden von den Damen gerne getragen. Ein „Wiesn"-Bummel gilt für verliebte Pärchen als äußerst romantisch. Und so Mancher, und auch so mancher Zugereiste, fand auf der „Wiesn" seinen Schatz und blieb für den Rest seines Lebens überzeugter Münchner und Liebhaber des Oktoberfestes.

Lektion 3 UNTERWEGS

Interview mit einem Weltreisenden [08]

Reporterin: Ja, guten Tag Herr Bauer. Sie sind von Beruf eigentlich Diplomverwaltungswirt, haben aber ein ganz besonderes Hobby: Sie unternehmen außergewöhnliche Reisen und soviel ich weiß, sind Sie gerade erst von einem spannenden Abenteuer zurückgekommen. Wo waren Sie denn diesmal?

Thomas Bauer: Ich bin gerade von Grönland zurückgekommen, wo ich eine Hundeschlittentour gemacht habe. Das waren drei Wochen.

Reporterin: Andere Reisen, die Sie gemacht haben, waren ...?

Thomas Bauer: Unter anderem bin ich den Jakobsweg entlang gegangen, zweieinhalb tausend Kilometer zu Fuß durch Europa, ich bin die Donau mit einem Kajak entlang gefahren bis zum Schwarzen Meer und ich war drei Monate lang in Südamerika unterwegs.

Reporterin: Diese Reisen, die müssen Sie ja, wenn Sie Bücher darüber schreiben, auch unterwegs festhalten, wie machen Sie das?

Thomas Bauer: Ich habe immer einen Notizblock und auch ein Diktiergerät dabei und versuche immer, unmittelbar meine Gedanken festzuhalten. Wenn ich dann nach Hause komme, kann ich das alles ins Reine schreiben und nach ungefähr einem halben bis einem Jahr nochmal anschauen und nochmal korrigieren.

Reporterin: Was war für Sie persönlich am anstrengendsten?

Thomas Bauer: Die anstrengendste Reise war auf jeden Fall die Rikschatour, die ich durch Südostasien unternommen habe, weil ich mit den tropischen Bedingungen am Anfang überhaupt nicht zurecht gekommen bin. Also, es waren ungefähr 35 Grad im Schatten bei 90 Prozent Luftfeuchtigkeit und da kam ich schon ganz schön ins Schwitzen, als ich da pro Tag 8 bis 9 Stunden Fahrrad gefahren bin.

Reporterin: Erzählen Sie doch mal von einem ganz besonderen Erlebnis.

Thomas Bauer: Ein Erlebnis, das ich nie vergessen werde, ist in Süd-Laos passiert, wo ich mit der Rikscha unterwegs gewesen bin und an einen Straßenstand gekommen bin, in dem Fleisch und Gemüse zum Verkauf auslag und ich hab' dann also mich für ein Fleisch entschieden und hab' das auch dann gegessen, hab' dann gefragt – ganz hoffnungsvoll – war das jetzt Hühnchen, was ich da gegessen habe? Und dann hat die Verkäuferin gesagt, nein, das war kein Hühnchen, das war Ratte! Und das war erst mal ein Schock, wobei ich inzwischen Ratte auch empfehlen kann, weil das ist sehr, sehr lecker!

Reporterin: Sie sind, soviel ich weiß, immer alleine aufgebrochen. Hat das einen bestimmten Grund?

Thomas Bauer: Ich bin immer alleine aufgebrochen, habe unterwegs ab und zu Freunde und Bekannte gefunden, die dann mit mir mitgegangen sind ein Stück weit, aber das Alleinsein hat viele Vorteile. Ich glaub', dass ich dadurch mit der anderen Lebensart, mit anderen fremden Leuten viel einfacher in Kontakt komme und auch mehr über deren Alltag und deren Leben erfahren kann.

Reporterin: Gab's gefährliche oder sehr gefährliche Momente?

Thomas Bauer: Es gab tatsächlich einige Gefahrensituationen, eine davon ist auf der Donautour passiert, als ich mit meinem Kajak mitten in einen großen Sturm geraten bin und dann zwei Kilometer weit bis zum Ufer paddeln musste. Das war schon sehr grenzwertig, diese Erfahrung zu machen. Eine andere Gefahrensituation habe ich in Bolivien erlebt, wo ich innerhalb von einer Woche fast dreimal entführt worden wäre. Aber bisher bin ich immer lebendig und munter aus allen Abenteuern herausgekommen.

Reporterin: Was war denn die günstigste Reise?

Thomas Bauer: Die günstigste Reise war diese lange Wanderung auf dem Jakobsweg durch Europa, weil man in den Hütten meistens kostenlos übernachten kann oder eben eine kleine Spende zurücklässt. Also da kam ich mit sehr sehr wenig Geld ein längeres Stück weit voran, ich versuch' aber generell auf meinen Reisen die Ansprüche, die ich habe, zurückzuschrauben und mich jetzt nicht für das Luxushotel zu entscheiden, sondern vielleicht eher ein Zelt mitzunehmen und dann auch entsprechend meine Ansprüche zurückzufahren.

Reporterin: Steckt vielleicht auch so ein bisschen die Suche nach den eigenen Grenzen hinter Ihrer Abenteuerlust? Sie wollen testen, wie weit Sie gehen können, was Sie schaffen können?

Thomas Bauer: Das ist ein ganz großer Antrieb. Ich versuche immer meine Grenzen zu sehen und dann auch die zu verschieben und ich hab' auch sehr oft die Erfahrung gemacht, dass man, wenn man dann doch solche Gefahrensituationen erlebt, im Endeffekt immer gestärkt daraus hervorgeht.

Reporterin: Ja, und zum Schluss hätte ich gern noch einen Tipp von Ihnen. Was können Sie, vielleicht in zwei Sätzen, jemandem empfehlen, der so eine ähnliche Reise unternehmen möchte?

Thomas Bauer: Einen der wichtigsten Tipps, die ich geben kann und die ich auch auf meinen Reisen selbst erfahren habe, ist, dass man von dem Gepäck, das man mitnehmen möchte, die Hälfte zu Hause lässt. Weil man doch fast immer zu viel mitnimmt und weil ein großer Koffer sehr, sehr unbequem werden kann. Ich hab' auf meinen letzten Reisen ungefähr sechs bis sieben Kilogramm dabei gehabt, mit Zelt, mit Schlafsack mit allem und das genügt vollauf. Eine weitere Erfahrung, die ich gemacht habe, ist, dass man versuchen sollte, einfach mal loszulassen und sich mal auf Fremdes einzulassen, auch auf Dinge, die einem vielleicht im ersten Moment sehr, sehr seltsam vorkommen, die einen etwas abschrecken – man kann am Ende, glaub' ich, durch diese Erfahrungen nur gewinnen.

Reporterin: Gut, das ist doch ein wunderbares Schlusswort. Herr Bauer, ich danke Ihnen ganz herzlich für dieses Interview und wünsche Ihnen viel Glück für die nächste Reise!

Thomas Bauer: Vielen Dank!

Lektion 4 WOHNEN

Kein Platz für Gerold, Abschnitt 1

Roger: Wie spät?
Armin: Zwanzig vor.
Roger: Das ist doch auch wieder so 'n Punkt, oder? Ich meine, wir haben gesagt „um halb".
Armin: „Gegen halb", hab' ich gesagt.
Roger: Nein, ich bin mir ziemlich sicher bzw. völlig sicher, dass ich „um halb" gesagt habe.
Armin: Ich glaube, er kommt.
Gerold: Hi. Wartet ihr schon? Sorry, ich war mir nicht sicher, hatten wir „um halb" oder „gegen halb" gesagt? Ich dachte, ich bring' noch ein bisschen Kuchen mit. Nehmt ruhig! Ist irgendwas?
Roger: Ehrlich gesagt, Gerold, hab' ich keine große Lust mehr, mit dir über Uhrzeiten oder sonst was zu reden. Tatsache ist, ich warte hier seit einer guten Viertelstunde, und ich sage jetzt einfach mal, wie es ist und fertig.
Gerold: Ja?

Kein Platz für Gerold, Abschnitt 2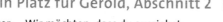

Roger: Wir möchten, dass du auszieehst.
Gerold: Äh, war's das oder kommt da noch was?
Roger: Ach komm, wir haben das so oft …

Gerold: Was, hä? Du denkst, du kannst mir einfach so 'ne Sache an den Kopf knallen …
Roger: Zum Beispiel die Küche! Das scheint dir in zehn Jahren nicht klar geworden zu sein, dass hier auch andere essen und dass es auch so was wie Hygiene gibt.
Gerold: Und du, mein lieber Roger, weißt seit zehn Jahren, dass ich gerne abbeißen können würde. Ich habe von Anfang an darauf hingewiesen, dass ich nur reißen kann, und wir haben immer eine Regelung gefunden.
Roger: Unsere Geduld ist nur irgendwann am Ende.
Gerold: Sag mal, reit' ich auf deinen Handicaps rum? Werf ich dir vor, dass du kurzsichtig bist?
Armin: Hey, hey, jetzt wird's unsachlich.
Roger: Wundert dich das? Übrigens könntest du bei dem, was du isst, auch mal daran denken, dass das für jemanden wie Ellen nicht besonders geschmackvoll ist.
Ellen: Moment, ich hab gesagt, das ist für mich nicht das Problem.
Roger: Er könnte trotzdem darüber nachdenken.
Gerold: So, und jetzt sind wir nämlich beim wirklichen Thema angelangt. Jetzt sehen wir, was hinter deinen Schutzbehauptungen steckt.
Roger: Nicht in diesem Ton!
Gerold: Roger, wir beide wohnen hier am längsten, wir waren von Anfang an dabei. Und Tatsache ist, die Stimmung dreht sich gegen mich, seit sie eingezogen ist.
Roger: Das ist Schwachsinn.
Gerold: Seit einem halben Jahr, seit Armin sie mitgebracht hat, geht das hier gegen mich. Ich weiß nicht, was du gegen mich hast, vielleicht passt dir meine Nase nicht oder meine Farbe, aber glaub' nicht, dass ich das nicht merke.
Roger: Okay. Finito, das Gespräch ist beendet.
Gerold: Ah! Da macht es sich aber einer richtig einfach.
Roger: Wenn du Ellen in diesem Ton angehst, dann hast du hier nichts mehr verloren. Finito!
Ellen: Bitte, das ist für mich kein Problem.
Gerold: Nein, ist doch alles klar. Roger, du weißt, was wir hier für Zeiten erlebt haben. Aber das ist lange her. Und ich sag euch was: Ich bin froh, dass es vorbei ist. Viel Spaß noch!

Kein Platz für Gerold, Abschnitt 3

Ellen: Also, Entschuldigung, ich wusste nicht, dass das so läuft. Ich möchte unter diesen Umständen nicht hier wohnen bleiben.
Roger: Unsinn. Jetzt ist es geklärt, …
Armin: Ellen hat Recht. Gerold wohnt hier länger als wir. Wir suchen uns irgendwo was zu zweit. Ist vielleicht sogar besser für uns.
Roger: Ihr bleibt hier und Schluss!
Armin: Warum ist dir das eigentlich so wichtig? Sag mal, kann es sein, dass du scharf auf Ellen bist?
Roger: Ach komm, Armin, jetzt nicht auch noch so …
Armin: Nee, nee. Das Gefühl hab ich nämlich schon länger. Hat er sich mal an dich rangemacht?
Ellen: Nein, da war … Da ist nichts passiert.
Armin: Da ist nichts passiert? Was soll denn das heißen, bitte schön? Was heißt denn hier „da"? … Das ist doch nicht zu fassen!

Ellen: Du bist echt 'n Vollidiot!
Roger: Ellen ... Mach doch mal das Scheißding aus.

Kein Platz für Gerold 🎬12

vgl. Clip 9–12

Lektion 5   BERUFSEINSTIEG

Das „Atelier La Silhouette" 🎬13

vgl. Clip 14–17

Das „Atelier La Silhouette", 🎬14 Abschnitt 1

Barbara Hemauer-Volk: Also, ich bin die Barbara Hemauer-Volk, von Beruf Sozialarbeiterin, mir liegt so am Herzen die Verbindung von der Sozialarbeit mit der realen gesellschaftlichen Welt. Deshalb war es für mich ganz wichtig, vor 22 Jahren diesen Betrieb hier zu gründen, der Ausbildung, Mode, Träume von jungen Frauen und soziale Chancen miteinander vereint.
Ivana Bugicevic: Ich bin die Ivana Bugicevic, bin Schneidermeisterin, seit fünf Jahren bei „La Silhouette" und bin eben für den ganzen praktischen Teil der Ausbildung verantwortlich – ich bring den Mädchen mit meinen Kolleginnen das Nähen bei, bereite sie auf die Prüfungen vor und bin eigentlich so auch für den Kundschaftsbetrieb, für die Schnitte, für die Anproben zuständig.
Gülnur: Ich heiße Gülnur, bin 20 Jahre alt und ich befinde mich im dritten Lehrjahr und ursprünglich komme ich aus der Türkei.
Pinar: Ich bin die Pinar, bin auch im dritten Lehrjahr und komme aus dem Irak, spreche aber auch Türkisch und ich bin 18 Jahre alt. Seit sieben Jahren bin ich in Deutschland.

Das „Atelier La Silhouette", 🎬15 Abschnitt 2

Barbara Hemauer-Volk: Das „Atelier La Silhouette" ist ein sozialer Ausbildungsbetrieb und eine Modewerkstatt, auch international, worauf wir besonders stolz sind, weil Mode einfach was Internationales ist. Wir geben jungen Frauen eine Chance, die sie brauchen, damit sie lernen können, damit sie Freude an einem Beruf finden können, damit sie sich selber finanzieren können. Ja, die jungen Frauen, die bei uns arbeiten, die können einige Sachen so richtig gut und bei manchen brauchen sie noch Unterstützung, zum Beispiel: wie manage ich Krisen, wie finde ich eine Wohnung, wie kann ich mich finanzieren. Deshalb ist die Verschränkung zwischen Meisterinnen und Sozialarbeitern richtig gut. Wir werden finanziell unterstützt, das ist ganz wunderbar, weil das Geld brauchen wir dringend für die Ausbildung – Ausbildung ist teuer. Unterstützung bekommen wir von der Landeshauptstadt München. Migrantinnen, Einwanderinnen oder junge Flüchtlingsfrauen haben es besonders schwer bei uns am Ausbildungs- und Arbeitsmarkt gute Stellen zu bekommen und die brauchen 'ne Chance und die kriegen sie eben im „Atelier La Silhouette".

Das „Atelier La Silhouette", 🎬16 Abschnitt 3

Gülnur: Es ist für die Zukunft sehr wichtig, eine Berufsausbildung zu machen und dass man auch sein eigenes Geld verdienen kann. Die jungen Frauen verdienen auch in der Ausbildungszeit Geld – leider verdient man als Schneiderin wenig. Ich mach' den Beruf, weil der mir Freude macht, mir Spaß macht und, nachdem man was genäht hat und dann das Ergebnis sieht, ist man auch total stolz auf sich selber – und das ist das Besondere an diesem Beruf. Das Tollste war eine Bluse aus Wildseide, die fand ich total toll! Und die Farbe war rot.
Pinar: Wenn die Ausbildung zu Ende ist, hat man die Möglichkeit, weiter auf die Schule zu gehen oder im Theater irgendwie Arbeit zu suchen, weil wir auch Theaterprojekte machen. Eine Kollegin von mir, die dieses Jahr fertig war, hat jetzt einen Job bei einem Atelier, das Brautmoden macht, sie verdient da richtig gut.
Ivana: Wenn eine Kundin zu uns kommt, wird erst beraten über Stoffe, Farben, ob ein Outfit, ein Kleid, ein Hosenanzug, ... erst danach wird Maß genommen, danach werden Schnitte hergestellt, also aufgestellt, also wir machen erst mal eine Probe, ob das alles perfekt passt, ob das Kleid auch richtig sitzt. Erst zum Schluss, wenn alles perfekt sitzt, wird die Kundin dann das mitnehmen.

Das „Atelier La Silhouette", 🎬17 Abschnitt 4

Pinar: Wenn ich einen Zauberstab hätte, dann würde ich mir eine Wohnung herzaubern und schön einrichten und würde meine Schulden wegzaubern.
Gülnur: Wenn ich einen Zauberstab hätte, dann würde ich mir für alle, die nach einem Ausbildungsplatz suchen, eine Ausbildungsstelle wünschen.
Barbara Hemauer-Volk: Wenn ich einen Zauberstab hätte, dann würde ich gerne zaubern, dass Frauen miteinander sehr viel zufriedener werden können, glücklicher werden können. Sie denken oft, ich bin nicht schön, ich bin nicht dünn – das würde ich gerne wegzaubern. Herzaubern würde ich gerne Lebensfreude, die Lust am Lernen und dass weltweit anerkannt wird, welche wunderbaren Ressourcen, welche Stärken und welche Kräfte Frauen haben – junge Frauen und ältere Frauen.

Probier dich aus, Abschnitt 1 🎬18

Berufsbild des Bankers?
Da weiß man, was man hat!
Ordentlich an der Börse – arbeiten.
Das ist ein Job, bei dem man viel mit Menschen zu tun hat.
Banker ist für mich nicht kreativ.

Da hat man wahrscheinlich auch 'ne ganze Menge Verantwortung.
Banker – immer schön steif und immer schön lächeln und immer schön Leute überzeugen, dass sie schön das Geld da anlegen sollen.
Viele Zahlen und Geld und Anzüge ... und Krawatte.
Jeden Tag das Gleiche machen, die gleichen Vorgänge ...
Ganz viele Zahlen, ganz viele Banken, ganz viel Stress und überhaupt gar kein Spaß.
Langweilig – 'n bisschen.
Also ... Das ist kapitalistisch.

Probier dich aus, Abschnitt 2

Tagesablauf einer Bankerin?
So 'n typischer Banker sieht eigentlich ganz so ... so Jackett, Krawatte, zurückgegelte Haare.
Wie sagt man? Sehr gradlinig und ordentlich und antiseptisch.
'ne Bankerin sieht fast wie 'n Mann aus – aber mit 'nem Rock!
Nein – 'ne Bankerin sieht so ähnlich aus.

Probier dich aus, Abschnitt 3

Hm – was lernt man bei einer Bankausbildung?
Rechenwesen?
Finanzsubventionsgesetze, vielleicht?
Ähm? Und ... und ...
Fonds, Aktienfonds – alle möglichen Fonds ...
Immobilienfonds. Und ... ja ...
Das ist 'ne gute Frage – das weiß ich gar nicht so genau.
Irgendwelche Finanzierungsmöglichkeiten ...
Oder Computerverwaltungs-Basics und ...
Keine Ahnung, wüsst' ich jetzt nicht ganz genau ...
Vielleicht würd' ich mal gern 'n bisschen mehr über diesen Job wissen.

Probier dich aus, Abschnitt 4

Na ja, jeder hat ja so seine Meinung und Vorstellung, wie es wohl ist, bei einer Bank zu arbeiten.
Manches ist richtig, vieles aber auch nicht! Der Einzige, der das wirklich herausfinden kann, bist du selbst. Also: Probier dich aus!

Probier dich aus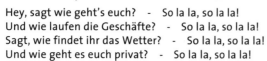

vgl. Clip 18–21

LEKTION 6   MUSIK

Blumentopf: SO LALA, Intro [23]

Hey, sagt wie geht's euch? - So la la, so la la!
Und wie laufen die Geschäfte? - So la la, so la la!
Sagt, wie findet ihr das Wetter? - So la la, so la la!
Und wie geht es euch privat? - So la la, so la la!

Blumentopf: SO LALA [24]

Hey, sagt wie geht's euch? - So la la, so la la!
Und wie laufen die Geschäfte? - So la la, so la la!
Sagt, wie findet ihr das Wetter? - So la la, so la la!
Und wie geht es euch privat? - So la la, so la la!

Manchmal ist alles eben mehr so:
Tee trinken auf Kaffeefahrt,
so Visagist mit Mastercard,
so mit Snowboard-Boots zum Aprés-Ski,
so onanieren zu Blasmusik.
So Brandstifter mit Wasserkopf,
so wie 'ne Lichtgestalt, die Schatten boxt.
Wie 'n Hamsterkauf in 'nem Rattenloch, es ist
So la la, so la la!

So mit Segelohren in 'nem Motorboot,
so – stille Post – mit 'nem Vocalcoach,
so Straußeneier und 'n Spatzenhirn,
so zum Apple Store mit Abrissbirnen.
So Gesichtskrapfen auf 'nem Faschingsball,
so wie Ermittlungen in 'nem Wasserfall,
wie mit Stummelschwanz in 'nem Hasenstall,
es ist so la la, so la la!

Hey, sagt wie geht's euch? - So la la, so la la!
Und wie laufen die Geschäfte? - So la la, so la la!
Sagt wie findet ihr uns? - So la la, so la la!
Und wie findet ihr die anderen? - So la la, so la la!

Es ist so dicke Hose, halbes Hemd,
so Autotune, Garagenband.
So wie Landkreise und Hakenkreuze,
so Eins mit Stern im Armutszeugnis.
So verlorene Seelen im Gospelchor,
so Lattenrost im Hosentor.
So wie Hohes C in 'nem Opernglas,
es ist So la la, so la la!
Es ist wie 'n Haudegen mit Seitenstechen,
so kalte Füße in heißen Nächten,
so wie 'n Schriftzug voller Analphabeten,
so wie im Nadelwald die Palme wedeln.
So wie Lachfalten in Tränensäcken,
so wie Bettbezüge für Schädeldecken,
so No-Brainer auf Abifahrt -
So la la, so la la!

Hey, sagt wie geht's euch? - So la la, so la la!
Und wie steh'n die Aktien? - So la la, so la la!
Sagt, wie findet ihr das Wetter? - So la la, so la la!
Und wie geht es euch privat? - So la la, so la la!

Wie war die Yoga Trainerin jetzt eigentlich im Bett?
So la la, so la la!
Und sag, wie läuft's in deinem Scheidungsprozess?
So la la, so la la!
Ey, der Ex von deiner Neuen, sag wie ist der drauf?
So la la, so la la!
Wird die Nase wieder gerade, sag wie sieht's aus?
So la la, so la la!
Wie läuft's beim Online-Poker, sag gewinnst du jetzt?
So la la, so la la!
Und wie schnell ist im Männerwohnheim das Internet?
So la la, so la la!

Sag wie sind denn die Zeiten so als Rapper?
So la la, so la la!
Und mit deinem Singsang, läuft es da besser?
So la la, so la la!

Hey, sagt wie geht's euch?
So la la, so la la!
Und wie läuft's grad in der Arbeit?
So la la, so la la!
Wie war die Party letzten Samstag?
So la la, so la la!
Und wie läuft es so im Bett?
So la la, so la la!
O.K. das war ja schon mal ganz außerordentlich
So la la, so la la!
Doch jetzt brauchen wir ein ganz besonders lautes
So la la, so la la!
Nur von den Leuten ohne Kohle, sag wie geht's Euch?
So la la, so la la!
Und jetzt mal nur die alleinerziehenden Mütter:
So la a, so la la!
Wo sind meine Wodka saufenden Flatrate-Säufer?
So la la, so la la!
Und ihre Wasser trinkenden Kumpels, die sie nachher heimfahren?
So la la, so la la!
Wie seht ihr eure Chancen auf dem Arbeitsmarkt?
So la la, so la la!
Und die Entwicklung der deutschen Hip-Hop-Szene?
So la la, so la la!

Revolverheld: Mit dir chill'n, Intro 25

(Man sieht den Videoclip ohne Ton)

Revolverheld: Mit dir chill'n 26

An heißen Sommertagen
Bin ich fast erfroren
Vor Stress und Hektik
Die täglich in mir wohnten
Der ganze Scheiß von gestern
Nervt mich immer noch
Keine Zeit für Träume
wenn ich morgens aus meinem Zimmer kroch

Und wie viel mal
Hab' ich mir vorgestellt
Ich hätte Zeit für dich
Und ich hätte Zeit für mich
Aber der ganze Teufelskreis
Lässt mich nichts weiter sehen
Außer wenig Zeit
Und zu viel Einsamkeit

I: Mit Dir chill'n
Das ist was ich will
Heut' Abend ist nichts wichtig,
Nur dass ich mit dir chill'
Lass die Zeit einfach mal stillstehen
Und die Leute ohne uns durchdrehen :I

Komm wir wandern aus
Und ziehen in dieses Lied
Ich spür die Sonne, schön zu wissen, dass es sie
noch gibt

Wieder mal weit weg
Von der Wirklichkeit
1000 Mal cooler als in den Alltagstrott eingereiht
Dazustehen, Ohne dich
Schon der Gedanke lässt mich Zittern nein ich will
das
Ich war schon da
Und hab' das Alles schon erlebt
Ich will hier bleiben mir mit dir die Zeit vertreiben.

I: Mit Dir chill'n
Das ist was ich will
Heut' Abend ist nichts wichtig,
Nur dass ich mit dir chill'
Lass die Zeit einfach mal stillstehen
Und die Leute ohne uns durchdrehen :I

Lass die Zeit einfach mal stillstehen
Lass die Zeit einfach mal stillstehen
Lass die Zeit einfach mal stillstehen
Lass die Zeit einfach mal stillstehen

Und komm wir wandern aus
Und ziehen in dieses Lied
Ich spür die Sonne schön zu wissen, dass es sie
noch gibt

I: Mit Dir chill'n
Das ist was ich will
Heut' Abend ist nichts wichtig,
Nur dass ich mit dir chill'
Lass die Zeit einfach mal stillstehen
Und die Leute ohne uns durchdrehen :I

Lass die Zeit einfach mal stillstehen
Lass die Zeit einfach mal stillstehen
Lass die Zeit einfach mal stillstehen
Lass die Zeit einfach mal still stehen

LaBrassBanda: Marienkäfer 27

(Instrumentalstück)

Lektion 7   GELD

Kleingeld, Intro 28

(nur Ton)

Kleingeld, Abschnitt 1 29

Sekretärin: Japan.
Hoffmann: Ja.
Hoffmann: Ja, Hoffmann?
Ich hab' gerade das Fax hier, Dr. Brinkmeier.
Ich denke Ende der Woche.
Keine Sorge, die lassen wir nicht mehr vom Haken.
Hoffmann: Danke.
Hoffmann: Sie sind also Heizungsmonteur und
   wollen sich selbstständig machen.
   Schön.
   Verheiratet, drei Kinder, wohnen zur Miete,
   ohne Eigenkapital.

Ich bitte Sie, das können wir uns beim besten Willen nicht leisten.

Nein, tut mir leid, da geht nichts.

Wissen Sie was, bleiben Sie doch angestellt. In der heutigen Zeit ist ein Arbeitsplatz sehr wertvoll.

Hoffmann: An meinem Wagen haben Sie nichts zu suchen, verstanden? Der Wagen braucht nicht gewaschen zu werden. Nicht Waschen! Sonst Wasch- ... Wachschutz! Nicht für's Waschen, geschenkt, Spende.

Hoffmann: Ja, Hoffmann hier. Verbinden Sie mich bitte mit dem Wachschutz.

Sekretärin: Eine Unterschrift bitte.

Hoffmann: Jaja, legen Sie's hin ... Sonst noch was?

Sekretärin: Ähm, nein.

Hoffmann: Aber mehr gibt's nicht.

Brinkmeier: Na, läuft das Geschäft?

Hoffmann: Dr. Brinkmeier.

Brinkmeier: Na Sie wissen schon: Japan.

Hoffmann: Jaja, alles klar.

Brinkmeier: Ach, wird Zeit, dass die endlich die Tiefgarage fertig kriegen.

Hoffmann: Jaja.

Kleingeld, Abschnitt 2

Sekretärin: Die Herren sind da.

Hoffmann: Please have a seat.

Hoffmann: Tschüss.

Sekretärin: Ich bin dann weg.

Hoffmann: Ja.

Brinkmeier: Gratuliere zum Japan-Geschäft! Die haben Ihnen ja echt aus der Hand gefressen.

Hoffmann: Ja. Danke!

Lektion 8   LEBENSLANG LERNEN

Ich liebe dich, Sprachenlernen an der vhs

(Sprecher verschiedener Sprachen sagen „Ich liebe dich" in ihrer Muttersprache.
Unter anderem hört man Italienisch, Englisch, Französisch, Schwedisch, Hindi, Japanisch, Arabisch, Türkisch, Mandarin, Hawaiianisch, Thai, Koreanisch, Maa, Deutsch. Man sieht „Ich liebe dich" auch in Gebärdensprache.)

LÖSUNGEN ZU DEN TESTS

LEKTION 1

1   Wortschatz

(1) Kursleiter, (2) Geschichten, (3) Listen, (4) Rolle, (5) Ergebnis, (6) Original, (7) Erfolg, (8) verbessere, (9) fällt ... schwer, (10) Sprichwort

2   Grammatik

a
1 regelmäßig/häufig, 2 selten, 3 manchmal,
4 häufig/regelmäßig, 5 nie

b
2 Er hat ein interessantes Buch mitgenommen.
3 Aber er braucht auch regelmäßigen Kontakt zu seinen Freunden. 4 Deswegen hat er sich ein neues Handy gekauft. 4 Damit kann er sich auch die aktuellen Nachrichten ansehen. 5 Über diese spannende Zeit wird er im Blog berichten.

3   Kommunikation

Musterlösung:
... Ich brauche Deutsch für meine Arbeit, denn ich habe viel mit Menschen zu tun. Jetzt verstehe ich schon ganz gut, was die Leute zu mir sagen. Aber ich muss ja auch antworten können! Darum ist es wichtig, dass ich vor allem im Sprechen besser werde. Natürlich muss ich aber auch gut schreiben können – also sind für mich eigentlich alle Fertigkeiten wichtig. Mein Ziel ist, insgesamt besser zu werden. Deswegen habe ich auch diesen Sprachkurs gewählt. ...

LEKTION 2

1   Wortschatz

(1) einladen, (2) losgehen, (3) feiern, (4) mitbringen, (5) stören, (6) kennenlernen, (7) teilt ... mit, (8) begrüßen, (9) besorgen, (10) Verspätet

2   Grammatik

a
(1) eigentlich, (2) denn, (3) ja, (4) mal, (5) doch, (6) doch, (7) doch, (8) eigentlich

b
(1) an den, (2) auf den, (3) für die, (4) zu eurer, (5) mit meinem, (6) zu einem, (7) für die, (8) um Ihre

c
1 dafür, 2 dabei, 3 danach, 4 von euch

3   Kommunikation

(1) stelle ... vor, (2) Inhalt, (3) möchte, (4) zuerst, (5) erklären, (6) recherchiert, (7) stattfindet, (8) wichtige Rolle, (9) das letzte Mal, (10) teilnehmen, (11) besuchen, (12) Lust bekommen

LEKTION 3

1 Wortschatz

a

(1) verbringen, (2) Aussicht, (3) bequem, (4) bezahlbar, (5) entfernt, (6) Umwelt, (7) diesmal, (8) anstrengend, (9) wert, (10) erholen

b

1 unbedingt, 2 Vermutung, 3 umweltfreundlich, 4 auf jeden Fall, 5 erledigen

2 Grammatik

a

1 Vermutung, 2 Versprechen, 3 Vorhersage, 4 Plan/Vorsatz

b

1 Eventuell werden wir an den Strand fahren. 2 Unsere Hochzeitsreise können wir vermutlich erst nächstes Jahr machen. 3 Diesen Sommer werde ich wohl wieder zu Hause verbringen. 4 Es ist wahrscheinlich keine gute Idee, eine Städtereise mit Kindern zu machen. 5 Aber ich übernachte bestimmt nicht in einer unbequemen Jugendherberge.

c

1 mit denen, 2 was, 3 dessen, 4 wo, 5 was

3 Kommunikation

1 Wie wäre es, wenn wir eine Safari machen? 2 Alaska ist mir, ehrlich gesagt, zu kalt. 3 Wie findest du die Idee, einmal nach Kanada zu reisen? 4 Meinst du nicht, wir sollten zu Hause bleiben?

LEKTION 4

1 Wortschatz

a

(1) Unterkunft, (2) im Erdgeschoss, (3) Sonnenschirm, (4) Mitbewohner, (5) Lärm, (6) Lieblingsessen, (7) chaotisch, (8) Hausmeister

b

1 Klappteppich, 2 Duschschrank, 3 Müllstuhl, 4 Sonnentraum, 5 Dacheimer

2 Grammatik

a

(1) Seit, (2) Am, (3) gegen, (4) von ... an, (5) Um, (6) während, (7) Am, (8) Um, (9) außerhalb, (10) nach, (11) um, (12) in

b

1 Dass Rentner gern in einem Mehrgenerationenhaus leben, zeigte eine Blitzumfrage. 2 Mitten im Garten hängen meine Nachbarn ihre Wäsche auf.

3 Mir sind Einkaufsmöglichkeiten und ein Kindergarten sehr wichtig.

c

1 Nein, die Wohnung brauchen Sie nicht zu streichen. 2 Für die Renovierung brauchen Sie keinen Cent zu bezahlen. 3 Für meinen Umzug brauche ich ein großes Umzugsauto. 4 Den Mietvertrag brauchen Sie nur noch zu unterschreiben. 5 Oh nein, ich brauche keinen Mitbewohner mehr. Danke.

3 Kommunikation

Musterlösung:

1 Wir hätten natürlich am liebsten, dass jeder immer gleich sein Geschirr abspült. 2 Wir wünschen uns, dass jeder einmal in der Woche für alle putzt. 3 Wir möchten auf keinen Fall, dass einer regelmäßig laute Partys feiert. 4 Für uns kommt es nicht infrage, dass auch Haustiere in unserer WG leben.

LEKTION 5

1 Wortschatz

1 Angestellte, 2 lächeln, 3 berufstätig, 4 Werk, 5 Voraussetzung, 6 anstrengend, 7 Vertreter, 8 streiken, 9 Beamte, 10 -druck

2 Grammatik

a

1a Wenn die Firma finanzielle Schwierigkeiten hätte, würde sie Mitarbeiter entlassen. 1b Hätte die Firma finanzielle Schwierigkeiten, würde sie Mitarbeiter entlassen. 2a Wenn Frauen wirklich gleichberechtigt wären, würden sie so viel wie ihre Kollegen verdienen. 2b Wären Frauen wirklich gleichberechtigt, würden sie so viel wie ihre Kollegen verdienen.

b

1 Ich gehe zum Job-Speed-Dating, um potenzielle Arbeitgeber kennenzulernen. 2 Wer arbeitslos wird, muss sich beim Arbeitsamt melden, um sozial versichert zu sein. 3 Damit ich eine Einladung zum Vorstellungsgespräch bekomme, muss meine Bewerbungsmappe fehlerfrei sein. 4 Um unabhängig zu sein, hat meine Tochter eine eigene Firma gegründet. 5 Anton arbeitet sehr viel, damit seine Familie gut leben kann.

c

1 Zum Lernen brauche ich Ruhe. 2 Zum Studium braucht Rainer Abitur. 3 Zum Nähen brauchen wir eine Nadel und viel Zeit.

3 Kommunikation

(1) Auszubildende, (2) Interesse, (3) absolvieren, (4) gegründet, (5) Verantwortung, (6) bevorzugten, (7) Möglichkeit, (8) würden

LEKTION 6

1 Wortschatz

1 Tanz, 2 Gelegenheit, 3 sehr – sowieso, 4 Star,
5 fröhlich – nie, 6 sogar, 7 beeinflussen, 8 fröhliche

2 Grammatik

a

1 denn, 2 Deshalb, 3 Da, 4 nämlich, 5 Daher

b

Ich möchte gern Schlagzeug spielen lernen,
obwohl ich kein eigenes Instrument habe. 2 Die
österreichischen Liedermacher singen nur auf
Deutsch, trotzdem verkaufen sie viele CDs.

c

(1) Niemand, (2) keine, (3) nie, (4) keine, (5) nicht,
(6) nirgendwo

3 Kommunikation

Musterlösung:

Noch mal herzlichen Dank für Deine Gastfreundschaft.
Jetzt freue ich mich schon, wenn Du nun auch mich
besuchen kommst und siehst, wie ich lebe. Im Juli
kann ich gut, da ist auch schönes Wetter. Würde Dir
das auch passen? Ich habe auch eine Idee, wohin wir
dann gehen können: Im Juli gibt es ein tolles Festival
gleich bei mir ums Eck. Da spielen viele Bands, die
noch nicht weltberühmt sind. Ich glaube, diesen
Sommer kommt eine ganz tolle Band aus Berlin, die
können wir uns dann anhören. Die Band mag ich sehr,
denn sie spielt einfach coole Musik. Das ist für Dich
vielleicht ganz interessant, deutsche Musik, deutsche
Texte …
☺ Wenn Du magst, versuche ich, Karten zu
bekommen.
Wir können noch telefonieren, wie Du am besten zu
mir kommst. Am besten kommst Du mit dem Zug,
das ist nicht so teuer und eigentlich sehr bequem.
Am Bahnhof hole ich Dich dann ab.

Ich würde mich sehr freuen, wenn es klappt. Meine
Fotos schicke ich Dir bald!
Bis dahin liebe Grüße

LEKTION 7

1 Wortschatz

(1) Brettspiel, (2) Spielmaterialien, (3) Figuren,
(4) Mitspieler, (5) Würfel, (6) Ziel, (7) Spielkarten,
(8) gewinnt, (9) Ende, (10) Gewinner, (11) Strategie,
(12) desto

2 Grammatik

a

1 die Rechnung, 2 der Banker, 3 die Mehrheit, 4 die
Elektronik, 5 die Entscheidung, 6 der Leiter, 7 der
Praktikant, 8 das Päckchen

b

1 wird … gespart, 2 bezahlt worden sind, 3 wurden
… aufgenommen, 4 Wird … benutzt, 5 müssen …
gewarnt werden, 6 ausgegeben werden kann

c

1 Die traditionellen Rollen von Mann und Frau
müssen heute immer öfter getauscht werden.
2 Immer öfter müssen die traditionellen Rollen von
Mann und Frau heute getauscht werden. 3 Heute
müssen die traditionellen Rollen von Mann und
Frau immer öfter getauscht werden. 4 Müssen die
traditionellen Rollen von Mann und Frau heute
immer öfter getauscht werden? 5 Getauscht werden
müssen heute die traditionellen Rollen von Mann
und Frau immer öfter.

3 Kommunikation

(1) außergewöhnlich, (2) Marke, (3) gemacht,
(4) günstig, (5) denn, (6) bietet, (7) Mitgliedsausweise, (8) viel, (9) Die Hälfte, (10) drauflegen,
(11) Prüfen, (12) verlangen, (13) handeln, (14) Sagen,
(15) Wären, (16) desto, (17) Entscheidung, (18) damit

LEKTION 8

1 Wortschatz

(1) Lautsprecher, (2) angeschlossen, (3) Textverarbeitungsprogramm, (4) öffnet, (5) Speichern,
(6) Monitor, (7) Tastatur, (8) aufnehmen, (9) Surfen,
(10) Versenden

2 Grammatik

a

(1) die Wittelsbacherstraße entlang, (2) an … vorbei
(3) in die, (4) um sie herum, (5) Gegenüber der, (6)
innerhalb, (7) zwischen dem, (8) dem

b

1 Leni, ihre Schwester, ist mit dem Bildungssystem
in Deutschland nicht zufrieden. 2 Pia möchte ihre
Kinder nicht auf eine teure Privatschule schicken.
3 Leni findet, dass es am Gymnasium nicht genug
Unterrichtsstunden gibt.

c

1 einer Privatschule, 2 seiner Mutter, 3 der
Kindergärten, 4 unserer Politiker, 5 dieses
französischen Schauspielers

3 Kommunikation

(1) die meisten, (2) die Hälfte, (3) ein Viertel,
(4) Drittel, (5) wenige, (6) jeweils, (7) ungefähr so
viele, (8) wenige